수능·내신 프리미엄 고등 영어 시리즈

유형독해

Supreme 수프림은

내신과 수능을 한 번에 잡아주는

프리미엄 고등 영어 브랜드입니다.

학습자의 마음을 읽는 동아영어콘텐츠연구팀

동아영어콘텐츠연구팀은 동아출판의 영어 개발 연구원, 현장 선생님, 그리고 전문 원고 집필자들이
공동연구를 통해 최적의 콘텐츠를 개발하는 연구조직입니다.

원고 개발에 참여하신 분들

윤승남 김기천 배준성

교재 기획에 도움을 주신 분들

강군필 강선이 김민규 김설희 김하나 김호성 김효성 박지현 안태정 이성민 이지혜 임기애 정나래 조수진 최시은 한희정

수능·내신 프리미엄 고등 영어 시리즈

유형독해

Structure & Features 구성과 특징

유형 분석 및 풀이 전략

수능 독해 유형을 19개로 나누어 소개하고 유형별 풀이 전략을 3단계로 제시하였습니다.

최신 수능/모의평가/학력평가에 나온 독해 지문을 풀어 보며 해당 유형에 대한 감을 익힐 수 있습니다.

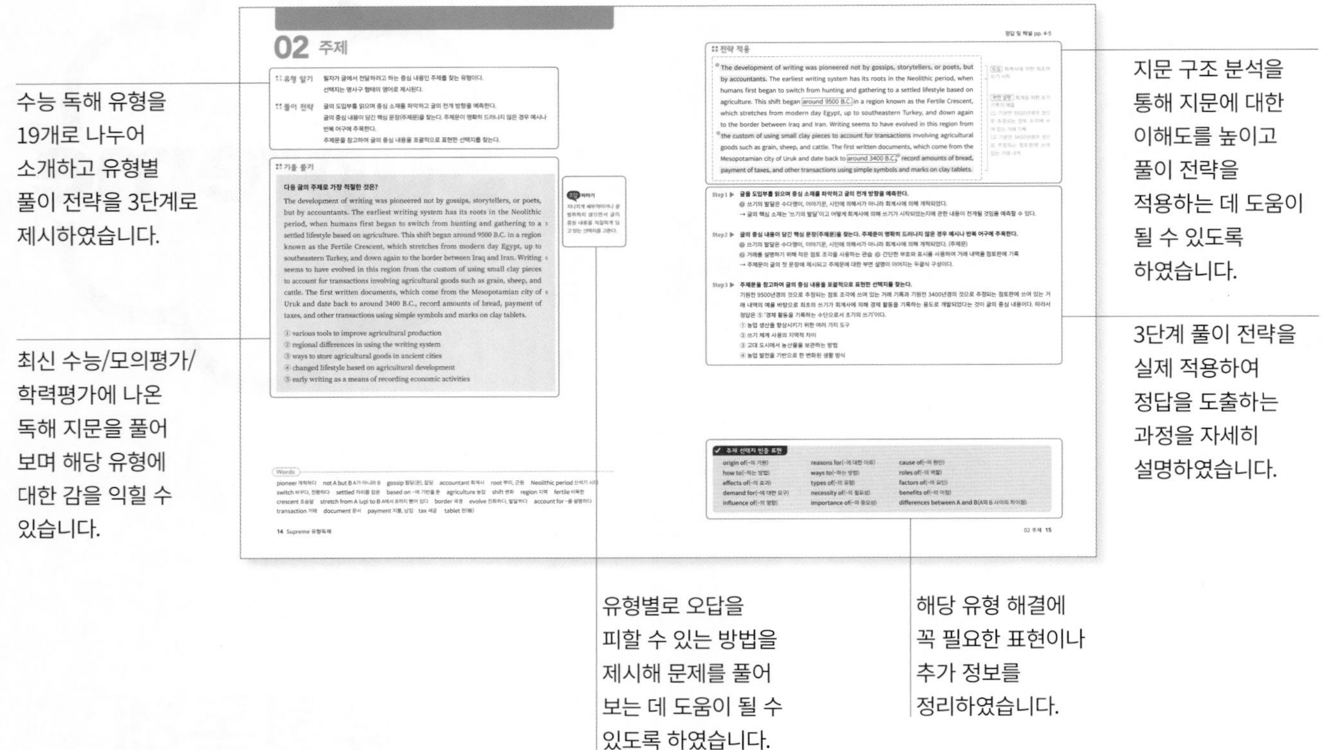

지문 구조 분석을 통해 지문에 대한 이해도를 높이고 풀이 전략을 적용하는 데 도움이 될 수 있도록 하였습니다.

3단계 풀이 전략을 실제 적용하여 정답을 도출하는 과정을 자세히 설명하였습니다.

유형별로 오답을 피할 수 있는 방법을 제시해 문제를 풀어 보는 데 도움이 될 수 있도록 하였습니다.

해당 유형 해결에 꼭 필요한 표현이나 추가 정보를 정리하였습니다.

어법 빈출 항목 / 빈출 어휘 정리

최근 10년 간 수능에 출제된 주요 어법 항목을 8개로 정리하고 기출 예문을 활용한 문제를 제시하여 어법 문항에 효과적으로 대비할 수 있도록 하였습니다.

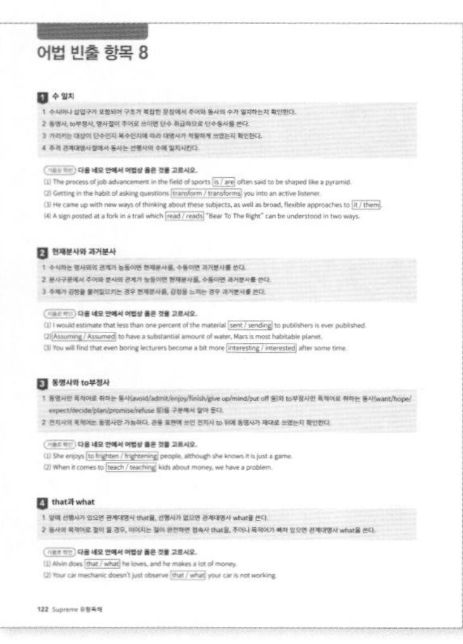

최근 10년 간 수능에 자주 출제된 혼동 어휘와 반의어 리스트를 제공하여 어휘 문항에 효율적인 대비가 가능할 수 있게 하였습니다.

유형 연습 / 내신·서술형 대비

최신 경향을 반영한 문제를 풀면서 해당 유형의 특징을 충분히 익히고 앞에서 배운 풀이 전략을 응용할 수 있도록 하였습니다.

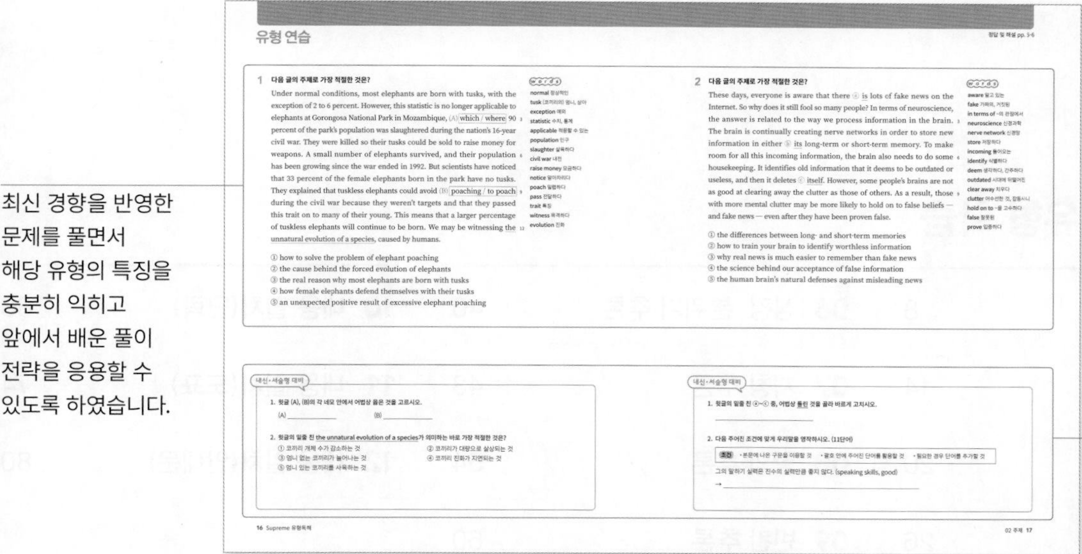

유형 연습

정답 및 해설 pp. 5-6

1 다음 글의 주제로 가장 적절한 것은?

Under normal conditions, most elephants are born with tusks, with the exception of 2 to 6 percent. However, this statistic is no longer applicable to elephants at Gorongosa National Park in Mozambique, (A) which / where 90 percent of the park's population was slaughtered during the nation's 16-year civil war. They were killed so their tusks could be sold to raise money for weapons. A small number of elephants survived, and their population has been growing since the war ended in 1992. But scientists have noticed that 33 percent of the female elephants born in the park have no tusks. They explained that tuskless elephants could avoid (B) poaching / to poach during the civil war because they weren't targets and that they passed this trait on to many of their young. This means that a larger percentage of tuskless elephants will continue to be born. We may be witnessing the unnatural evolution of a species, caused by humans.

① how to solve the problem of elephant poaching
② the cause behind the forced evolution of elephants
③ the real reason why most elephants are born with tusks
④ how female elephants defend themselves with their tusks
⑤ an unexpected positive result of excessive elephant poaching

words
normal 정상적인
tusk (코끼리의) 엄니, 상아
exception 예외
statistic 수치, 통계
applicable 적용될 수 있는
population 인구
slaughter 살육하다
civil war 내전
raise money 모금하다
notice 알아차리다
poach 밀렵하다
pass 전달하다
trait 특징
witness 목격하다
evolution 진화

2 다음 글의 주제로 가장 적절한 것은?

These days, everyone is aware that there ⓐ is lots of fake news on the Internet. So why does it still fool so many people? In terms of neuroscience, the answer is related to the way we process information in the brain. The brain is continually creating nerve networks in order to store new information in either ⓑ its long-term or short-term memory. To make room for all this incoming information, the brain also needs to do some housekeeping. It identifies old information that it deems to be outdated or useless, and then it deletes ⓒ itself. However, some people's brains are not as good at clearing away the clutter as those of others. As a result, those with more mental clutter may be more likely to hold on to false beliefs — and fake news — even after they have been proven false.

① the differences between long- and short-term memories
② how to train your brain to identify worthless information
③ why real news is much easier to remember than fake news
④ the science behind our acceptance of false information
⑤ the human brain's natural defenses against misleading news

words
aware 알고 있는
fake 가짜의, 거짓된
in terms of ~의 관점에서
neuroscience 신경과학
nerve network 신경망
store 저장하다
incoming 들어오는
identify 식별하다
deem 생각하다, 간주하다
outdated 시대에 뒤떨어진
clear away 치우다
clutter 어수선한 것, 잡동사니
hold on to ~을 고수하다
false 잘못된
prove 입증하다

내신·서술형 대비

1. 윗글 (A), (B)의 각 네모 안에서 어법상 옳은 것을 고르시오.

(A) ____________ (B) ____________

2. 윗글의 밑줄 친 the unnatural evolution of a species가 의미하는 바로 가장 적절한 것은?

① 코끼리 개체 수가 감소하는 것
② 코끼리가 대량으로 살상되는 것
③ 엄니 없는 코끼리가 늘어나는 것
④ 코끼리 진화가 지연되는 것
⑤ 엄니 있는 코끼리를 사육하는 것

내신·서술형 대비

1. 윗글의 밑줄 친 ⓐ~ⓒ 중, 어법상 틀린 것을 골라 바르게 고치시오.

____

2. 다음 주어진 조건에 맞게 우리말을 영작하시오. (11단어)

조건 • 본문에 나온 구문을 이용할 것 • 괄호 안에 주어진 단어를 활용할 것 • 필요한 경우 단어를 추가할 것

그의 말하기 실력은 진수의 실력만큼 좋지 않다. (speaking skills, good)

→ ____________

16 Supreme 유형독해 02 주제 17

유형 연습 지문을 이용한 내신·서술형 문제를 풀면서 지문을 다시 한번 복습하고 학교 내신 시험도 대비할 수 있도록 하였습니다.

미니 모의고사 3회

최신 수능 체제에 맞추어 구성한 미니 모의고사를 통해 지금까지 학습한 내용을 총정리하고 자신의 실력을 점검할 수 있습니다.

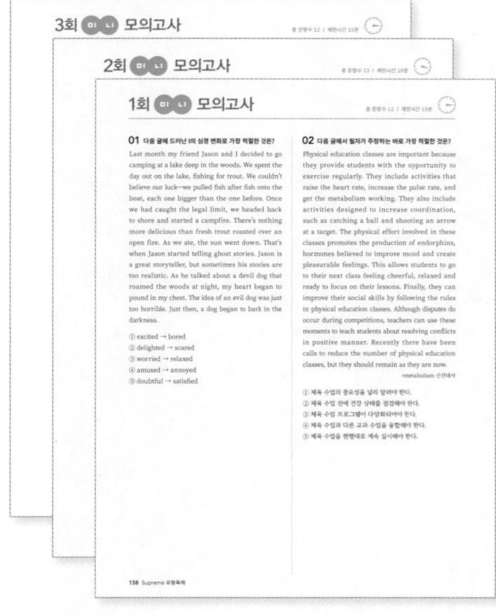

3회 미니 모의고사 총 문항수 12 | 제한시간 15분

2회 미니 모의고사 총 문항수 13 | 제한시간 15분

1회 미니 모의고사 총 문항수 12 | 제한시간 15분

01 다음 글에 드러난 I의 심경 변화로 가장 적절한 것은?

Last month my friend Jason and I decided to go camping at a lake deep in the woods. We spent the day out on the lake, fishing for trout. We couldn't believe our luck—we pulled fish after fish onto the boat, each one bigger than the one before. Once we had caught the legal limit, we headed back to shore and started a campfire. There's nothing more delicious than fresh trout roasted over an open fire. As we ate, the sun went down. That's when Jason started telling ghost stories. Jason is a great storyteller, but sometimes his stories are too realistic. As he talked about a devil dog that roamed the woods at night, my heart began to pound in my chest. The idea of an evil dog was just too horrible. Just then, a dog began to bark in the darkness.

① excited → bored
② delighted → scared
③ worried → relaxed
④ amused → annoyed
⑤ doubtful → satisfied

02 다음 글에서 필자가 주장하는 바로 가장 적절한 것은?

Physical education classes are important because they provide students with the opportunity to exercise regularly. They include activities that raise the heart rate, increase the pulse rate, and get the metabolism working. They also include activities designed to increase coordination, such as catching a ball and shooting an arrow at a target. The physical effort involved in these classes promotes the production of endorphins, hormones believed to improve mood and create pleasurable feelings. This allows students to go to their next class feeling cheerful, relaxed and ready to focus on their lessons. Finally, they can improve their social skills by following the rules in physical education classes. Although disputes do occur during competitions, teachers can use these moments to teach students about resolving conflicts in positive manner. Recently there have been calls to reduce the number of physical education classes, but they should remain as they are now.

*metabolism 신진대사

① 체육 수업의 중요성을 널리 알려야 한다.
② 체육 수업 전에 건강 상태를 점검해야 한다.
③ 체육 수업 프로그램이 다양화되어야 한다.
④ 체육 수업과 다른 교과 수업을 융합해야 한다.
⑤ 체육 수업을 현행대로 계속 실시해야 한다.

138 Supreme 유형독해

Contents 목차

Part I 독해 유형 학습

Part II 수능 실전 대비

Supreme

Part I

독해 유형 학습

01 목적

:: 유형 알기 글을 읽고 필자의 의도나 목적을 파악하는 유형이다.
편지글, 안내문, 광고문, 초대장 등 실생활에서 흔히 접할 수 있는 형식의 글에서 출제된다.

:: 풀이 전략 글의 도입부를 읽고 글의 성격과 필자, 예상 독자를 파악한다.
글을 쓴 목적은 글의 중반 이후에 나오는 경우가 많으므로 끝까지 주의 깊게 읽는다.
글의 주제와 세부 내용을 종합하여 글의 목적을 찾는다.

:: 기출 풀기

다음 글의 목적으로 가장 적절한 것은?

Dear Ms. Blake,

I understand that on May 3, 2018 when you were a guest at our restaurant in the Four Hills Plaza, you experienced an unfortunate incident that resulted in a beverage being spilled on your coat. Please accept my sincere apology. Unfortunately the staff on duty at the time did not reflect our customer service policy. I have investigated the situation and scheduled additional customer service training for them. We'd like to have you back as a customer so I'm sending you a coupon for two free entrées that can be used at any of our five locations in New Parkland. Again, my apologies for the incident. I hope you give us the opportunity to make this right.

Sincerely,

Barbara Smith

① 직원 교육의 강화를 요구하려고
② 호텔 내 식당의 개업을 홍보하려고
③ 세탁 서비스에 대한 불만을 제기하려고
④ 식당에서 일어난 실수에 대해 사과하려고
⑤ 새로 발행된 쿠폰 사용 방법을 안내하려고

오답 피하기
의례적인 인사나 칭찬, 상황 설명만 읽고 글의 목적을 성급하게 판단하지 않도록 주의한다.

Words

experience 경험하다 unfortunate 불운한, 불행한 incident 사건, (불쾌한) 일 result in 그 결과 ~가 되다 beverage 음료 spill 쏟다, 엎지르다 accept 받아들이다 apology 사과 on duty 근무 중인 reflect 반영하다 policy 정책 investigate 살피다, 조사하다 additional 추가적인 entrée 주요리, 식사 location (건물 등이 있는) 위치 opportunity 기회

:: 전략 적용

Dear Ms. Blake,

I understand that on May 3, 2018 when ❶ you were a guest at our restaurant in the Four Hills Plaza, you experienced an unfortunate incident that resulted in a beverage being spilled on your coat. ❷ Please accept my sincere apology. Unfortunately the staff on duty at the time did not reflect our customer service policy. I have investigated the situation and scheduled additional customer service training for them. We'd like to have you back as a customer so ❸ I'm sending you a coupon for two free entrées that can be used at any of our five locations in New Parkland. ❹ Again, my apologies for the incident. I hope you give us the opportunity to make this right.

Sincerely,

Barbara Smith

(도입) 식당에서 있었던 실수에 대한 사과

(전개) 실수 후의 조치 및 대응 방안 안내

(결론) 다시 한번 사과

Step 1 ▶ 글의 도입부를 읽고 글의 성격과 필자, 예상 독자를 파악한다.

글의 시작과 끝의 형식으로 보아 이 글은 편지글임을 알 수 있다.

❶ 저희 레스토랑에 고객으로 ... / 당신의 코트에 음료를 엎지르게 된 안타까운 실수

→ 수신자는 식당 손님, 발신자는 식당 관계자임을 알 수 있으며, 식당에서 있었던 일의 내용을 알 수 있다.

❷ 진심 어린 사과를 받아 주시기 바랍니다.

→ 식당 관계자가 식당을 방문했던 손님에게 발생한 실수에 대해 사과를 하고 있다.

Step 2 ▶ 글을 쓴 목적은 글의 중반 이후에 나오는 경우가 많으므로 끝까지 주의 깊게 읽는다.

❸ New Parkland의 5개 지점 어디서나 사용 가능한 주요리 2개 무료 쿠폰을 보내 드리겠습니다.

❹ 다시 한번, 그 일에 대해 사과 드립니다.

→ 사과의 뜻으로 무료 식사 쿠폰을 보낼 예정임을 알려 주고, 재차 사과하고 있다.

Step 3 ▶ 글의 주제와 세부 내용을 종합하여 글의 목적을 찾는다.

❶~❹에서 식당 관계자가 직원이 손님에게 한 실수를 사과하며 무료 쿠폰을 보내 줄 것을 알리는 편지글임을 알 수 있다.

따라서 정답은 ④ '식당에서 일어난 실수에 대해 사과하려고'이다. 나머지는 본문에 나온 일부 내용을 이용한 오답이다.

✓ 글의 목적 관련 빈출 표현

- **감사·사과:** thank you[thanks] for, appreciate, sorry for, apologize[apology]
- **경고·통보:** warn, inform, notify, report, notice, confirm
- **홍보·광고:** introduce, promote, recommend, offer, sign up
- **항의·불만:** disappointed, dissatisfied, afraid, complain, upset
- **요구·촉구:** demand, request, require, ask, call for
- **충고·조언:** suggest, have to, should, had better, need, be sure to

유형 연습

1 **다음 글의 목적으로 가장 적절한 것은?**

To Whom It May Concern,

I'm writing in regard to one of your company's products. My family has been enjoying your ice cream for years. Yesterday, however, as I scooped the ice cream into the bowl, something unusual caught my eye. Upon closer inspection, I found it to be a five-centimeter-long piece of transparent plastic. I'm sure you understand how tragic ⓐ this incident could have been ⓑ had I not noticed it. No one was injured, but my confidence in the safety of your products has been badly shaken. I would appreciate receiving an explanation as to how something like this happened and what you will be doing to ensure it doesn't occur again.

Sincerely,

Patricia Reddington

① 새로 출시된 제품에 대한 소감을 전하려고
② 아이스크림에서 나온 이물질에 대해 항의하려고
③ 새로운 맛의 아이스크림 제품 출시를 요청하려고
④ 아이스크림이 녹지 않도록 포장 개선을 촉구하려고
⑤ 플라스틱 포장 아이스크림의 문제점에 대해 말하려고

words

in regard to ~에 관하여
scoop 뜨다, 퍼내다
unusual 흔하지 않은
catch one's eye 눈길을 끌다[사로잡다]
inspection 검사, 조사
transparent 투명한
incident 사건, 일
notice 알아채다
injure 상처를 입히다
confidence 믿음, 신뢰
appreciate 감사하다
explanation 설명
as to ~에 관하여
ensure 반드시 ~하게 하다

내신・서술형 대비

1. 윗글의 밑줄 친 ⓐ this incident가 뜻하는 바를 우리말로 쓰시오. (20자 내외)

____

2. 윗글의 밑줄 친 ⓑ had I not noticed it을 if를 이용하여 바꿔 쓰시오.

____

2 다음 글의 목적으로 가장 적절한 것은?

Dear Professor Young,

It has been more than a year since I graduated from State University, but I still remember your journalism class like it was yesterday. I learned a lot about writing in your class, as well as what it takes to be a good reporter. Now I have a chance to put everything you taught me into practice. A local paper has an <u>opening</u> for a writer in their business news department. They like my résumé but have asked for references who can provide more information about my skills and academic experience. With your permission, I'd like to include you on that list. I know you are busy with your courses, but I would be extremely grateful if you could do this for me. Thanks for your consideration!

Sincerely,

Jonathan Hawes

① 이력서 세부 내용을 확인하려고
② 추천서의 내용 검토를 요청하려고
③ 학교 생활 중 받았던 도움에 대해 감사하려고
④ 갑자기 발생한 기자직 공석에 대해 안내하려고
⑤ 취업을 위한 추천인이 되어줄 것을 부탁하려고

words

graduate 졸업하다
journalism 저널리즘, 보도업
put A into practice A를 실행에 옮기다
local paper 지역 신문, 지방 신문
opening 공석, 빈자리
department 부서
résumé 이력서
reference 추천인; 추천서
academic 학술적인
permission 허용, 허가
extremely 극도로, 매우
grateful 감사하는
consideration 배려, 고려

내신·서술형 대비

1. 다음 주어진 조건에 맞게 우리말을 영작하시오. (10단어)

조건 • 본문에 나온 구문을 이용할 것 • 괄호 안에 주어진 단어를 활용할 것 • 필요한 경우 단어를 추가할 것

우리가 만난 지 2년이 넘었다. (meet, since)

→ ______________________________

2. 윗글의 밑줄 친 <u>opening</u>이 문맥상 뜻하는 바로 알맞은 것은?

① the beginning of something
② a job that is available
③ the first part of a book, play, concert, etc.
④ a hole through which things or people can pass
⑤ a small area in a forest where there are no trees

3 다음 글의 목적으로 가장 적절한 것은?

The Greenville Public Library has always offered the residents of Greenville a cozy place to study and read. Now, students can get help with their homework as well. Starting in February, the Homework Helpers program will be available every weeknight from 5 p.m. to 8 p.m. The program will be held in our new study center on the third floor and will be staffed by qualified tutors. The study center, which opened last fall, also has several computers and free Wi-Fi for all, making it a great place to do your online research. <u>The Homework Helpers program is available to students in grades one to twelve and cover all school subject</u>. There is no fee for this service, but you must sign up at least 24 hours in advance to reserve a tutor. For more information, email the program's director at donna_stafford@gpl.org.

① 도서관 회원 가입을 독려하려고
② 도서관 야간 개관 시간을 안내하려고
③ 도서관에서 일할 교사를 채용하려고
④ 도서관 과제 도우미 프로그램을 홍보하려고
⑤ 도서관 무선 인터넷 이용 방법을 안내하려고

words

offer 제공하다
resident 주민
cozy 아늑한
available 이용 가능한
hold 열다, 개최하다
staff ~에 직원을 배치하다
qualified 자격을 갖춘
tutor 튜터, 개인교사
cover ~을 다루다
fee 요금
sign up 등록하다, 가입하다
at least 적어도, 최소한
in advance 미리
reserve 예약하다

내신·서술형 대비

1. 윗글의 밑줄 친 문장에서 어법상 틀린 부분 두 군데를 찾아 바르게 고치시오.

(1) ____________________ (2) ____________________

2. 윗글을 읽고, Homework Helpers 프로그램의 세부 내용을 우리말로 쓰시오.

(1) 운영시간: ____________________
(2) 대상: ____________________
(3) 요금: ____________________
(4) 장소: ____________________

4 다음 글의 목적으로 가장 적절한 것은?

Dear Mr. Harry Sutherland,

Thank you for continuing to be a loyal Bank of Florida customer. As a user of our popular mobile app, you have the ability to manage and protect all of your accounts quickly and easily. Starting April 1, however, we will no longer be supporting older versions of this app. Therefore, please make sure you have downloaded and installed the most recent version, ⓐ <u>that is available at no charge on our website</u>. It can also be found on all major app stores simply by searching for "Bank of Florida mobile manager." If you haven't been using the latest version of our app, you will be pleasantly surprised at ⓑ <u>how much faster and more convenient is it than the older versions</u>. Should you have any problems installing the app, or if you simply have a question, feel free to call our customer service center at 800-988-9989. Thank you once again for your understanding and patience.

Sincerely,

Bank of Florida Customer Service

words

- continue 계속 있다
- loyal customer 단골 고객
- manage 관리하다
- protect 보호하다
- no longer 더 이상 ~ 아닌
- support 지원하다
- install 설치하다
- recent 최근의
- available 이용 가능한
- charge 요금
- latest 최신의
- convenient 편리한
- feel free to-v 마음대로 ~하다

① 신규 고객 서비스 담당자를 안내하려고
② 예금이 만기된 고객 명단을 공지하려고
③ 최신 버전의 앱 다운로드를 안내하려고
④ 앱의 오류 사항에 대한 개선을 요청하려고
⑤ 은행에 필요한 앱 개발 업체를 모집하려고

내신·서술형 대비

1. 윗글의 밑줄 친 ⓐ와 ⓑ에서 어법상 <u>틀린</u> 부분을 찾아 바르게 고치시오.

ⓐ ______________ ⓑ ______________

2. 주어진 영영 풀이에 해당하는 단어를 윗글에서 찾아 쓰시오.

n. an arrangement to leave your money in a bank and take some out when you need it

02 주제

유형 알기 필자가 글에서 전달하려고 하는 중심 내용인 주제를 찾는 유형이다.
선택지는 명사구 형태의 영어로 제시된다.

풀이 전략 글의 도입부를 읽으며 중심 소재를 파악하고 글의 전개 방향을 예측한다.
글의 중심 내용이 담긴 핵심 문장(주제문)을 찾는다. 주제문이 명확히 드러나지 않은 경우 예시나 반복 어구에 주목한다.
주제문을 참고하여 글의 중심 내용을 포괄적으로 표현한 선택지를 찾는다.

기출 풀기

다음 글의 주제로 가장 적절한 것은?

The development of writing was pioneered not by gossips, storytellers, or poets, but by accountants. The earliest writing system has its roots in the Neolithic period, when humans first began to switch from hunting and gathering to a settled lifestyle based on agriculture. This shift began around 9500 B.C. in a region known as the Fertile Crescent, which stretches from modern day Egypt, up to southeastern Turkey, and down again to the border between Iraq and Iran. Writing seems to have evolved in this region from the custom of using small clay pieces to account for transactions involving agricultural goods such as grain, sheep, and cattle. The first written documents, which come from the Mesopotamian city of Uruk and date back to around 3400 B.C., record amounts of bread, payment of taxes, and other transactions using simple symbols and marks on clay tablets.

① various tools to improve agricultural production
② regional differences in using the writing system
③ ways to store agricultural goods in ancient cities
④ changed lifestyle based on agricultural development
⑤ early writing as a means of recording economic activities

오답 피하기
지나치게 세부적이거나 광범위하지 않으면서 글의 중심 내용을 적절하게 담고 있는 선택지를 고른다.

Words
pioneer 개척하다 not A but B A가 아니라 B gossip 험담(꾼), 잡담 accountant 회계사 root 뿌리, 근원 Neolithic period 신석기 시대 switch 바꾸다, 전환하다 settled 자리를 잡은 based on ~에 기반을 둔 agriculture 농업 shift 변화 region 지역 fertile 비옥한 crescent 초승달 stretch from A (up) to B A에서 B까지 뻗어 있다 border 국경 evolve 진화하다, 발달하다 account for ~을 설명하다 transaction 거래 document 문서 payment 지불, 납입 tax 세금 tablet 판(板)

:: 전략 적용

❶ The development of writing was pioneered not by gossips, storytellers, or poets, but by accountants. The earliest writing system has its roots in the Neolithic period, when humans first began to switch from hunting and gathering to a settled lifestyle based on agriculture. This shift began around 9500 B.C. in a region known as the Fertile Crescent, which stretches from modern day Egypt, up to southeastern Turkey, and down again to the border between Iraq and Iran. Writing seems to have evolved in this region from ❷ the custom of using small clay pieces to account for transactions involving agricultural goods such as grain, sheep, and cattle. The first written documents, which come from the Mesopotamian city of Uruk and date back to around 3400 B.C., ❸ record amounts of bread, payment of taxes, and other transactions using simple symbols and marks on clay tablets.

(도입) 회계사에 의한 최초의 쓰기 시작

(부연 설명) 회계를 위한 초기 기록의 예들
(1) 기원전 9500년경의 것으로 추정되는 점토 조각에 쓰여 있는 거래 기록
(2) 기원전 3400년경의 것으로 추정되는 점토판에 쓰여 있는 거래 내역

Step 1 ▶ 글을 도입부를 읽으며 중심 소재를 파악하고 글의 전개 방향을 예측한다.

❶ 쓰기의 발달은 수다쟁이, 이야기꾼, 시인에 의해서가 아니라 회계사에 의해 개척되었다.
→ 글의 핵심 소재는 '쓰기의 발달'이고 어떻게 회계사에 의해 쓰기가 시작되었는지에 관한 내용이 전개될 것임을 예측할 수 있다.

Step 2 ▶ 글의 중심 내용이 담긴 핵심 문장(주제문)을 찾는다. 주제문이 명확히 드러나지 않은 경우 예시나 반복 어구에 주목한다.

❶ 쓰기의 발달은 수다쟁이, 이야기꾼, 시인에 의해서가 아니라 회계사에 의해 개척되었다. (주제문)
❷ 거래를 설명하기 위해 작은 점토 조각을 사용하는 관습 ❸ 간단한 부호와 표시를 사용하여 거래 내역을 점토판에 기록
→ 주제문이 글의 첫 문장에 제시되고 주제문에 대한 부연 설명이 이어지는 두괄식 구성이다.

Step 3 ▶ 주제문을 참고하여 글의 중심 내용을 포괄적으로 표현한 선택지를 찾는다.

기원전 9500년경의 것으로 추정되는 점토 조각에 쓰여 있는 거래 기록과 기원전 3400년경의 것으로 추정되는 점토판에 쓰여 있는 거래 내역의 예를 바탕으로 최초의 쓰기가 회계사에 의해 경제 활동을 기록하는 용도로 개발되었다는 것이 글의 중심 내용이다. 따라서 정답은 ⑤ '경제 활동을 기록하는 수단으로서 초기의 쓰기'이다.
① 농업 생산을 향상시키기 위한 여러 가지 도구
② 쓰기 체계 사용의 지역적 차이
③ 고대 도시에서 농산물을 보관하는 방법
④ 농업 발전을 기반으로 한 변화된 생활 방식

✓ 주제 선택지 빈출 표현

origin of(~의 기원)	**reasons for**(~에 대한 이유)	**cause of**(~의 원인)
how to(~하는 방법)	**ways to**(~하는 방법)	**roles of**(~의 역할)
effects of(~의 효과)	**types of**(~의 유형)	**factors of**(~의 요인)
demand for(~에 대한 요구)	**necessity of**(~의 필요성)	**benefits of**(~의 이점)
influence of(~의 영향)	**importance of**(~의 중요성)	**differences between A and B**(A와 B 사이의 차이점)

유형 연습

1 다음 글의 주제로 가장 적절한 것은?

Under normal conditions, most elephants are born with tusks, with the exception of 2 to 6 percent. However, this statistic is no longer applicable to elephants at Gorongosa National Park in Mozambique, (A) [which / where] 90 percent of the park's population was slaughtered during the nation's 16-year civil war. They were killed so their tusks could be sold to raise money for weapons. A small number of elephants survived, and their population has been growing since the war ended in 1992. But scientists have noticed that 33 percent of the female elephants born in the park have no tusks. They explained that tuskless elephants could avoid (B) [poaching / to poach] during the civil war because they weren't targets and that they passed this trait on to many of their young. This means that a larger percentage of tuskless elephants will continue to be born. We may be witnessing <u>the unnatural evolution of a species</u>, caused by humans.

① how to solve the problem of elephant poaching
② the cause behind the forced evolution of elephants
③ the real reason why most elephants are born with tusks
④ how female elephants defend themselves with their tusks
⑤ an unexpected positive result of excessive elephant poaching

words

- **normal** 정상적인
- **tusk** (코끼리의) 엄니, 상아
- **exception** 예외
- **statistic** 수치, 통계
- **applicable** 적용할 수 있는
- **population** 인구
- **slaughter** 살육하다
- **civil war** 내전
- **raise money** 모금하다
- **notice** 알아차리다
- **poach** 밀렵하다
- **pass** 전달하다
- **trait** 특징
- **witness** 목격하다
- **evolution** 진화

내신·서술형 대비

1. 윗글 (A), (B)의 각 네모 안에서 어법상 옳은 것을 고르시오.

(A) ____________ (B) ____________

2. 윗글의 밑줄 친 <u>the unnatural evolution of a species</u>가 의미하는 바로 가장 적절한 것은?

① 코끼리 개체 수가 감소하는 것
② 코끼리가 대량으로 살상되는 것
③ 엄니 없는 코끼리가 늘어나는 것
④ 코끼리 진화가 지연되는 것
⑤ 엄니 있는 코끼리를 사육하는 것

2 다음 글의 주제로 가장 적절한 것은?

These days, everyone is aware that there ⓐ is lots of fake news on the Internet. So why does it still fool so many people? In terms of neuroscience, the answer is related to the way we process information in the brain. The brain is continually creating nerve networks in order to store new information in either ⓑ its long-term or short-term memory. To make room for all this incoming information, the brain also needs to do some housekeeping. It identifies old information that it deems to be outdated or useless, and then it deletes ⓒ itself. However, some people's brains are not as good at clearing away the clutter as those of others. As a result, those with more mental clutter may be more likely to hold on to false beliefs — and fake news — even after they have been proven false.

① the differences between long- and short-term memories
② how to train your brain to identify worthless information
③ why real news is much easier to remember than fake news
④ the science behind our acceptance of false information
⑤ the human brain's natural defenses against misleading news

words
aware 알고 있는
fake 가짜의, 거짓된
in terms of ~의 관점에서
neuroscience 신경과학
nerve network 신경망
store 저장하다
incoming 들어오는
identify 식별하다
deem 생각하다, 간주하다
outdated 시대에 뒤떨어진
clear away 치우다
clutter 어수선한 것, 잡동사니
hold on to ~을 고수하다
false 잘못된
prove 입증하다

내신•서술형 대비

1. 윗글의 밑줄 친 ⓐ~ⓒ 중, 어법상 틀린 것을 골라 바르게 고치시오.

____

2. 다음 주어진 조건에 맞게 우리말을 영작하시오. (11단어)

조건 •본문에 나온 구문을 이용할 것 •괄호 안에 주어진 단어를 활용할 것 •필요한 경우 단어를 추가할 것

그의 말하기 실력은 진수의 실력만큼 좋지 않다. (speaking skills, good)

→ _______________________________

3 다음 글의 주제로 가장 적절한 것은?

Do you behave in the same way when you are with your parents as you do when you are with your friends? How about when you are all alone? All of us must take on a variety of different social roles over the course of our daily lives. It may sometimes seem as though we are constantly putting on masks and becomes a different person. In fact, the word "person" is derived from the Latin word *persona*, which referred to the masks that were worn by stage actors in ancient Greece. Today, a "persona" is defined as the face that people show to the world in social situations in order to make a socially desirable impression while hiding their true nature. The wearing of different masks is unavoidable if we are to function socially at all, and it is not unusual for people to find themselves switching between dozens of different personas in a single day.

① the origin of the word "mask"
② the effects of staying true to yourself
③ the advantages of hiding one's true identity
④ how to switch roles quickly on the stage
⑤ the inevitability of having multiple identities

words

behave 행동하다
take on 떠맡다
a variety of 다양한
constantly 지속적으로
be derived from ~에서 유래되다
refer to 가리키다, 의미하다
define 정의하다
desirable 바람직한
impression 인상
hide 숨기다
nature 본성
unavoidable 불가피한
function 기능하다, 작동하다
at all 이왕, 적어도

내신·서술형 대비

1. 윗글의 밑줄 친 문장에서 어법상 틀린 부분을 찾아 바르게 고치시오.

____

2. 윗글에서 말하는 persona의 2가지 의미를 우리말로 쓰시오. (각각 20자 내외)

(1) _______________________

(2) _______________________

4 다음 글의 주제로 가장 적절한 것은?

The ancient Greeks used the term "philosophy" to refer to the act of seeking knowledge for its own sake. This covered all fields of knowledge, including art, science and religion. This usage explains how philosophical questions differ from scientific ones — they are usually foundational and abstract in nature. Philosophy, therefore, is accomplished through reflection rather than experimentation. This often leads to the misunderstanding (A) [which / that] philosophy is impractical, inconclusive, and unproductive. However, philosophy has generated some of the most important ideas in history and has contributed to politics, sociology, mathematics, science, literature, and nearly every other field. It may not directly answer our questions about the origins of the universe or the meaning of life, but it is essential that we continue to ask such philosophical questions and seek their answers. Doing so can teach us to become better thinkers and make it easier for us (B) [understand / to understand] a variety of situations in other areas of life.

① the different varieties of philosophical questions
② the differences between philosophy and science
③ the true meaning and importance of philosophy
④ the origins of philosophy and how it has changed
⑤ the reason why philosophers focus on one subject

words

- seek 찾다, 추구하다
- for one's sake ~을 위하여
- religion 종교
- usage 용법, 어법
- philosophical 철학적인
- foundational 근본적인
- abstract 추상적인
- in nature 본질적으로
- accomplish 성취하다
- reflection 숙고, 성찰
- experimentation 실험
- impractical 비실용적인
- inconclusive 결론이 나지 않는
- unproductive 비생산적인
- generate 생성하다
- contribute 기여하다
- sociology 사회학

내신·서술형 대비

1. 윗글 (A), (B)의 각 네모 안에서 어법상 옳은 것을 고르시오.

(A) ________________ (B) ________________

2. 윗글에서 언급된 철학의 특성과 거리가 먼 것은?

① conceptual ② fundamental ③ inquiring
④ thoughtful ⑤ experimental

03 제목

유형 알기 글의 중심 내용을 가장 잘 나타내는 제목을 찾는 유형이다.
선택지는 영어로 제시되며, 주제에 비해 비유적·함축적으로 제시되는 경우가 많다.

풀이 전략 글의 도입부를 읽으며 글의 중심 소재와 전개 방식을 예측한다.
핵심 어구나 핵심 문장을 찾아 글의 주제를 파악한다. 특히 요약이나 역접의 연결사 전후를 잘 살핀다.
선택지 중 글의 주제를 간결하고 압축적으로 표현한 것을 찾는다.

기출 풀기

다음 글의 제목으로 가장 적절한 것은?

Many parents do not understand why their teenagers occasionally behave in an irrational or dangerous way. At times, it seems like teens don't think things through or fully consider the consequences of their actions. Adolescents differ from adults in the way they behave, solve problems, and make decisions. There is a biological explanation for this difference. Studies have shown that brains continue to mature and develop throughout adolescence and well into early adulthood. Scientists have identified a specific region of the brain that is responsible for immediate reactions including fear and aggressive behavior. This region develops early. However, the frontal cortex, the area of the brain that controls reasoning and helps us think before we act, develops later. This part of the brain is still changing and maturing well into adulthood.

*frontal cortex 전두엽

① Use Your Brain to the Fullest
② Exercise Boosts Kids' Brain Health
③ Fear Leads to Aggressive Behaviors
④ Teen Brains: On the Way to Maturity
⑤ Kids' Emotional Attachment to Parents

오답 피하기
본문에 나온 어구나 글의 일부 내용을 이용한 매력적인 오답을 선택하지 않도록 주의한다.

Words

occasionally 때때로 behave 행동하다 irrational 비이성적인 think through 충분히 생각하다 consider 고려하다 consequence 결과 adolescent 청소년 differ from ~와 다르다 biological 생물학적인 continue 계속하다 mature 성숙해지다, 발달하다 adolescence 청소년기 adulthood 성인기 be responsible for ~에 책임이 있다 immediate 즉각적인 aggressive 공격적인 area 지역, 부분 reasoning 이성

∷ 전략 적용

❶ Many parents do not understand why their teenagers occasionally behave in an irrational or dangerous way. At times, it seems like teens don't think things through or fully consider the consequences of their actions. Adolescents differ from adults in the way they behave, solve problems, and make decisions. ❷ There is a biological explanation for this difference. Studies have shown that brains continue to mature and develop throughout adolescence and well into early adulthood. Scientists have identified a specific region of the brain that is responsible for immediate reactions including fear and aggressive behavior. This region develops early. ❸ However, the frontal cortex, the area of the brain that controls reasoning and helps us think before we act, develops later. This part of the brain is still changing and maturing well into adulthood.

(도입) 성인과 다른 십 대의 비이성적인 행동

(전개) 십 대의 비이성적인 행동에 대한 생물학적 설명

(마무리) 이성과 사고를 관장하는 뇌의 전두엽은 성인기에 이를 때까지 발달

Step 1 ▶ 글의 도입부를 읽으며 글의 중심 소재와 전개 방식을 예측한다.

❶ 많은 부모들은 그들의 십 대 자녀들이 때때로 비합리적이거나 위험한 방식으로 행동하는 이유를 이해하지 못한다.
→ 청소년들의 문제 행동에 대한 내용이 나올 것이다.
❷ 이러한 차이(청소년과 어른의 행동 및 문제 해결, 의사 결정 방식의 차이)에 대한 생물학적인 설명이 있다.
→ 청소년들의 문제 행동을 생물학적으로 설명해 줄 것이다.

Step 2 ▶ 핵심 어구나 핵심 문장을 찾아 글의 주제를 파악한다. 특히 요약이나 역접의 연결사 전후를 잘 살핀다.

❸ 그러나, 이성을 통제하고 우리가 행동하기 전에 생각하도록 도와주는 뇌의 영역인 전두엽은 나중에 발달한다.
→ 청소년들은 이성을 통제하고 사고 기능을 담당하는 전두엽이 덜 발달되어 비합리적이고 위험한 방식으로 행동한다.

Step 3 ▶ 선택지 중 글의 주제를 간결하고 압축적으로 표현한 것을 찾는다.

'청소년기에는 뇌의 전두엽이 완전히 발달하지 않아 성인과 달리 절제 능력이 부족하다'는 내용이므로, 정답은 ④ '십 대의 뇌: 성숙하는 과정'이다.

① 당신의 두뇌를 최대한 활용하라
② 운동은 아이들의 뇌 건강을 증진시킨다
③ 공포는 공격적인 행동으로 이어진다
⑤ 아이들의 부모에 대한 정서적 애착

✓ 제목 선택지 유형

- **진술형:** Exercise Boosts Kids' Brain Health / We Value Dramatic Things More!
- **명령형:** Use Your Brain to the Fullest / Appreciate What You Have Without Unrealistic Expectations
- **의문형:** How Can People Overcome Their Prejudices? / Who Smiles at Copyright Protection, Writers or Publishers?
- **주제형:** Ways to Reduce Errors in Risk Analysis / Kids' Emotional Attachment to Parents
- **부연 설명형:** Teen Brains: On the Way to Maturity / Jealousy: Another Form of Self-Protection

유형 연습

1 **다음 글의 제목으로 가장 적절한 것은?**

Fast fashion refers to stylish clothes that can be manufactured quickly and cheaply. It allows anyone adopting the latest fashion trends instantly. However, the rapid changes in style and the reasonable prices can lead to impulse purchases, many of which are likely to be worn once or twice and then thrown away. As a result, 21 billion pounds of textiles end up in US landfills each year. Meanwhile, manufacturers keep prices low by choosing cheap fabrics like polyester. Polyester is made using fossil fuels, which contributes to the serious problem of climate change. Additionally, to keep prices low, fast-fashion businesses build factories in developing countries, most of which have weak labor laws or no labor laws at all. Local people, including children, are forced to work long hours in poor conditions for little pay. It's time to think about the damaging effects of the fast-fashion craze.

① Spend Less and Stay Fashionable!
② The Dark Side of Affordable Fashion
③ Useful Tips for Recycling Old Clothing
④ The Clothes Industry Struggles to Survive
⑤ Fast Fashion and the Lives of Factory Workers

words

manufacture 제조하다
adopt 받아들이다
latest 최신의
instantly 즉시
reasonable 합리적인
impulse purchase 충동구매
throw away 버리다
textile 직물, 옷감
landfill 쓰레기 매립지
fossil fuel 화석 연료
contribute to ~의 원인이 되다
additionally 게다가
labor law 노동법
craze 대유행, 열풍

내신·서술형 대비

1. 윗글의 밑줄 친 문장에서 어법상 틀린 부분을 찾아 바르게 고치시오.

____

2. 윗글을 참고하여 fast fashion에 대해 정리한 표이다. 다음 중, 일치하지 않는 것은?

장점	문제점
① 빠르고 저렴하게 제작 가능 ② 누구나 최신 유행의 패션 체험 가능 ③ 충동구매 억제 효과	④ 다량의 쓰레기 배출 ⑤ 기후 변화 야기 ⑥ 개발도상국의 노동력 착취

정답 및 해설 pp. 8-9

2 다음 글의 제목으로 가장 적절한 것은?

You see a mouthwatering fast-food advertisement and crave a juicy burger and crispy fries. The hamburger in the commercial looks so juicy and delicious. But when you go to the restaurant and unwrap one, you're extremely (A) disappointing / disappointed. The burger is unpleasantly wet, the tomatoes aren't as red, and the cheese isn't perfectly melted. This is because the food you see in ads isn't really edible. It actually takes a lot of work to make that food look the way it (B) does / is on screen. For example, the food stylists undercook the burgers so that they look thicker and juicier than ones that have been properly cooked. And pins are often used to keep the lettuce and tomatoes in place and (C) making / make the burger look much taller than it actually is. If you see ice cream in a food advertisement, it may actually be mashed potatoes!

① The Origin of Fast-Food Advertisements
② Why Fast Food Is So Bad for Your Health
③ The Secret to Cooking Tastier Hamburgers
④ The Secrets Behind Food Advertisements
⑤ Food Tastes Better When It Looks Attractive

words

mouthwatering 군침 도는
advertisement 광고
crave 간절히 원하다, 갈망하다
juicy 즙이 많은
crispy 바삭한
commercial 광고
unwrap 풀다
extremely 극도로
melt 녹다
edible 먹을 수 있는
undercook 설익히다
lettuce 상추
in place 제 자리에
mashed 으깬

내신·서술형 대비

1. 윗글의 밑줄 친 one이 가리키는 것을 영어로 쓰시오. (2단어)

→ ____________________

2. 윗글 (A), (B), (C)의 각 네모 안에서 어법상 옳은 것을 고르시오.

(A) ____________ (B) ____________ (C) ____________

3 다음 글의 제목으로 가장 적절한 것은?

A museum in Paris exhibited the paintings of Gustav Klimt in a whole new way by using digital technology. 3D versions of paintings were enlarged and projected onto the surfaces of the building while music was played on dozens of speakers. According to the museum's director, this kind of exhibition could be "the future of art." <u>Museums around the world are now taking different approaches to art by incorporating new technologies and try to extend the notion of what art is.</u> Along with presenting art in a more immersive or interactive way, they are also launching their own apps that allow people to learn about art with guided virtual tours and "explore museum" features. This is in recognition of the fact that more and more content is mediated through mobile devices, leading to greater dynamism and interactivity. As the world continues to adapt to our fast-moving, ever-changing information society, museums continue to ____________ as well.

① Smartphones Are Replacing Museums
② The Changing Role of Museum Directors
③ The Emergence of a Brand-New Art Genre
④ Technology: Creating a New Art Experience
⑤ Paintings Can Link Old and New Technology

words

- **exhibit** 전시하다
- **enlarge** 확대하다
- **project** 비추다, 투사하다
- **approach** 접근 방식
- **incorporate** 통합하다
- **extend** 확대하다
- **notion** 개념
- **present** 제시하다
- **immersive** 몰입형의
- **interactive** 상호 작용하는
- **launch** 출시하다
- **virtual** 가상의
- **feature** 특성, 기능
- **recognition** 인정
- **mediate** 전달하다, 매개하다
- **dynamism** 역동성
- **interactivity** 쌍방향성

내신·서술형 대비

1. 윗글의 밑줄 친 문장에서 어법상 <u>틀린</u> 부분을 찾아 바르게 고치시오.

____

2. 윗글의 빈칸에 들어갈 단어로 가장 적절한 것은?

① ignore　② object　③ evolve
④ decline　⑤ disagree

정답 및 해설 pp. 9-10

4 다음 글의 제목으로 가장 적절한 것은?

How a civilization develops is closely related to the natural setting in which it is located. The achievements of the ancient Egyptian civilization, for example, cannot be fully understood without first considering its geographic surroundings, including the Nile River and the Sahara desert. The Sahara gave the ancient Egyptians a huge defensive advantage — no army at that time had the ability to cross such a vast desert to attack Egypt. Free from the worry of foreign invaders, the ancient Egyptians were able to focus on improving their farming techniques. This is where the Nile provided assistance. The land along its banks was unusually fertile, and its seasonal flooding helped irrigate the Egyptian's crops. With a steady source of food guaranteed, the Egyptians began to rapidly develop in other fields, including art, architecture, philosophy and government — some of the basics needed to create a civilization. Eventually, pyramids, mummies, Cleopatra, and the Sphinx of Giza became touchstones of this flourishing culture.

words

civilization 문명
setting 환경
achievement 업적, 성취
consider 고려하다
geographic 지리적인
defensive 방어적인, 수비의
vast 광활한, 방대한
invader 침략자
assistance 도움
bank 둑, 제방
fertile 비옥한
flooding 홍수, 범람
irrigate (토지에) 물을 대다
guarantee 보장하다
architecture 건축
mummy 미라
touchstone 시금석
flourishing 번성하는

① Egypt: The Rise and Fall of a Great Ancient Civilization
② How Barren Lands Were Transformed into Fertile Fields
③ Why Did the Ancient Egyptians Fear Their Surroundings?
④ The Nile and the Sahara: The Foundations of a Civilization
⑤ How Ancient Egypt Overcame Its Geographical Disadvantages

내신·서술형 대비

1. 다음 주어진 조건에 맞게 우리말을 영작하시오. (7단어)

조건	• 본문에 나온 구문을 이용할 것	• 괄호 안에 주어진 단어를 활용할 것	• 필요한 경우 단어를 추가할 것

휴대폰을 꺼 두어서, 나는 공부에 집중할 수 있었다. (focus, study)

→ Turning off my cell phone, ______________________________.

2. 윗글의 밑줄 친 Free from the worry of foreign invaders의 이유를 우리말로 쓰시오.

____

04 주장 · 요지

유형 알기 글을 읽고 필자가 전달하고자 하는 핵심 내용인 주장이나 요지를 파악하는 유형이다.
선택지는 문장 형태의 한글로 제시된다.

풀이 전략 글의 중심 소재를 파악하고 이에 대한 필자의 입장이 어떻게 전개되는지 파악한다.
필자의 생각이나 주장이 담긴 중심 문장을 찾는다. 중심 문장은 주장·당위를 나타내는 표현이나 결론, 또는 역접을 나타내는 연결사와 나오는 경우가 많다.
중심 문장과 글의 전체 내용을 종합하여 필자의 주장이나 요지를 나타낸 선택지를 고른다.

기출 풀기

다음 글에서 필자가 주장하는 바로 가장 적절한 것은?

I am sure you have heard something like, "You can do anything you want, if you just persist long and hard enough." Perhaps you have even made a similar assertion to motivate someone to try harder. Of course, words like these sound good, but surely they cannot be true. Few of us can become the professional athlete, entertainer, or movie star we would like to be. Environmental, physical, and psychological factors limit our potential and narrow the range of things we can do with our lives. "Trying harder" cannot substitute for talent, equipment, and method, but this should not lead to despair. Rather, we should attempt to become the best we can be within our limitations. We try to find our niche. By the time we reach employment age, there is a finite range of jobs we can perform effectively.

*assertion 주장, 단언 **niche 적소(適所)

① 수입보다는 적성을 고려해 직업을 선택해야 한다.
② 성공하려면 다양한 분야에서 경험을 쌓아야 한다.
③ 장래의 모습을 그리며 인생의 계획을 세워야 한다.
④ 자신의 재능과 역량을 스스로 제한해서는 안 된다.
⑤ 자신의 한계 내에서 최고가 되려고 시도해야 한다.

오답 피하기
예시나 비유적 표현을 그대로 사용하거나, 글의 내용과 상관없이 통념상 옳다고 여겨지는 내용이 오답 선택지로 자주 출제되므로 주의한다.

Words

persist 노력하다, 지속하다 motivate 자극하다 professional 직업의, 전문적인 athlete 운동선수 entertainer 예능인 environmental 환경적인 psychological 심리적인 factor 요소 limit 제한하다 (*n.* limitation 한계) potential 잠재력 narrow 좁히다 range 범위 substitute 대체하다 equipment 장비 despair 절망 attempt 시도하다, 애쓰다 employment 고용, 취업 finite 한정된

전략 적용

I am sure you have heard something like, ❶ "You can do anything you want, if you just persist long and hard enough." Perhaps you have even made a similar assertion to motivate someone to try harder. ❷ Of course, words like these sound good, but surely they cannot be true. Few of us can become the professional athlete, entertainer, or movie star we would like to be. Environmental, physical, and psychological factors limit our potential and narrow the range of things we can do with our lives. "Trying harder" cannot substitute for talent, equipment, and method, but this should not lead to despair. ❸ Rather, we should attempt to become the best we can be within our limitations. We try to find our niche. By the time we reach employment age, there is a finite range of jobs we can perform effectively.

도입 **통념**
꾸준히 노력하면 무엇이든 할 수 있다는 통념이 있음

전개 **반론과 근거**
노력과 별개로 성취를 막는 다양한 장벽이 존재함

마무리 **주장**
자신의 한계 내에서 자신이 될 수 있는 최고가 되려고 시도해야 함

Step 1 ▶ 글의 중심 소재를 파악하고 이에 대한 필자의 입장이 어떻게 전개되는지 파악한다.
이 글은 노력과 성취와의 관계에 대한 글이며, 통념(❶ 꾸준히 열심히 노력하면 원하는 것은 무엇이든 할 수 있다) → 반론(❷ 사실은 그렇지 않다) → 주장(❸ 자신의 한계 내에서 자신이 될 수 있는 최고가 되려고 시도해야 한다)으로 전개되고 있다.

Step 2 ▶ 필자의 생각이나 주장이 담긴 중심 문장을 찾는다. 중심 문장은 주장·당위를 나타내는 표현이나 결론, 또는 역접을 나타내는 연결사와 나오는 경우가 많다.
❷ 노력하면 무엇이든 될 수 있다는 말은 훌륭하게 들린다. 그러나 확실히 그것들은 사실일 리 없다. (but: 역접)
❸ 오히려, 우리는 우리의 한계 내에서 우리가 될 수 있는 최고가 되려고 시도해야 한다. (should: 의무·당연)

Step 3 ▶ 중심 문장과 글의 전체 내용을 종합하여 필자의 주장이나 요지를 나타낸 선택지를 고른다.
❸ 오히려, 우리는 우리의 한계 내에서 우리가 될 수 있는 최고가 되려고 시도해야 한다.
→ 이 문장이 주제문이므로 정답은 ⑤ '자신의 한계 내에서 최고가 되려고 시도해야 한다'이다. ①, ②, ③은 통념상 옳다고 여겨지는 내용을 이용한 오답이고, ④는 글에 사용된 표현을 이용한 오답이다.

✓ 주장·요지 관련 빈출 표현

- 결론을 이끄는 연결사: therefore, thus, so, in short, as a result, in conclusion
- 흐름을 전환하는 연결사: but, however, still, yet, nevertheless
- 주장을 나타내는 조동사: must, should, have to, need to, had better
- 이성적 판단을 나타내는 형용사: important, essential, necessary, desirable, recommendable
- 생각/의견을 나타내는 표현: I think, I believe, in my opinion, it is clear, I recommend

유형 연습

1 **다음 글의 요지로 가장 적절한 것은?**

When problems arise, people tend to point a finger at others, especially when it is clear that the problem is their fault. However, even if your blaming is justified, it will likely cause the person to become defensive and uncooperative. This is because you are linking the person to the problem. To avoid this mistake, it is recommended you separate the problem from the person ⓐ (involve) with it. Suppose you're a project leader, and your team is behind schedule. The deadline is just <u>around the corner</u>, and no one is working fast enough. In this situation, you might be tempted to say, "We might not finish on time. It's because you work too slowly." However, it would be wiser to say, "We might not finish on time. Let's try to find some ways to work more ⓑ (efficient)." Talking in this way brings a better outcome, creating a positive atmosphere and a collaborative attitude.

① 문제가 발생했을 때 빠르게 조치를 취하는 것이 중요하다.
② 프로젝트를 맡았을 때 팀원들에게 책임감을 심어줘야 한다.
③ 문제 상황에 적극적으로 대처하는 것이 리더의 필수 자질이다.
④ 약속한 일정을 지킬 수 있도록 효율적으로 일할 필요가 있다.
⑤ 문제와 사람을 분리해서 대처하는 것이 문제 해결에 효과적이다.

words

arise 발생하다, 생기다
blame 비난하다
justify 정당화하다
defensive 방어적인
uncooperative 비협조적인
link 연결시키다
recommend 추천하다
separate 분리하다
involve 관련시키다
suppose 가정하다
deadline 마감 일자, 기한
tempt 유혹하다
outcome 결과
atmosphere 분위기
collaborative 협력적인

내신·서술형 대비

1. 윗글 ⓐ, ⓑ 괄호 안의 단어를 어법에 맞게 쓰시오.

ⓐ ________________ ⓑ ________________

2. 윗글의 밑줄 친 <u>around the corner</u>와 바꿔 쓸 수 있는 것은?

① out of date ② running over ③ in advance
④ at hand ⑤ coming across

정답 및 해설 pp. 11-12

2 **다음 글의 요지로 가장 적절한 것은?**

In many countries, individuals can choose whether they want to vote or not. However, in some other places, including Australia, Belgium and Singapore, people are legally required to vote. The problem is ⓐ <u>that</u> this mandatory voting does not necessarily increase people's interest in politics; in fact, it could even foster negative feelings toward the government. Moreover, the outcome of an election with ⓑ <u>forced</u> participation may not offer a representative view of the country's society. Therefore, governments need to find other ways to engage people and persuade them to vote. For example, teaching the history of democracy and ⓒ <u>encourage</u> political discussion in schools can lead to political participation. Also, educating citizens about the importance of the electoral process and how elections can affect their daily lives — such as by deciding how much money is budgeted for education and housing problems — can motivate them to become voluntary voters.

words

- **individual** 개인
- **vote** 투표하다
- **legally** 법률적으로
- **mandatory** 의무[강제]적인
- **politics** 정치
- **foster** 촉진하다, 불러 일으키다
- **election** 선거
- **participation** 참여
- **representative** 대표하는
- **persuade** 설득하다
- **democracy** 민주주의
- **citizen** 시민
- **budget** 예산을 세우다
- **motivate** 자극하다, 동기를 부여하다
- **voluntary** 자발적인

① 투표를 의무화하는 것이 투표율 상승에 도움이 된다.
② 학교에서의 정치 교육 강화는 투표율과 관련이 있다.
③ 많은 나라에서 사람들이 정치에 무관심해지고 있다.
④ 민주주의는 투표를 통한 정치 참여가 핵심이다.
⑤ 의무 투표보다는 자발적인 투표가 바람직하다.

내신·서술형 대비

1. 윗글의 밑줄 친 ⓐ~ⓒ 중, 어법상 <u>틀린</u> 것을 골라 바르게 고치시오.

____

2. 윗글에서 의무 투표의 문제점으로 언급된 <u>2가지</u>를 우리말로 쓰시오.

(1) ____

(2) ____

3 다음 글의 요지로 가장 적절한 것은?

When we think about stereotypes, we tend to focus on the negative. However, there are also positive stereotypes about certain groups. If negative stereotypes upset people, what about positive ones? In a study, Asian-American participants were asked to work with a white participant, who actually was one of the researchers. It was then announced that one participant would work on math problems and the other would work on verbal problems. After a manipulated coin flip, the white participant was chosen to select who would do which task. In one case, the white participant handed the Asian-American participant the math problems and said, "You can work on these, and I'll take these." In the other case, the white participant said, "Asians are good at math, so you can work on these. I'll take the other ones." Later, the Asian-American participants were asked their opinion of their partner. <u>The results showed that the use of a stereotype, even though it was positive, making participants feel angry and depersonalized.</u>

① 긍정적인 고정 관념도 불편하게 느껴질 수 있다.
② 인종 관련 고정 관념은 대체로 부정적인 것이 많다.
③ 긍정적인 고정 관념은 인종 간 갈등 해결에 도움이 된다.
④ 고정 관념이 항상 부정적인 결과를 가져오는 것은 아니다.
⑤ 같은 고정 관념도 문화에 따라 다르게 받아들여질 수 있다.

words

stereotype 고정 관념
tend to-v ~하는 경향이 있다
focus on ~에 집중하다
upset 기분 나쁘게 하다
participant 참가자
announce 알리다, 발표하다
verbal 언어의, 구어의
manipulate 조작하다
coin flip 동전 던지기
hand 건네다
depersonalize 몰개성화하다

내신·서술형 대비

1. 윗글의 밑줄 친 문장에서 어법상 <u>틀린</u> 부분을 찾아 바르게 고치시오.

____

2. 윗글에서 언급된 아시아인에 대한 고정 관념을 우리말로 쓰시오. (15자 이내)

____

4 다음 글의 필자가 주장하는 바로 가장 적절한 것은?

October is a good month for pumpkin farmers. As Halloween approaches, thousands of families head to farms to pick out the perfect pumpkin. Unfortunately, most of these pumpkins are used only as decorations and then throw away. Each year about 8 million pumpkins end up in landfills in the UK alone. That adds up to 18,000 tons of edible pumpkin, enough to make pumpkin pies for everyone in the country. Not only is this a waste of food, it is also bad for the environment. As these discarded pumpkins rot, they release vast amounts of greenhouse gases into the atmosphere. Many efforts have been made to develop facilities that can convert plant and waste material to biofuels, but they are not yet in a practical stage. Until then, we should all make an effort to eat the insides of our jack-o-lanterns rather than throwing them away.

*jack-o-lantern 호박등(잭오랜턴)

words

- **approach** 다가오다
- **pick out** 고르다
- **throw away** 버리다
- **landfill** 쓰레기 매립지
- **add up to** 합치면 …이 되다
- **edible** 먹을 수 있는
- **discarded** 버려진
- **rot** 썩다
- **release** 배출하다
- **vast** 어마어마한, 방대한
- **atmosphere** 대기
- **facilities** 설비, 시설물
- **convert** 전환하다
- **biofuel** 바이오 연료
- **practical** 실용적인

① 다른 나라의 문화를 무분별하게 받아들이지 말아야 한다.
② 호박 등을 만들 때 호박 속을 버리지 말고 먹어야 한다.
③ 음식물 쓰레기를 바이오 연료로 전환하는 기술을 개발해야 한다.
④ 지구 온난화를 야기시키는 원인에 대한 해결책을 마련해야 한다.
⑤ 핼러윈 호박으로 파이를 만들어 나누어 먹어야 한다.

내신•서술형 대비

1. 윗글의 밑줄 친 throw를 어법에 맞게 쓰시오.

____

2. 다음 주어진 조건에 맞게 우리말을 영작하시오. (13단어)

조건	•본문에 나온 구문을 이용할 것	•괄호 안의 단어를 이용할 것	•필요한 경우 단어를 추가할 것

Janis는 훌륭한 가수일 뿐 아니라 그녀는 또한 뛰어난 작곡가이다. (great, excellent, composer)

→ ______________________________

5 **다음 글에서 필자가 주장하는 바로 가장 적절한 것은?**

If you're worried that your kids love dinosaurs "too much," you shouldn't be. Research shows that about one in three young children will develop an intense interest in one topic or another at some point. When this fascination involves a "conceptual" topic like dinosaurs, it can improve information-processing skills, lead to a longer attention span, and teach kids to be more persistent. This is because their desire for information on the topic can't be satisfied if they remain passive. Therefore, they are driven to ask questions, read books, and actively find ways to learn more. The ability to pursue and master a topic is an important one, ⓐ as it can be used to form a career ⓑ as an adult. So instead of feeling anxious about your kids' intense interest in something, get involved and encourage them to explore.

① 아이가 다양한 것에 관심을 갖도록 유도해야 한다.
② 자기 아이에게 맞는 적합한 놀잇감을 찾아주어야 한다.
③ 아이가 무엇인가에 매료되었을 때 격려해 주어야 한다.
④ 수동적인 아이에게는 한 번에 한 가지만 질문해야 한다.
⑤ 아이의 호기심에 대한 지나친 관심을 자제해야 한다.

words

intense 열렬한, 강한
fascination 매혹, 매료
involve 관여시키다
conceptual 개념적
process 처리하다
attention 집중
span (어떤 일이 지속되는) 기간
persistent 끈기 있는, 집요한
passive 수동적인
drive 몰아가다
pursue 추구하다
career 진로, 경력
anxious 걱정하는
explore 탐구하다

내신·서술형 대비

1. 윗글의 밑줄 친 ⓐ와 ⓑ의 뜻을 우리말로 쓰시오.

ⓐ ________________ ⓑ ________________

2. 윗글에서 아이들이 한 가지에 집중적으로 관심을 가질 때 얻을 수 있는 이점 3가지를 우리말로 쓰시오.

(1) ________________________________

(2) ________________________________

(3) ________________________________

정답 및 해설 pp. 13-14

6 다음 글에서 필자가 주장하는 바로 가장 적절한 것은?

Body cameras are tiny electronic devices worn by police officers in some countries. They can be attached to sunglasses, hats or collars. By recording their interactions with people, the police can reduce the number of complaints about their behavior. When complaints are made, these body cameras provide a clear record of ⓐ <u>that</u> really happened. As a result, both police officers and citizens are protected from abuse and false accusations. In the case of serious incidents involving the police, body-camera footage can be used as evidence in court. This has the potential to speed up court cases by providing indisputable proof of situations and to reduce court expenses. Though there are also concerns ⓑ <u>associating</u> with privacy loss, they can be solved through clear law enforcement policies regarding issues such as where and when these cameras can be used and under what circumstances they must be turned off. It is clear that the benefits of the continued use of body cameras outweigh the negatives.

① 경찰의 과도한 보디 캠 사용을 규제해야 한다.
② 법원은 보디 캠의 증거 능력을 인정해야 한다.
③ 보디 캠에 녹화된 자료를 더 오래 보관해야 한다.
④ 보디 캠 제작과 관련된 규정을 만들어야 한다.
⑤ 경찰이 보디 캠을 계속 사용할 수 있도록 해야 한다.

words

electronic 전자의
device 장치, 기구
attach 붙이다
complaint 불만
abuse (권력의) 남용
accusation 비난, 고소
footage 녹화 장면
evidence 증거
potential 가능성, 잠재력
court case 법정 소송
indisputable 논란의 여지가 없는
expense 비용
concern 걱정, 우려
law enforcement 법 집행
benefit 이득, 혜택
outweigh ~보다 더 크다

내신·서술형 대비

1. 윗글의 밑줄 친 ⓐ와 ⓑ를 어법에 맞게 쓰시오.

ⓐ ________________ ⓑ ________________

2. 윗글에 나온 단어의 영영 풀이로 옳지 <u>않은</u> 것은?

① device: an object made for a particular purpose
② footage: a piece of film showing an event
③ court: an area in which you play a game such as tennis
④ potential: something that can develop or become actual
⑤ loss: the state of no longer having something or having less of it

05 요약문

유형 알기 글의 내용을 한 문장으로 압축한 요약문의 두 빈칸에 들어갈 적절한 말을 고르는 유형이다. 빈칸에 들어갈 선택지는 명사(구), 동사(구), 형용사 등의 형태로 제시된다.

풀이 전략 제시된 요약문을 먼저 읽고 글의 중심 소재와 내용을 추측한다.
본문을 읽으며 글의 중심 내용에 부합하는 단어나 어구, 문장을 찾는다.
핵심 어구와 주제문을 요약문과 비교하며 선택지에서 빈칸에 들어갈 적절한 단어를 찾는다.

기출 풀기

다음 글의 내용을 한 문장으로 요약하고자 한다. 빈칸 (A), (B)에 들어갈 말로 가장 적절한 것은?

There was an experiment conducted in 1995 by Sheena Iyengar, a professor of business at Columbia University. In a California gourmet market, Professor Iyengar and her research assistants set up a booth of samples of jams. Every few hours, they switched from offering an assortment of 24 bottles of jam to an assortment of just six bottles of jam. On average, customers tasted two jams, regardless of the size of the assortment, and each one received a coupon good for $1 off one jar of jam. Here's the interesting part. Sixty percent of customers were drawn to the large assortment, while only 40 percent stopped by the small one. But 30 percent of the people who had sampled from the small assortment decided to buy jam, while only three percent of those confronted with the two dozen jams purchased a jar. Effectively, a greater number of people bought jam when the assortment size was 6 than when it was 24.

*assortment 모음

⬇

Even though customers who participated in the experiment found more choices of jam ____(A)____, giving them more choices ____(B)____ the likelihood of their purchasing jam.

	(A)		(B)
①	appealing	……	raised
②	appealing	……	lowered
③	overwhelming	……	increased
④	unattractive	……	reduced
⑤	unattractive	……	heightened

오답 피하기
요약문의 빈칸에 들어갈 말이 본문에 나온 핵심 어구와 유사한 표현으로 바꿔 제시되는 경우가 있으므로 주의한다.

Words
experiment 실험 conduct (특정한 활동을) 하다 gourmet market 고급 식료품 상점 assistant 조수, 보조원 set up 설치하다 booth 점포, 부스 switch 전환하다, 바꾸다 on average 평균적으로 customer 고객 regardless of ~에 상관없이 be drawn to ~에 끌리다 confront 직면하다 purchase 구입하다 effectively 실질적으로, 사실상 participate in ~에 참가하다 likelihood 가능성

∷ 전략 적용

There was an experiment conducted in 1995 by Sheena Iyengar, a professor of business at Columbia University. In a California gourmet market, Professor Iyengar and her research assistants set up a booth of samples of jams. Every few hours, they switched from offering an assortment of 24 bottles of jam to an assortment of just six bottles of jam. On average, customers tasted two jams, regardless of the size of the assortment, and each one received a coupon good for $1 off one jar of jam. Here's the interesting part. ❷ Sixty percent of customers were drawn to the large assortment, while only 40 percent stopped by the small one. But 30 percent of the people who had sampled from the small assortment decided to buy jam, while only three percent of those confronted with the two dozen jams purchased a jar. ❸ Effectively, a greater number of people bought jam when the assortment size was 6 than when it was 24.

(전반부) 실험 주제와 방법 소개

(후반부) 실험 결과 제시

⬇

❶ Even though customers who participated in the experiment found more choices of jam ____(A)____, giving them more choices ____(B)____ the likelihood of their purchasing jam.

(요약문) 실험 결과 요약

Step 1 ▶ 제시된 요약문을 먼저 읽고 글의 중심 소재와 내용을 추측한다.

❶ 비록 실험에 참가했던 고객들은 더 많은 잼의 선택권을 ____________이라고 생각했지만, 그들에게 더 많은 선택권을 부여하는 것은 그들이 잼을 구매할 가능성을 ____________.

→ 잼을 선택하는 실험이 실시된 것을 알 수 있고, 선택권이 많은 것과 실제 구매와의 연관성에 대해 나올 것임을 추측할 수 있다.

Step 2 ▶ 본문을 읽으며 글의 중심 내용에 부합하는 단어나 어구, 문장을 찾는다.

❷ 60퍼센트의 고객이 잼이 많은 모음에 이끌린 반면, 단지 40퍼센트의 고객이 잼이 적은 모음에 들렀다.

→ were drawn to(→ appealing), large assortment(→ more choices)

❸ 실질적으로, 모음의 크기가 24개일 때보다 6개 모음이었을 때 더 많은 사람들이 잼을 구매했다.

→ 잼 모음이 적을 때 판매가 더 많았다는 것은 잼 모음이 많을 때는 판매가 줄었다(lowered, reduced)는 것을 뜻한다.

Step 3 ▶ 핵심 어구와 주제문을 요약문과 비교하며 선택지에서 빈칸에 들어갈 적절한 단어를 찾는다.

글의 요지를 반영하면 '비록 실험에 참가했던 고객들이 더 많은 잼의 선택권을 (A) 매력적이라고(appealing) 생각했지만, 그들에게 더 많은 선택권을 부여하는 것은 그들이 잼을 구매할 가능성을 (B) 낮추었다(lowered).'라는 내용이 되어야 하므로 ②가 정답이다.

① appealing(매력적인) …… raised(올렸다)
③ overwhelming(압도하는) …… increased(증가시켰다)
④ unattractive(매력 없는) …… reduced(감소시켰다)
⑤ unattractive(매력 없는) …… heightened(강화했다)

유형 연습

1 다음 글의 내용을 한 문장으로 요약하고자 한다. 빈칸 (A), (B)에 들어갈 말로 가장 적절한 것은?

Silver has been used as a form of currency for centuries. It actually helped connect Eastern and Western civilizations during the Middle Ages. At that time silver was not common in China, so it ⓐ consider a valuable form of currency. Europeans used silver to buy Chinese goods that were transported along the Silk Road, a 4,000-mile trading route that connected China to Europe. Silver also played a role in helping people stay healthy in the 18th century. The phrase ⓑ "born with a silver spoon in your mouth" is often used to mean someone was born into a wealthy family. But there is more to it than that. Babies who were fed with silver spoons were thought to be healthier than those who were fed with wooden spoons. Before modern medicine developed, people knew that silver had an antibacterial function against bacteria and germs that contributed to disease.

⬇

In the past, silver was used not only to facilitate ____(A)____ but also for ____(B)____ purposes to help protect babies from bacteria.

	(A)		(B)
①	invasions	……	medical
②	construction	……	medical
③	transactions	……	medical
④	tourism	……	political
⑤	production	……	political

words

currency 통화, 화폐
connect 잇다
civilization 문명
common 흔한
consider 여기다
valuable 귀중한
currency 화폐
transport 운송하다
phrase 어구
feed 먹이다
medicine 의학
antibacterial 항균의
function 기능
germ 미생물, 세균
contribute (~의) 한 원인이 되다
facilitate 촉진하다

내신・서술형 대비

1. 윗글의 밑줄 친 ⓐ consider를 어법에 맞게 쓰시오.

____

2. 윗글의 밑줄 친 ⓑ "born with a silver spoon in your mouth"의 2가지 의미를 우리말로 쓰시오.

(1) ______________________________

(2) ______________________________

2 **다음 글의 내용을 한 문장으로 요약하고자 한다. 빈칸 (A), (B)에 들어갈 말로 가장 적절한 것은?**

The most common question people ask when they set goals is "What do I want to achieve?" However, if you're serious about setting goals and then reaching them, you should ask yourself a different question: "What kind of pain am I willing to endure to achieve my goal?" Simply having a goal is easy. Who wouldn't want to enter the best university, lose weight, or be a millionaire? Everybody wants to achieve these goals. The real challenge is not choosing what you want; it is deciding if you are ready to make the necessary sacrifices to get it. <u>Don't think about the rewards you will receive it for reaching at your goal.</u> Think about the process of getting there — the hard work, the unwanted changes to your lifestyle, and the endless hours of boring practice. Every athlete wants to be a champion. Few, however, are willing to work hard enough to become one.

⬇

When setting a goal, you should consider the ____(A)____ you will face along the way rather than focusing on a successful ____(B)____.

	(A)		(B)
①	ends	……	means
②	frustration	……	method
③	hardships	……	outcome
④	compensation	……	method
⑤	enemies	……	outcome

words

- **set a goal** 목표를 세우다
- **achieve** 성취하다, 이루다
- **reach** 도달하다
- **pain** 고통
- **be willing to** 기꺼이 ~하다
- **endure** 참다, 인내하다
- **lose weight** 살을 빼다
- **millionaire** 백만장자
- **challenge** 도전, 어려움
- **sacrifice** 희생
- **reward** 보상
- **process** 과정
- **unwanted** 원치 않는
- **endless** 무한한, 끝없는
- **athlete** 운동 선수
- **face** 직면하다, 마주하다

내신·서술형 대비

1. 윗글의 밑줄 친 문장에서 어법상 <u>틀린</u> 부분 두 군데를 찾아 바르게 고치시오.

(1) ________________ (2) ________________

2. 윗글의 내용과 관련이 있는 속담으로 가장 적절한 것은?

① No pain, no gain.
② Look before you leap.
③ Better late than never.
④ Time waits for no man.
⑤ Beggars can't be choosers.

3 **다음 글의 내용을 한 문장으로 요약하고자 한다. 빈칸 (A), (B)에 들어갈 말로 가장 적절한 것은?**

Majority influence pressures members of a group to comply to its norms, although a few individuals in the group may retain a different view. Although most group members are unlikely to accept a minority's point of view, if the view is unusual or novel, some members may choose to consider it. They do ⓐ this based on its merits, rather than whether or not it complies with the group's norms, which may cause them to question their existing views. As a result, a minority view can become internalized by these members of a group. A good example of this ⓑ took place in the UK during the 1910s, when the suffragette movement challenged the status quo, which restricted the right to vote to male citizens. The minority group insisted that this was unfair and tried to persuade the majority to accept its views regarding women's rights. Eventually, women were given the right to vote in 1918.

*suffragette 참정권 **status quo 현재의 상황, 현상

⬇

While minority influence involves ___(A)___ popular opinion and group norms, sometimes their point of view is ___(B)___ by the majority in the long term.

	(A)		(B)
①	challenging	……	accepted
②	promoting	……	changed
③	analyzing	……	revised
④	challenging	……	rejected
⑤	promoting	……	developed

words

majority 대다수
influence 영향
pressure 압력을 가하다
comply to[with] ~에 응하다[따르다]
norm 규범, 표준
retain 보유하다
minority 소수
novel 새로운
merit 장점, 취할 점
internalize 내면화하다
movement 운동
restrict 제한하다
insist 주장하다
persuade 설득하다
accept 수락하다
regarding ~에 관한
in the long term 장기적으로

내신·서술형 대비

1. 윗글의 밑줄 친 ⓐ this가 의미하는 바를 우리말로 쓰시오. (15자 내외)

____

2. 윗글의 밑줄 친 ⓑ took place와 바꿔 쓸 수 있는 것은?

① spread ② located ③ replaced
④ happened ⑤ traded

4 **다음 글의 내용을 한 문장으로 요약하고자 한다. 빈칸 (A), (B)에 들어갈 말로 가장 적절한 것은?**

Intuition is an inexplicable feeling ⓐ that something is true even though we have no proof or evidence that it really is. When it comes to philosophy and science, intuition plays a complicated role. Intuition alone can't be a dependable source of information. Just because we feel something is true doesn't mean it is. That is why intuition is often questioned by philosophers, especially scientists. Nevertheless, intuition can be a vital source of inspiration for both scientists and philosophers. It can inspire scientists to come up with fresh ideas and design new experiments ⓑ that will lead to the discovery of truth. Similarly, intuition plays an important role in philosophy as well, for most good philosophical arguments contain a mixture of intuition and logic. Logic is like a powerful machine for analyzing and evaluating ideas. Before using the machine, however, you should have some "raw material" to feed it, and often, that's where intuition fits in.

⬇

Intuition is too ____(A)____ to be trusted without first being tested, but it is ____(B)____ in developing new insights and knowledge.

	(A)		(B)
①	complex	……	unacceptable
②	unreliable	……	essential
③	logical	……	fundamental
④	partial	……	unacceptable
⑤	inspirational	……	essential

words

intuition 직관
inexplicable 설명할 수 없는
evidence 증거
when it comes to ~에 관한 한
philosophy 철학
complicated 복잡한
dependable 신뢰할 수 있는
vital 필수적인, 생명의
inspiration 영감
inspire 영감을 주다
come up with 떠올리다
lead to ~로 이끌다, 야기하다
argument 논쟁
contain 포함하다
logic 논리
analyze 분석하다
evaluate 평가하다
raw material 원자재, 재료
feed 공급하다, 먹이다
fit in 들어맞다, 어울리다

내신·서술형 대비

1. 윗글의 밑줄 친 ⓐ that과 ⓑ that의 문법적 차이를 간단히 설명하시오.

ⓐ ______________________________

ⓑ ______________________________

2. 윗글의 내용을 바탕으로 대등한 관계가 되도록 빈칸에 알맞은 말을 본문에서 찾아 한 단어로 쓰시오.

intuition : raw material = __________ : machine

06 심경 · 분위기 추론

유형 알기 글을 읽고 등장인물의 심경이나 심경의 변화 또는 글의 분위기를 추론하는 유형이다. 소설이나 수필 류의 지문이 주로 출제되며, 선택지는 형용사로 제시된다.

풀이 전략 필자나 등장인물이 처한 상황 또는 이야기의 배경을 파악한다.
감정이나 분위기를 나타내는 어구에 유의하며 글을 끝까지 읽는다.
글의 내용을 종합하여 심경/심경 변화/분위기를 가장 잘 나타낸 선택지를 찾는다.

기출 풀기

다음 글에 드러난 Masami의 심경 변화로 가장 적절한 것은?

While backpacking through Costa Rica, Masami found herself in a bad situation. She had lost all of her belongings, and had only $5 in cash. To make matters worse, because of a recent tropical storm, all telephone and Internet services were down. She had no way to get money, so decided to go knocking door to door, explaining that she needed a place to stay until she could contact her family back in Japan to send her some money. Everybody told her they had no space or extra food and pointed her in the direction of the next house. It was already dark when she arrived at a small roadside restaurant. The owner of the restaurant heard her story and really empathized. Much to her delight, Masami was invited in. The owner gave her some food, and allowed her to stay there until she could contact her parents.

① desperate → relieved
② gloomy → irritated
③ jealous → delighted
④ excited → worried
⑤ indifferent → curious

오답 피하기
대개 글의 후반부에 흐름이 전환되면서 심경의 변화가 일어나므로, 글을 끝까지 읽고 전반부와 후반부 각각의 심경을 바르게 나타낸 선택지를 고른다.

Words

backpack 배낭여행하다 situation 상황 lose 잃다 belonging (pl.) 소유물, 소지품 in cash 현금으로 to make matters worse 설상가상으로 recent 최근의 tropical 열대의 contact 연락하다 extra 여분의 roadside 길가, 노변 owner 주인 empathize 공감하다 to one's delight 기쁘게도 invite in 집에 들어오라고 청하다

전략 적용

❶ While backpacking through Costa Rica, Masami found herself in a bad situation. ❷ She had lost all of her belongings, and had only $5 in cash. ❸ To make matters worse, because of a recent tropical storm, all telephone and Internet services were down. She had no way to get money, so decided to go knocking door to door, explaining that she needed a place to stay until she could contact her family back in Japan to send her some money. Everybody told her they had no space or extra food and pointed her in the direction of the next house. It was already dark when she arrived at a small roadside restaurant. The owner of the restaurant heard her story and really empathized. Much to her delight, Masami was invited in. The owner gave her some food, and allowed her to stay there until she could contact her parents.

(전반부) 주인공은 배낭여행 중 소지품을 잃어버리고, 열대성 폭풍으로 인해 연락이 두절된 상황임

(후반부) 현지 주민들에게 도움을 요청했으나 거절당하다가 한 식당 주인의 호의로 숙식을 제공받을 수 있게 됨

Step 1 ▶ 필자나 등장인물이 처한 상황 또는 이야기의 배경을 파악한다.

❶~❸ → 주인공은 코스타리카 배낭여행 중 소지품을 잃어버리고, 열대성 폭풍으로 전화 및 인터넷의 서비스가 중지되어 고국에 연락도 할 수 없는 상황에 처해 있다.

Step 2 ▶ 감정이나 분위기를 나타내는 어구에 유의하며 글을 끝까지 읽는다.

글의 전반부에 나온 in a bad situation(불운한 상황에 있는), to make matters worse(설상가상으로) 등의 표현을 통해 초반의 심경은 '절망적인/슬픈/암담한' 상태임을 알 수 있고, 후반부에 나온 really empathized(정말 공감했다), Much to her delight(너무 기쁘게도) 등의 표현을 통해 '안도한/기쁜' 심경으로 변화되었음을 알 수 있다.

Step 3 ▶ 글의 내용을 종합하여 심경/심경 변화/분위기를 가장 잘 나타낸 선택지를 찾는다.

글의 초반은 '절망적인, 암담한' 상태이므로 화살표 앞의 선택지 중 ① desperate(절망적인), ② gloomy(우울한)에 해당되고, 후반부는 상황이 반전되었으므로 화살표 뒤의 선택지 중 ① relieved(안도한), ③ delighted(기쁜)가 적절하다. 따라서 정답은 ① 'desperate → relieved'이다.

✔ 심경·분위기를 나타내는 형용사

심경

- **긍정적:** amused(즐거운) cheerful(유쾌한) delighted(기쁜) encouraged(고무된) excited(흥분한) grateful(감사하는) expectant(기대하는) pleased(기뻐하는) relaxed(긴장이 풀린) relieved(안도하는) satisfied(만족한)
- **부정적:** alarmed(놀란, 불안해 하는) annoyed(짜증이 난) ashamed(부끄러운) bored(지루해 하는) concerned(걱정하는) confused(혼란스러운) depressed(낙담한) disappointed(실망한) embarrassed(당황한) frightened(겁에 질린) frustrated(좌절한) hopeless(절망한) horrified(겁에 질린) indifferent(무관심한) impatient(초조한) irritated(짜증이 난) jealous(부러워하는) lonely(외로운) miserable(비참한) nervous(긴장한, 불안한) panicked(겁에 질린) painful(괴로운) regretful(후회하는) scared(겁에 질린) shocked(충격을 받은) surprised(놀란) sympathetic(동정하는) terrified(두려워하는) upset(속상한)

분위기

amusing(재미있는) boring(지루한) calm(고요한) cynical(냉소적인) desperate(절망적인) dynamic(역동적인) fantastic(환상적인) frightening(무서운) gloomy(우울한) horrible(소름 끼치는) humorous(익살맞은) impressive(감동적인) lively(활기찬) monotonous(단조로운) moving(감동적인) mysterious(신비한) peaceful(평화로운) romantic(낭만적인) tragic(비극적인) tense(긴장된) urgent(긴박한)

유형 연습

1 다음 글에 드러난 Ryan의 심경으로 가장 적절한 것은?

Ryan awoke suddenly, unsure of what had awakened him. He lay on his back, and it took him a few minutes to realize ⓐ where he was. Sensing movement to his left, he slowly turned his head and saw that someone was looking through his bedroom window. The face on the other side of the glass was so ugly ⓑ that Ryan rolled out of bed and jumped to his feet. At first he wondered why someone would be wearing a Halloween mask in March, but then he realized it wasn't a mask. It was a hairless old man with large ears and a mouth full of yellow teeth. Ryan wasn't sure, but the teeth seemed to be as sharp as ⓒ an animal. He tried to look away but couldn't. And when he opened his mouth to call for his parents, no sounds came out.

words

awake 깨다
suddenly 갑자기
unsure 확신하지 못하는
awaken 깨우다
lie 눕다(lie-lay-lain)
realize 깨닫다
sense 감지하다
movement 움직임
roll 구르다
wonder 의아하게 여기다
look away 눈길[얼굴]을 돌리다

① excited and cheerful
② calm and relieved
③ angry and frustrated
④ indifferent and bored
⑤ shocked and terrified

내신·서술형 대비

1. 윗글의 밑줄 친 ⓐ~ⓒ 중, 어법상 틀린 것을 골라 바르게 고치시오.

____

2. 다음 주어진 조건에 맞게 우리말을 영작하시오. (11단어)

조건 • 본문에 나온 구문을 이용할 것 • 괄호 안에 주어진 단어를 활용할 것 • 필요한 경우 단어를 추가할 것

내가 공연장에 도착하는 데 한 시간이 걸렸다. (get, the concert hall)

→ ______________________

정답 및 해설 pp. 17-19

2 다음 글에 드러난 I의 심경으로 가장 적절한 것은?

Today is the final day of my summer exchange program. I remember ⓐ (pack) for this trip four weeks ago like it was yesterday. At that time, I was sure that I was about ⓑ (experience) the hardest month of my entire life. Of course, I was completely wrong. At the start of the program, I barely knew the other students from my school who were traveling with me. Now they all feel like brothers and sisters. And the town we're staying in is much better than I expected. The air is clean, and the local people are friendly. I also made lots of new friends at the school I've been studying at. I've had more great experiences in the past four weeks than I can even mention. Time flew by too fast, but I will always remember my time here and the people that I met.

① anxious and worried
② happy and satisfied
③ excited and nervous
④ lonely and sorrowful
⑤ alarmed and embarrassed

words

final 마지막의
exchange program 교환 학생 프로그램
pack 짐을 싸다
experience 경험(하다)
entire 전체의
barely 거의 ~ 않다
local 지역의
past 지나간
mention 말하다
fly by 쏜살같이 지나가다

내신·서술형 대비

1. 윗글 ⓐ, ⓑ 괄호 안의 단어를 어법에 맞게 쓰시오.

ⓐ ________________ ⓑ ________________

2. 다음 중 윗글을 통해 알 수 있는 내용이 아닌 것은?

① 필자는 교환 학생 프로그램에 참가 중이다.
② 교환 학생 프로그램은 총 4주간이다.
③ 필자의 학교에서 여러 학생이 참가했다.
④ 지역 주민들도 교육 프로그램에 참가했다.
⑤ 필자는 프로그램에 만족하고 있다.

3 **다음 글에 드러난 I의 심경 변화로 가장 적절한 것은?**

(A) [Sign / Signing] up for clubs at my school is like a fight for survival. When I arrived at the gym, half the school had gotten there before me. Each club had a table, and many of them had already put up "FILLED" signs. I headed straight for the art club's table, but I was too late. I just stood there, (B) [stunning / stunned]. Painting was the only thing I really enjoyed. Suddenly, someone grabbed my arm. It was my friend Liz. "Come on," she shouted. "The theater club isn't full yet." I pulled my arm back and told Liz I wasn't interested in acting. "I know," she replied, "but they need someone to paint the sets." My mouth dropped open. It would be just as good as the art club! Hand in hand, Liz and I ran to the theater club's table to sign up together.

① bored → disappointed
② frustrated → delighted
③ calm → annoyed
④ relieved → frightened
⑤ frustrated → upset

words
sign up (for) ~을 신청하다
survival 생존
put up 세우다
head 향하다, 가다
straight 곧장
grab 잡다
shout 외치다
full 만원의, 가득 찬
set 무대 장치
drop open (입이) 딱 벌어지다
hand in hand 서로 손을 잡고

내신•서술형 대비

1. 윗글 (A), (B)의 각 네모 안에서 어법상 옳은 것을 골라 쓰시오.

(A) ______________ (B) ______________

2. 윗글의 밑줄 친 My mouth dropped open.의 이유를 우리말로 설명하시오. (25자 내외)

____

정답 및 해설 p. 19

4 다음 글에 드러난 I의 심경 변화로 가장 적절한 것은?

All the lights had gone out, and there were no windows. Unable to see a thing, I ran down the stairs as quickly as I could, holding onto the rail. My legs felt weak and I couldn't breathe well, but I needed to get out of the building. When I finally reached the bottom floor, I collapsed. Lying on the floor in the darkness, I couldn't hear anything but the pounding of my heart. But then I heard a familiar voice calling my name. It was my mother! I tried to call back, but I couldn't catch my breath or move a muscle. Just then the door to the lobby opened and daylight <u>flooded</u> the stairs. All I could see was my mother's face as she reached down and helped me to my feet.

① unsatisfied → grateful
② terrified → surprised
③ excited → scared
④ angry → embarrassed
⑤ panicked → relieved

words

go out 불이 꺼지다
hold onto ~에 매달리다
rail 난간
breathe 숨쉬다
collapse 쓰러지다
pounding (가슴이) 쿵쾅거리는 소리
familiar 익숙한
catch one's breath 숨을 고르다
muscle 근육
to one's feet 서 있는 상태로

내신·서술형 대비

1. 다음 주어진 조건에 맞게 우리말을 영작하시오. (8단어)

조건 • 본문에 나온 구문을 이용할 것 • 괄호 안에 주어진 단어를 활용할 것 • 필요한 경우 단어를 추가할 것

그 환자는 그녀가 할 수 있는 한 느리게 호흡했다. (patient, breathe)

→ ______________________________

2. 윗글의 밑줄 친 <u>flooded</u>와 바꿔 쓸 수 있는 것은?

① rushed ② filled ③ swamped
④ choked ⑤ overwhelmed

5 다음 글의 분위기로 가장 적절한 것은?

An old man was sitting on a bench near the beach. He had been there for a long time, barely ⓐ moving. Perhaps he had been there all day. It was getting dark, and the warm day had turned cold. The man didn't seem to notice. The only thing he seemed to care about ⓑ was the seagulls. He slowly turned his head to watch them as they flew back and forth. In the distance, there ⓒ was the faint sound of music from the amusement park on the other end of the beach. Occasionally, a car drove past. But the man just kept ⓓ watching the birds, his eyes red and his hands ⓔ shaken, until the sun went down. When the street lights came on, he got up and slowly walked back home.

① dull and monotonous
② strange and scary
③ urgent and tense
④ cheerful and funny
⑤ shocking and sorrowful

words

barely 거의 ~ 않는
notice 알아차리다
care about ~에 관심을 가지다
seagull 갈매기
back and forth 앞뒤로
in the distance 멀리서
amusement park 놀이공원
occasionally 이따끔, 가끔

내신•서술형 대비

1. 윗글의 밑줄 친 ⓐ~ⓔ 중, 어법상 틀린 것을 골라 바르게 고치시오.

____

2. 주어진 영영 풀이를 참고하여 아래 두 문장에 공통으로 들어갈 단어를 윗글에서 찾아 쓰시오.

a. lacking clarity or brightness or loudness
He became aware of the soft, __________ sounds of water dripping.
a. having little strength or intensity
A __________ smile crossed the Monsignor's face and faded quickly.

정답 및 해설 pp. 20-21

6 다음 글의 분위기로 가장 적절한 것은?

I stood on my grandmother's front porch, looking at the potted plants and the old rocking chair (A) [how / where] I used to spend summer afternoons sipping sweet iced tea. My grandmother made the best iced tea, better than any I've had since. Sometimes I would read novels or just sit there listening to the sounds of the birds in the trees and my grandmother in the kitchen, humming an old song as she cooked. I hadn't been back in years, but just standing there made all the memories come rushing back as if they had happened yesterday. I couldn't help but (B) [smile / smiling] as I stepped into the house. None of the furniture had changed. It was a bit older, maybe a little dustier, but exactly as I remembered it from my childhood. I headed up the stairs to check out my old bedroom.

① dark and ominous
② lively and cheerful
③ warm and nostalgic
④ shocking and tragic
⑤ gloomy and mysterious

words

porch 현관, 입구
potted 화분에 심은
rocking chair 흔들의자
used to-v ~하곤 했다
sip 조금씩 마시다
novel 소설
hum 흥얼거리다
rush back 돌아가다
furniture 가구
dusty 먼지가 많은
head ~로 향해 가다

내신·서술형 대비

1. 윗글 (A), (B)의 각 네모 안에서 어법상 옳은 것을 골라 쓰시오.

(A) ______________ (B) ______________

2. 다음 주어진 조건에 맞게 우리말을 영작하시오. (9단어)

조건	• 본문에 나온 구문을 이용할 것 • 괄호 안에 주어진 단어를 활용할 것 • 필요한 경우 단어를 추가할 것

그는 마치 내 이름을 잊은 것처럼 행동했다. (behave, forget)

→ ______________________________________

07 지칭 추론

유형 알기 글을 읽고 밑줄 친 다섯 개의 선택지 중에서 나머지와 가리키는 대상이 다른 하나를 찾는 유형이다. 밑줄 친 부분은 주로 인칭대명사이지만, 간혹 명사(구)에 밑줄이 있는 경우도 있다.

풀이 전략 글의 도입부를 읽으면서 중심 소재와 주요 등장인물을 파악한다.
인물과 관련된 사건이나 상황 전개에 주목하며 밑줄 친 대명사가 지칭하는 대상을 파악한다.
밑줄 친 선택지의 전후 문맥을 잘 살펴 가리키는 대상이 다른 하나를 고른다.

기출 풀기

밑줄 친 부분이 가리키는 대상이 나머지 넷과 다른 것은?

Jesse's best friend Monica, a mother of three, was diagnosed with a rare disease. Unfortunately, ① she didn't have the money necessary to start her treatment and pay for all the other expenses related to her disease. So Jesse jumped in to help ② her. She reached out to friends and family and asked them if they could spare $100. If so, they were to bring their contribution to a restaurant downtown at a designated time. ③ Her goal was to get 100 people to give $100. Under false pretenses, Jesse took Monica to the restaurant and asked if ④ she minded answering a few questions on video to share with others about her sickness. ⑤ She agreed. Soon after the video began, a line formed outside the restaurant. The number grew to hundreds of people, each delivering a $100 bill. The kindness and generosity shown by both friends and strangers made a huge difference for Monica and her family.

오답 피하기
성별이 같은 인물 둘이 등장할 경우 각 대명사가 지칭하는 대상이 둘 중 누구인지 꼼꼼히 따져 본다.

Words
diagnose 진단하다 rare 희귀한 disease 질병 necessary 필요한 treatment 치료 expense 비용 jump in 시작하다, 뛰어들다 reach out 연락을 취하다 spare (시간·돈을) 내주다 contribution 기부금 designated 지정된 false pretenses 거짓 진술 form 형성되다 deliver 배달하다, 인계하다 generosity 너그러움, 관용

전략 적용

❶ Jesse's best friend Monica, a mother of three, was diagnosed with a rare disease. Unfortunately, ① she didn't have the money necessary to start her treatment and pay for all the other expenses related to her disease. So Jesse jumped in to help ② her. She reached out to friends and family and asked them if they could spare $100. If so, they were to bring their contribution to a restaurant downtown at a designated time. ③ Her goal was to get 100 people to give $100. Under false pretenses, Jesse took Monica to the restaurant and asked if ④ she minded answering a few questions on video to share with others about her sickness. ⑤ She agreed. Soon after the video began, a line formed outside the restaurant. The number grew to hundreds of people, each delivering a $100 bill. The kindness and generosity shown by both friends and strangers made a huge difference for Monica and her family.

도입 Jesse와 희귀병에 걸린 Jesse의 친구 Monica

전개 Jesse는 Monica를 돕기 위해 지인들에게 기부금을 모금하는 행사를 기획함

마무리 기부 행사가 성황리에 마무리되고 Monica와 그녀의 가족은 큰 도움을 받게 됨

Step 1 ▶ 글의 도입부를 읽으면서 중심 소재와 주요 등장인물을 파악한다.

❶ Jesse의 가장 친한 친구이자 세 아이의 어머니인 Monica가 희귀병 진단을 받았다.

→ 주요 등장인물은 Jesse와 희귀병에 걸린 그녀의 친구 Monica일 것이다.

Step 2 ▶ 인물과 관련된 사건이나 상황 전개에 주목하며 밑줄 친 대명사가 지칭하는 대상을 파악한다.

Jesse가 희귀병에 걸린 친구 Monica를 돕기 위해 지인들에게 기부금을 모금하는 행사를 기획하고, 시내의 한 식당에 지인들과 Monica를 초대하는 상황이다. 따라서 지문에 등장하는 대명사 she나 her[Her]는 Jesse 또는 Monica이다.

Step 3 ▶ 밑줄 친 선택지의 전후 문맥을 잘 살펴 가리키는 대상이 다른 하나를 고른다.

① she는 바로 앞에 언급된 Monica이다. ② her는 Jesse가 도운 대상이므로 Monica이다. ③ Her는 모금 행사를 진행한 당사자이므로 Jesse이다. Jesse가 Monica에게 질문에 답하는 것을 꺼리는지에 대해 물었으므로 ④ she는 Monica이다. Jesse의 요청에 동의한 것은 Monica이므로 ⑤ She는 Monica이다. 따라서 정답은 ③이다.

✓ 지칭을 나타내는 표현

- **this**: 앞뒤에서 언급한 단수명사를 지칭
- **it**: 앞에서 언급한 단어, 구, 절을 지칭
- **the one/that/the former**: 전자를 지칭
- **these**: 앞뒤에서 언급한 복수명사를 지칭
- **they/them/those**: 앞에서 언급한 복수명사를 지칭
- **the other/this/the latter**: 후자를 지칭

유형 연습

1 밑줄 친 부분이 가리키는 대상이 나머지 넷과 다른 것은?

When I was 12, I decided to teach my six-year-old sister how to dive. ① She was perfectly fine jumping in from pool's edge, but climbing up the ladder to the tall diving board terrified ② her. On that day, I had managed to get her onto the diving board, but she was nervous. Nearby, there was a woman, about 75 years old, who we didn't know. ③ She was swimming laps around the pool, and she would occasionally stop and watch us. I was urging my sister on, trying to get ④ her to dive, but she kept saying "I'm too afraid!" Finally, the woman shouted to my sister. "Hey!" she yelled, "Are you scared?" "Yes, I really am!" replied my sister. "Good!" the woman said. "So be afraid! And then do it anyway!" Thinking about it for a second, ⑤ she finally jumped in!

climb up 올라가다
diving board 다이빙 도약대
terrify 무섭게 하다
manage to-v 간신히 ~하다
nervous 긴장한
occasionally 가끔
urge 재촉하다
yell 소리치다
scared 겁에 질린

내신·서술형 대비

1. 윗글의 밑줄 친 문장과 같은 의미가 되도록 빈칸을 완성하시오.

I decided to teach my six-year-old sister how to dive.

= I decided to teach my six-year-old sister ________ ________ ________ ________.

2. 주어진 영영 풀이에 해당하는 단어를 윗글에서 찾아 쓰시오.

(1) *n.* a single journey from one end of a swimming pool to another : ________

(2) *n.* the part of an object that is furthest from its center : ________

2 밑줄 친 부분이 가리키는 대상이 나머지 넷과 다른 것은?

Mallard was watching a nature program about pandas with his 7-year-old son, Austin. During one part of the show, some baby pandas were left "homeless." Although Austin didn't understand what this word meant, he said he felt sadly. Seeing this as a teachable moment, Mallard took him to the local shelter that provides housing and food for the homeless men. As they got closer to the building, they saw some homeless people standing in groups on the corner. "Dad, ① they look sad," Austin said. "Can we bring ② them some food and make them smile?" That day, Austin used his monthly allowance to buy some sandwiches, which he and his father handed out to ③ them together. Seeing how much ④ their act of kindness meant to the men, Mallard and his son returned the next month. Once again, the son gave up his allowance for the homeless men, happily paying for the sandwiches that he and his father gave to ⑤ them.

words

be left homeless 집을 잃다
teachable 가르칠 수 있는
local 지역의
shelter 쉼터, 보호소
provide A for B B에게 A를 제공하다
housing 주거, 주택
monthly 매월의
allowance 용돈
hand out 나눠 주다
return 돌아오다, 돌려주다
pay for ~의 비용을 지불하다

내신•서술형 대비

1. 윗글의 밑줄 친 문장에서 어법상 틀린 부분을 찾아 바르게 고치시오.

____

2. 다음 중 Mallard에 관해 윗글의 내용과 일치하는 것은?

① 아들과 판다가 나오는 자연 프로그램에 참가했다.
② 집을 잃은 새끼 판다를 도와주었다.
③ 지역 쉼터에서 교사로 일하고 있다.
④ 아들에게 선행을 베풀 기회를 마련해 주었다.
⑤ 아들과 함께 직접 만든 샌드위치를 나눠 주었다.

3 밑줄 친 부분이 가리키는 대상이 나머지 넷과 다른 것은?

Late one night, a boy and his mother were walking home through the city's streets. It was bitterly cold, and the first snow of the season was beginning to fall. Looking up at the falling flakes, the boy saw ① somebody climbing up the wall of a nearby building. ② He was dressed in black and wearing a mask that covered his face. When he reached the nearest window, he began to force it open. As the boy's mother called the police, the boy watched ③ him climb through the window. A few minutes later, a police officer arrived. After asking them a few questions, ④ he entered the building with his gun in his hand. The boy wanted to wait and finding out what would happen to ⑤ the thief, but his mother grabbed his hand and quickly pulled him down the street.

words

bitterly 몹시, 지독하게
flake 눈송이(= snowflake)
force 억지로 ~하다
enter ~에 들어가다
thief 도둑
grab 움켜잡다

내신•서술형 대비

1. 윗글의 밑줄 친 부분에서 어법상 틀린 부분을 찾아 바르게 고치시오.

____

2. 주어진 영영 풀이에 해당하는 단어를 윗글에서 찾아 쓰시오.

(1) *n.* a small thin piece of something, especially one that has broken off a larger piece : __________

(2) *v.* to use a lot of strength to make something move : __________

4 밑줄 친 부분이 가리키는 대상이 나머지 넷과 다른 것은?

Sliding open the glass door to her balcony, Angela could feel the approach of spring for the first time that year. The changing of seasons always made ① her feel both anxious and excited. A soft rain was falling, but Angela didn't care. She wanted to open all the windows of ② her apartment and listen to the sound of the rain. She didn't, however, because ③ she was worried the noise would upset the little bird she had purchased last week. Angela had seen ④ her in a pet shop and was drawn to her bright blue feathers. Now the bird was sitting calmly in a cage, looking at ⑤ her from across the room. The bird was quieter than Angela had expected. Instead of singing, she quietly observed her new surroundings, tilting her little head every time she saw something new. Angela wondered if the bird could sense that spring was coming too.

words

- **slide** 미끄러뜨리다
- **approach** 다가옴, 접근
- **anxious** 염려하는
- **care** 상관하다
- **upset** 당황하게 하다
- **purchase** 구입하다
- **draw** (마음을) 끌다
- **feather** 깃털
- **observe** 관찰하다
- **surroundings** 환경
- **tilt one's head** 머리를 기울이다
- **sense** 느끼다

내신·서술형 대비

1. 윗글의 밑줄 친 if와 바꿔 쓸 수 있는 한 단어를 쓰시오.

____

2. 다음 주어진 조건에 맞게 우리말을 영작하시오. (9단어)

조건	• 본문에 나온 구문을 이용할 것 • 괄호 안에 주어진 단어를 활용할 것 • 필요한 경우 단어를 추가할 것

그 영어 시험은 내가 예상했던 것보다 더 쉬웠다. (expect)

→ ______________________________

08 함의 추론

유형 알기 글을 읽고 밑줄 친 단어나 어구, 문장이 함축하는 바를 추론하는 유형이다. 선택지는 영어로 제시된다.

풀이 전략 밑줄 친 부분은 글의 주제나 요지와 관련이 있으므로 먼저 글의 내용을 파악한다. 주제와의 연관성을 생각하며 밑줄 친 부분이 의미하는 바를 추측해 본다. 추측한 내용과 선택지를 비교하며 답을 고른다.

기출 풀기

밑줄 친 The body works the same way.가 다음 글에서 의미하는 바로 가장 적절한 것은? [3점]

The body tends to accumulate problems, often beginning with one small, seemingly minor imbalance. This problem causes another subtle imbalance, which triggers another, then several more. In the end, you get a symptom. It's like lining up a series of dominoes. All you need to do is knock down the first one and many others will fall too. What caused the last one to fall? Obviously it wasn't the one before it, or the one before that, but the first one. The body works the same way. The initial problem is often unnoticed. It's not until some of the later "dominoes" fall that more obvious clues and symptoms appear. In the end, you get a headache, fatigue or depression — or even disease. When you try to treat the last domino — treat just the end-result symptom — the cause of the problem isn't addressed. The first domino is the cause, or primary problem.

*accumulate 축적하다

① There is no definite order in treating an illness.
② Minor health problems are solved by themselves.
③ You get more and more inactive as you get older.
④ It'll never be too late to cure the end-result symptom.
⑤ The final symptom stems from the first minor problem.

오답 피하기
선택지가 본문에 나오지 않은 어휘나 표현으로 제시될 수 있으므로 본문의 내용을 완전히 이해해야 한다.

Words
seemingly 외관상 minor 작은 imbalance 불균형 cause 유발하다; 원인 subtle 미묘한 trigger 유발하다 symptom 증상 line up 한 줄로 세우다 knock down 쓰러뜨리다 obviously 분명히 initial 처음의 unnoticed 눈에 띄지 않는 clue 단서 fatigue 피로 depression 우울증 treat 치료하다 end-result 최종 결과의 address 해결하다, 처리하다 primary 가장 중요한, 첫 번째의

전략 적용

❶ The body tends to accumulate problems, often beginning with one small, seemingly minor imbalance. This problem causes another subtle imbalance, which triggers another, then several more. In the end, you get a symptom. It's like lining up a series of dominoes. All you need to do is knock down the first one and many others will fall too. ❷ What caused the last one to fall? Obviously it wasn't the one before it, or the one before that, but the first one. ❸ The body works the same way. The initial problem is often unnoticed. It's not until some of the later "dominoes" fall that more obvious clues and symptoms appear. In the end, you get a headache, fatigue or depression — or even disease. When you try to treat the last domino—treat just the end-result symptom — the cause of the problem isn't addressed. ❹ The first domino is the cause, or primary problem.

(도입) 신체 문제는 사소한 불균형에서 시작되며, 이것이 연쇄적으로 다른 불균형을 일으킴

(전개) 신체에서 문제가 발생하는 과정은 도미노가 쓰러지는 과정과 유사함

(마무리) 최초의 원인을 해결하는 것이 중요함

Step 1 ▶ 밑줄 친 부분은 글의 주제나 요지와 관련이 있으므로 먼저 글의 내용을 파악한다.

❶ 신체는 문제를 축적하는 경향이 있으며, 그것은 흔히 하나의 작고 사소해 보이는 불균형에서 시작한다.
❹ 최초의 도미노가 원인, 즉 가장 중요한 문제이다.
→ 질병이 발생하는 과정을 도미노가 무너지는 것과 비교하여 설명한 글로, '신체의 문제(질병, 증상)는 작고 사소해 보이는 불균형(문제)에서 시작되며, 최초의 원인을 해결하는 것이 중요하다'는 것이 글의 핵심 내용이다.

Step 2 ▶ 주제와의 연관성을 생각하며 밑줄 친 부분이 의미하는 바를 추측해 본다.

❸ 신체도 같은 방식으로 작동한다.
→ 밑줄 친 문장에서 the same way가 가리키는 것이 무엇인지 생각해 본다. '같은 방식으로'라고 했으므로 앞에 나온 내용과 연관이 있음을 추론할 수 있다.

Step 3 ▶ 추측한 내용과 선택지를 비교하며 답을 고른다.

❷ 무엇이 마지막 도미노를 쓰러뜨렸는가? 분명히, 그것은 그것의 바로 앞에 있던 것이나 그것 앞의 앞에 있던 것이 아니라, 첫 번째 도미노이다. ❸ 신체도 같은 방식으로 작동한다. ❹ 최초의 도미노가 원인, 즉 가장 중요한 문제이다.
→ '마지막 도미노를 쓰러뜨리는 것은 최초의 도미노'이며 신체도 도미노와 같은 방식으로 작동한다는 것이므로 ⑤ '최종 증상도 최초의 사소한 문제에서 생겨난다'가 정답이다.

① 질병을 치료하는 데 정해진 순서는 없다.
② 사소한 건강 문제는 저절로 해결된다.
③ 나이가 들면서 점점 더 활동이 줄어든다.
④ 아무리 늦어도 최종 결과인 증상을 치료할 수 있다.
⑤ 최종 증상은 최초의 사소한 문제에서 생겨난다.

유형 연습

1 **밑줄 친 look beyond the price tag가 다음 글에서 의미하는 바로 가장 적절한 것은?**

Imagine you opened your closet and 3,900 liters of water came rushing out. That's a lot of wasted water — nearly 40 full bathtubs! Of course, this couldn't really happen. But that's how much water it takes to produce a single cotton T-shirt. You might think cotton is an environmentally friendly material. But all that water is needed to grow, bleach, wash, and dye it, and to purify the water after using the fertilizers, pesticides, and chemicals. Even worse, the water most likely came from a water-deficient region which environmental protection policies is not being implemented. Instead, water is sold to the highest bidder — often manufacturers or large farms. As a result, rivers are drained until they are dry, which damages entire ecosystems. Although water is a renewable resource, it is not an unlimited one. Therefore, whenever we make a purchase, we must look beyond the price tag.

① check the exact price
② pay less than the price tag
③ choose only natural materials
④ think about the environmental cost
⑤ help people living in regions where water is scarce

words

closet 벽장, 찬장
cotton 면직물
material 직물, 천
bleach 표백하다
dye 염색하다
fertilizer 비료
pesticide 살충제, 농약
chemical 화학 물질
deficient 부족한, 결핍한
policy 정책
implement 시행하다
bidder 입찰자
manufacturer 제조업자
drain 배수하다
ecosystem 생태계
renewable 재생 가능한
scarce 드문, 부족한

내신·서술형 대비

1. 주어진 철자로 시작하는 단어를 윗글에서 찾아 써서 윗글의 주제를 완성하시오.

w__________ w__________ by clothing industry

2. 윗글의 밑줄 친 문장에서 어법상 틀린 부분 두 군데를 찾아 바르게 고치시오.

(1) __________ → __________

(2) __________ → __________

정답 및 해설 pp. 24-25

2 밑줄 친 <u>black holes have no hair</u>가 다음 글에서 의미하는 바로 가장 적절한 것은?

A black hole is an object that contains an extremely large amount of mass in a very small area. This dense mass creates such a strong gravitational pull that nothing, ⓐ (include) light, can escape it. John Wheeler, an American physicist, coined the term "black hole" in 1967. He also once said that "<u>black holes have no hair</u>." Wheeler was referring to the fact that the color, length and style of a person's hair provide us with details that can be used ⓑ (identify) and describe that person. So far, scientists have only been able to measure the mass, electronic charge, and angular momentum of individual black holes. This may, however, change in the near future, because an image of a black hole in the M87 galaxy was recently obtained, which is the first of its kind. It may soon provide scientists with more information about black holes than they ever had before.

*electronic charge 전자 전하 **angular momentum 각운동량(회전하는 물체의 운동량)

① the surface of a black hole is smooth
② black holes have no distinctive features
③ the mass of a black hole grows rapidly
④ gravity surrounds black holes like hair
⑤ black holes fall apart when they get old

words

- **contain** 함유하다, 포함하다
- **extremely** 극도로
- **mass** 질량, 부피
- **dense** 밀도가 높은
- **gravitational pull** 중력
- **escape** 빠져나오다, 탈출하다
- **physicist** 물리학자
- **refer to** 언급하다
- **describe** 묘사하다
- **measure** 측정하다
- **obtain** 입수하다, 얻다
- **the first of its kind** 최초의, 처음 있는

내신·서술형 대비

1. 윗글 ⓐ, ⓑ 괄호 안의 단어를 어법에 맞게 쓰시오.

ⓐ ______________　　ⓑ ______________

2. 아래 두 문장에 공통으로 들어갈 단어를 윗글에서 찾아 쓰시오.

n. A __________ is a small piece of metal which is used as money.
v. If you __________ a word or a phrase, you are the first person to say it.

3 **밑줄 친 hand-eye coordination이 다음 글에서 의미하는 바로 가장 적절한 것은?**

Archaeologists have discovered large amounts of cave art produced by early humans, Homo sapiens who lived thousands of years ago. This includes many realistic pictures of people hunting animals. Neanderthals, our ancient cousins, on the other hand, were not accomplished artists. Drawing and hunting both require hand-eye coordination. Neanderthals used spears to stab their prey at close range, which required little skill. Early humans living on the open grasslands of Africa also hunted with spears. However, they threw them at their prey, an act which required high levels of skill. This style of hunting improved their visualization abilities and caused their parietal cortexes — the part of the brain related to vision and motor skills — to develop. Not only this made them better hunters, but it also gave them the ability to create works of art depicting their hunting experiences.

*parietal cortex 두정엽(운동 명령을 내리는 운동 중추가 있음)

① using both their hands and eyes together
② understanding how to hunt prey with tools
③ communicating with words and hand gestures
④ appreciating the subtle differences between colors
⑤ knowing the importance of building their strength

words

archaeologist 고고학자
include 포함하다
ancient 고대의
accomplished 기량이 뛰어난
require 요구하다
spear 창
stab 찌르다
prey 먹이, 사냥감
range 범위
improve 개선되다
visualization 구상화, 시각화
motor skill 운동 기능
depict 그리다, 묘사하다

내신·서술형 대비

1. 윗글의 밑줄 친 부분에서 어법상 틀린 부분을 찾아 바르게 고치시오.

____

2. 윗글에서 네안데르탈인의 사냥법을 언급한 문장을 찾아 쓰시오.

Neanderthals ______________________________________.

4 **밑줄 친 serve the same function이 다음 글에서 의미하는 바로 가장 적절한 것은?**

In big cities, many of the largest skyscrapers serve as spaces where people spend their days working to earn money. Most of these buildings are also home to restaurants and eateries, ⓐ that these office workers can not only obtain the food and drinks they need to survive but also gather together to socialize and discuss their problems. It is evident ⓑ that they are as natural as an anthill or a nest built by a bird. They were created by human beings, who are undeniably a part of nature, and they have been built from natural materials. People may complain ⓒ that soil has been covered up by concrete, but there are plenty of natural places where there is no soil. In the world's big cities, the ecosystems ⓓ that once existed have simply been replaced by urban ecosystems that serve the same function as ones that are considered to be more "natural."

① destroy the ecosystem
② support and sustain life
③ replace soil with concrete
④ allow companies to grow
⑤ recycle natural materials

words
skyscraper 고층 건물
eatery 식당
obtain 얻다
socialize 교류하다
evident 분명한
anthill 개미탑
undeniably 부인할 수 없게
material 원료, 재료
soil 흙, 토양
ecosystem 생태계
replace 대체하다
urban 도시의

내신·서술형 대비

1. 윗글의 밑줄 친 ⓐ~ⓓ 중, 어법상 틀린 것을 골라 바르게 고치시오.

____

2. 윗글의 밑줄 친 serve의 영영 풀이로 알맞은 것은?
① to throw up a ball or shuttlecock and hit it to start play
② to perform official duties, especially in the armed forces
③ to do useful work for a country, an organization, or a person
④ to give someone food or drink, especially in a restaurant or bar
⑤ to perform a particular function, which is often not its intended function

09 빈칸 추론

유형 알기 글의 전체적인 내용과 빈칸 앞뒤의 논리적 관계를 파악하여 빈칸에 들어갈 적절한 단어나 어구, 문장을 추론하는 유형이다.
주제나 주제를 뒷받침하는 세부 내용 중 핵심적인 부분이 빈칸으로 출제된다.

풀이 전략 글을 읽고 글의 중심 생각과 그에 따른 글의 전개 방식을 파악한다.
빈칸의 위치가 주제문에 있는지 주제를 뒷받침하는 예시나 근거에 있는지 확인한다.
글의 중심 내용과 빈칸 앞뒤의 논리적 관계를 살펴 빈칸에 들어갈 내용을 추론한다.

기출 풀기

다음 빈칸에 들어갈 말로 가장 적절한 것은?

Sometimes a person is acclaimed as "the greatest" because ____________________. For example, violinist Jan Kubelik was acclaimed as "the greatest" during his first tour of the United States, but when impresario Sol Hurok brought him back to the United States in 1923, several people thought that he had slipped a little. However, Sol Elman, the father of violinist Mischa Elman, thought differently. He said, "My dear friends, Kubelik played the Paganini concerto tonight as splendidly as ever he did. Today you have a different standard. You have Elman, Heifetz, and the rest. All of you have developed and grown in artistry, technique, and, above all, in knowledge and appreciation. The point is: you know more; not that Kubelik plays less well."

*acclaim 칭송하다 **impresario 기획자, 단장

① there are moments of inspiration
② there is little basis for comparison
③ he or she longs to be such a person
④ other people recognize his or her efforts
⑤ he or she was born with great artistic talent

오답 피하기
본문에 나온 단어나 어구를 이용한 오답에 현혹되지 말고, 글의 주제를 정확히 파악해서 빈칸에 들어갈 말을 고른다.

Words

tour 순회공연 slip (실력이) 떨어지다 concerto 협주곡 splendidly 훌륭하게 standard 기준 artistry 예술성, 예술적 기교 above all 무엇보다도 appreciation 감식력, 이해, 평가

정답 및 해설 p. 27

전략 적용

❶ Sometimes a person is acclaimed as "the greatest" because ________________. For example, violinist Jan Kubelik was acclaimed as "the greatest" during his first tour of the United States, but when impresario Sol Hurok brought him back to the United States in 1923, several people thought that he had slipped a little. However, Sol Elman, the father of violinist Mischa Elman, thought differently. He said, "My dear friends, Kubelik played the Paganini concerto tonight as splendidly as ever he did. Today you have a different standard. You have Elman, Heifetz, and the rest. All of you have developed and grown in artistry, technique, and, above all, in knowledge and appreciation. ❷ The point is: you know more; not that Kubelik plays less well."

(주제) 주제문

(예시) 바이올린 연주자 Kubelik의 연주 실력 평가에 관한 예시

(주제 요약·강조) 사람들이 예전에 비해 보는 눈이 높아진 것이지, Kubelik의 실력이 떨어진 것이 아님

Step 1 ▶ 글을 읽고 글의 중심 생각과 그에 따른 글의 전개 방식을 파악한다.

❶ 때때로 누군가는 ____________ 때문에 '가장 위대하다'고 칭송받는다.
❷ 요점은 여러분이 더 많이 알고 있는 것이지, Kubelik가 연주를 전보다 못하는 것이 아닙니다.
→ 빈칸 바로 뒤에 For example이 있는 것으로 보아 첫 문장이 주제문이고 그 다음부터 예시가 이어지는 식으로 글이 전개될 것임을 알 수 있다. 마지막 문장은 주제를 요약·강조하고 있다.

Step 2 ▶ 빈칸의 위치가 주제문에 있는지 주제를 뒷받침하는 예시나 근거에 있는지 확인한다.

❶이 주제문으로 '주제문에 빈칸이 들어 있는 경우'이다. 따라서 빈칸 뒤의 예시의 내용을 잘 이해하는 것이 중요하다.

Step 3 ▶ 글의 중심 내용과 빈칸 앞뒤의 논리적 관계를 살펴 빈칸에 들어갈 내용을 추론한다.

이 글은 첫 번째 순회공연에서 최고의 찬사를 받은 바이올린 연주자 Kubelik가 두 번째 연주회 때 실력이 떨어졌다고 여겨진 것에 대한 Sol Elman의 견해를 소개하고 있다. Sol Elman은 Kubelik의 실력이 떨어진 것이 아니라, 그 사이 감상하는 사람들이 다른 뛰어난 바이올린 연주자들을 접하면서 음악에 대한 감식력이 높아졌기 때문이라고 말했다. 즉, 첫 순회공연 때는 비교의 대상이나 평가의 기준이 없었다는 의미이므로 정답은 ② '비교할 근거가 거의 없다'이다.

① 영감의 순간들이 있다
③ 그나 그녀는 그런 사람이 되기를 갈망한다
④ 다른 사람들이 그나 그녀의 노력을 인정한다
⑤ 그나 그녀는 위대한 예술적 재능을 타고났다

✔ 빈칸 위치에 따른 글의 전개 방식 예시

- **도입부에 빈칸이 있는 경우:** 주제(주장) → 주제(주장)를 뒷받침하는 근거 → 중심 내용 요약·강조
- **중간에 빈칸이 있는 경우:** 일반적인 개념·통념 → 이에 반박하는 내용과 근거 → 중심 내용 요약·강조
- **마지막에 빈칸이 있는 경우:** 어떤 문제나 현상에 대한 원인 또는 구체적인 근거나 사례 → 결과를 포함한 주제·주장

유형 연습

1 다음 빈칸에 들어갈 말로 가장 적절한 것은?

Photojournalism first began after the invention of cameras that reporters could easily carry around in areas of war. This allowed many people to see the horrors of war for the very first time. Photojournalism, however, is about more than just ⓐ (take) pictures of war. The phrase "bearing witness" is often used to explain what photojournalists do. They allow the rest of the world to see through their eyes for just a moment. A good photojournalist can capture an entire story in a single photograph. Unlike written journalism, which can sometimes contain misleading facts and personal opinions, photojournalism shows the truth without exaggeration or bias. Accuracy is perhaps the most important characteristic of traditional photojournalism. What you see in a photograph is exactly what happened. Sadly, digital photography is beginning to erode the ______________ of the images captured by photojournalists — technology has made it far too easy ⓑ (manipulate) photographs.

① beauty ② potential ③ purity
④ exaggeration ⑤ resemblance

words

photojournalism 사진 보도
invention 발명
phrase 구절, 문구
bear witness 증거를 제시하다, 증명하다
photojournalist 사진 기자
capture 담아내다, 포착하다
journalism 저널리즘, 신문 잡지 기고
contain 포함하다
misleading 오해하기 쉬운
exaggeration 과장
bias 편견
accuracy 정확성
photography 사진 촬영, 사진술
erode 해치다, 좀먹다
manipulate 조작하다

내신•서술형 대비

1. 윗글 ⓐ, ⓑ 괄호 안의 단어를 어법에 맞게 쓰시오.

ⓐ ______________ ⓑ ______________

2. 윗글에서 훌륭한 사진 기자의 특징으로 언급된 것은?

① 항상 카메라를 휴대하고 있다.
② 위험한 지역 위주로 취재한다.
③ 오해의 소지가 있는 사진을 수정한다.
④ 한 장의 사진에 사건의 전체를 담을 수 있다.
⑤ 디지털 카메라 대신 수동 카메라를 사용한다.

2 다음 빈칸에 들어갈 말로 가장 적절한 것은?

When human body cells die, it is for one of two reasons. They are either killed by an external factor, such as heat, toxins, or physical damage, or they ______________________. The latter is actually a vital process in the maintenance of the body's overall health. The ability of cells to die when necessary is encoded in the human genome and is used to ensure that the total number of cells in the organism remains at an optimal level to kill off harmful cells. In order to end its life, a cell will activate specialized genes that begin to break down its nucleus and DNA. <u>Immune cells then surround the dying cell and remove unwanting material from the body.</u> If this entire process is not carried out successfully, it can lead to serious consequences, including cancer.

*genome 게놈(세포나 생명체의 유전자 총체)

① continue to exist forever
② purposely kill themselves off
③ slowly break down due to age
④ die from an infectious disease
⑤ split in half to create new cells

words

external 외부의
toxin 독소
the latter 후자
vital 필수적인, 꼭 필요한
maintenance 유지
encode 암호화하다
ensure 보장하다
organism 유기체, 생물
optimal 최적의, 최선의
gene 유전 인자
nucleus 핵
immune cell 면역 세포
carry out 실행하다
consequence 결과

내신•서술형 대비

1. 윗글의 밑줄 친 문장에서 어법상 <u>틀린</u> 부분을 찾아 바르게 고치시오.

____

2. 윗글의 내용과 일치하지 <u>않는</u> 것은?
① 외부적 요인으로 세포가 파괴될 수 있다.
② 세포 제거 능력은 인간의 게놈에 암호화되어 있다.
③ 세포를 제거하는 목적에 전문화된 유전 인자가 있다.
④ 몸에서 원하지 않는 물질은 면역 세포에 의해 제거된다.
⑤ 면역 세포는 수명을 다하고 죽은 세포 수에 비례해서 생긴다.

3 다음 빈칸에 들어갈 말로 가장 적절한 것은?

A lunar eclipse occurs when Earth gets in between the Sun and the Moon, ⓐ (cause) the shadow of Earth to fall across the Moon. Instead of simply getting darker, however, the Moon turns a reddish color. This is called a "blood moon." It occurs because the Sun's rays bend around the Earth before landing on the Moon. As they pass through Earth's atmosphere, the shorter wavelengths of light are scattered, while the longer wavelengths continue on to the Moon. The shorter wavelengths are blues and greens, and the longer ones are reds and oranges. How red the Moon appears depends on ____________________. For example, when there are ⓑ (many) particles than usual in the atmosphere, perhaps due to the eruption of a large volcano, the Moon turns a darker shade of red.

① the amount of dust and clouds in the atmosphere
② the season on Earth when the lunar eclipse occurs
③ the types of materials found on the Moon's surface
④ the angle at which longer wavelengths of light bend
⑤ the temperature of the Sun's rays as they hit the Moon

words

lunar eclipse 월식
cause 야기하다
reddish 불그스름한
ray 광선
bend 구부리다, 휘다
atmosphere 대기
wavelength 파장
scatter 흩어지다
appear ~인 것처럼 보이다
depend on ~에 달려 있다
particle 입자
eruption 분출
volcano 화산
shade 색조

내신•서술형 대비

1. 윗글 ⓐ, ⓑ 괄호 안의 단어를 어법에 맞게 쓰시오.

ⓐ ____________ ⓑ ____________

2. 윗글을 읽고, 월식 때 달이 붉게 변하는 이유를 우리말로 쓰시오. (40자 이내)

____

4 다음 빈칸에 들어갈 말로 가장 적절한 것은?

On holidays and birthdays, parents often give their children a gift to make the day seem more special. However, children may react badly if the gift isn't exactly what they were hoping for. They may burst into tears or ask if they can get a new gift. When this happens, it is easy for parents to feel guilty thinking they have ruined a special day or ⓐ <u>let their child down.</u> However, ______________________________. Even though disappointment doesn't feel very pleasant, it is actually a healthy emotion and a necessary part of children's emotional and social development. ⓑ <u>It can encourage them to find the bright side of a bad situation or even seeking out ways to make things better.</u> Overcoming disappointment now will teach them how to bounce back from whatever difficulties they may face in the future.

① children can appreciate the gifts in the future
② dealing with being disappointed is very important
③ the adults get disappointed as easily as children do
④ parents choose to buy a different gift next birthday
⑤ some experiences in childhood can have negative effects

words

react 반응하다
burst into tears 울음을 터뜨리다
guilty 죄책감을 느끼는
ruin 망치다
disappointment 실망
emotion 감정
necessary 필요한
social 사회의
encourage 용기를 북돋우다
seek out 찾아내다
overcome 극복하다
bounce back 금방 회복하다
face 직면하다

내신·서술형 대비

1. 윗글의 밑줄 친 ⓐ와 바꿔 쓸 수 있는 것은?

① moved their child
② disappointed their child
③ spoiled their child
④ advocated their child
⑤ satisfied their child

2. 윗글의 밑줄 친 ⓑ에서 어법상 <u>틀린</u> 부분을 찾아 바르게 고치시오.

____

5 다음 빈칸에 들어갈 말로 가장 적절한 것은?

In a study, scientists divided participants into two categories: night owls, who went to bed around 2:30 a.m. and woke up around 10:15 a.m., and early risers, who went to bed before 11 p.m. and woke up around 6:30 a.m. After (A) [performed / performing] tasks at various times, from 8 a.m. to 8 p.m., the participants were tested and had their brains (B) [scanning / scanned] with an MRI machine. Early risers felt the least sleepy and had their fastest reaction times in the early morning. Night owls, on the other hand, felt and performed best at 8 p.m., although their results weren't significantly better than those of early risers. Interestingly, the MRI scans showed that early risers had better brain connectivity throughout the day than night owls. This may be because night owls are forced (C) [getting up / to get up] early during school; then they get a job and have to keep getting up early. As a result, ______________________.

① they tend to stay up later and later as they grow old
② they seldom feel excessively sleepy during the middle of the day
③ they have much more free time to relax and have fun late at night
④ they must constantly fight against their bodies' natural rhythms
⑤ they cannot feel any difference between the different times of the day

words

divide A into B A를 B로 나누다
participant 참가자
category 부문, 범주
perform 수행하다, 실시하다
task 임무, 과업
various 다양한
reaction time 반응 시간
significantly 상당히
connectivity 연결(성)
throughout ~동안, 쭉
be forced to-v ~하도록 강요받다

내신•서술형 대비

1. 윗글 (A), (B), (C)의 각 네모 안에서 어법상 옳은 것을 고르시오.

(A) ______________ (B) ______________ (C) ______________

2. 다음은 윗글의 내용을 정리한 표이다. 빈칸에 알맞은 말을 본문에서 찾아 쓰시오.

Early Risers	Night Owls
• go to bed before ______________ • wake up about 6:30 a.m. • have better brain ______________ during daytime than night owls	• go to bed about 2:30 a.m. • wake up about ______________ • feel and ______________ best at 8 p.m.

6 다음 빈칸에 들어갈 말로 가장 적절한 것은?

Psychologist Jonathan Haidt once used an interesting analogy when discussing behavior change. He claimed that the human brain has two sides — an emotional side and a rational side. Haidt compared the emotional side to an elephant and the rational side to a rider. The rider does the rational thinking, and the elephant provides the muscle. Think about what would happen if the rider decided that going to the left would get them to their destination quickly and safely, but the elephant wanted to go right instead. The two might get in a big fight and end up nowhere. This is why ________________________________. The rider needs the elephant to get where he wants to go, and the elephant needs the rider to guide it. Getting them to coordinate their actions is not easy, but it is the only way to ensure that they reach their destination.

① they slowly become enemies rather than friends
② they waste time traveling to distant destinations
③ they need to act independently most of the time
④ they must work together to accomplish their goal
⑤ they are able to get so many things accomplished

words

psychologist 심리학자
analogy 비유, 유추
behavior 행동
claim 주장하다, 요구하다
emotional 감정적인
rational 이성적인
compare A to B A를 B에 비유하다
muscle 근육
destination 목적지
coordinate 조정하다, 조화시키다
ensure 확실하게 하다
reach 도달하다

내신·서술형 대비

1. 다음 주어진 조건에 맞게 우리말을 영작하시오. (8단어)

조건	• 본문에 나온 구문을 이용할 것	• 괄호 안에 주어진 단어를 활용할 것	• 필요한 경우 단어를 추가할 것

지구가 회전을 멈춘다면 어떻게 될까? (happen, the earth, stop, rotate)

→ ________________________________

2. 주어진 영영 풀이에 해당하는 단어를 윗글에서 찾아 쓰시오.

n. a comparison between two things, often used to help explain a value or an idea

10 내용 일치 (단락)

유형 알기 글을 읽고 선택지 중 글의 내용과 일치하지 않는 것을 고르는 유형이다.
특정 인물이나 대상에 대한 설명문 형식의 글이 출제되며 선택지는 한글로 제시된다.

풀이 전략 먼저 지시문과 선택지를 보고 글의 중심 소재와 글에서 확인해야 할 정보를 파악해 둔다.
글의 순서대로 선택지가 제시되므로 글을 읽어가면서 차례로 선택지와 비교한다.
글의 내용과 일치하지 않는 선택지를 고른다.

기출 풀기

Halet Cambel에 대한 다음 글의 내용과 일치하지 <u>않는</u> 것은?

After earning her doctorate degree from the University of Istanbul in 1940, Halet Cambel fought tirelessly for the advancement of archaeology. She helped preserve some of Turkey's most important archaeological sites near the Ceyhan River and established an outdoor museum at Karatepe. There, she broke ground on one of humanity's oldest known civilizations by discovering a Phoenician alphabet tablet. Her work preserving Turkey's cultural heritage won her a Prince Claus Award. But as well as revealing the secrets of the past, she also firmly addressed the political atmosphere of her present. As just a 20-year-old archaeology student, Cambel went to the 1936 Berlin Olympics, becoming the first Muslim woman to compete in the Games. She was later invited to meet Adolf Hitler but she rejected the offer on political grounds.

① 고고학의 발전을 위해 끊임없이 애썼다.
② Karatepe에 야외 박물관을 건립했다.
③ 터키 문화 유산 보존으로 Prince Claus 상을 받았다.
④ 올림픽에 참가한 최초의 무슬림 여성이다.
⑤ Adolf Hitler의 초대를 수락했다.

피하기

평소 잘 알고 있는 소재가 나오더라도 알고 있는 정보가 아닌 주어진 글의 내용만을 근거로 답을 골라야 한다.

Words

earn 얻다, 벌다 doctorate degree 박사 학위 tirelessly 끊임없이 advancement 발전, 진보 archaeology 고고학 preserve 보존하다 establish 설립하다 break ground 공사를 시작하다 humanity 인류, 인간 civilization 문명 heritage 유산 win A B A에게 B를 얻게 하다 reveal 밝히다 firmly 확고하게 address 관심을 갖다, (문제를) 다루다 atmosphere 분위기 compete (시합에) 참가하다 ground 이유

:: 전략 적용

After earning her doctorate degree from the University of Istanbul in 1940, ❶ Halet Cambel fought tirelessly for the advancement of archaeology. She helped preserve some of Turkey's most important archaeological sites near the Ceyhan River and ❷ established an outdoor museum at Karatepe. There, she broke ground on one of humanity's oldest known civilizations by discovering a Phoenician alphabet tablet. ❸ Her work preserving Turkey's cultural heritage won her a Prince Claus Award. But as well as revealing the secrets of the past, she also firmly addressed the political atmosphere of her present. As just a 20-year-old archaeology student, ❹ Cambel went to the 1936 Berlin Olympics, becoming the first Muslim woman to compete in the Games. She was later invited to meet Adolf Hitler but ❺ she rejected the offer on political grounds.

(도입) 인물 소개

(전개) 시간 순서별 인물의 활동과 업적

Step 1 ▶ 먼저 지시문과 선택지를 보고 글의 중심 소재와 글에서 확인해야 할 정보를 파악해 둔다.

→ 중심 소재: Halet Cambel이라는 인물

→ 확인해야 할 정보: ① 고고학 발전에의 기여 여부 ② 야외 박물관 건립 여부 ③ Prince Claus 상 수상 여부 ④ 올림픽에 참가한 최초의 무슬림 여성인지 여부 ⑤ Adolf Hitler의 초대 수락 여부

Step 2 ▶ 글의 순서대로 선택지가 제시되므로 글을 읽어가면서 차례로 선택지와 비교한다.

① → ❶ Halet Cambel은 고고학의 발전을 위해 끊임없이 분투했다. (O)

② → ❷ Karatepe에 야외 박물관을 건립했다. (O)

③ → ❸ 터키의 문화 유산을 보존한 그녀의 업적으로 그녀는 Prince Claus 상을 받았다. (O)

④ → ❹ Cambel은 1936년 베를린 올림픽에 참가하여 올림픽 경기에 출전한 최초의 무슬림 여성이 되었다. (O)

⑤ → ❺ 그녀는 정치적인 이유로 그 제안을 거절했다. (×)

Step 3 ▶ 글의 내용과 일치하지 않는 선택지를 고른다.

❺에 'Adolf Hitler의 초대를 받았지만 정치적인 이유로 제안을 거절했다'고 언급되어 있으므로 정답은 ⑤ 'Adolf Hitler의 초대를 수락했다.'이다.

✓ 중심 소재별 파악할 주요 정보

- **인물**: 출생, 성장 배경, 학업, 가족 관계, 업적, 특정 일화
- **동물**: 생김새, 서식지, 식성, 번식 방법, 개체 수, 활동 시간
- **식물**: 생김새, 서식지, 쓰임새, 개화 시기, 번식 방법
- **장소**: 위치, 생성 배경, 크기, 관광객이나 주민 수, 역사적 가치
- **물건**: 발명가, 발명 시기, 쓰임새, 장단점

유형 연습

1 **Stanley Kubrick에 관한 다음 글의 내용과 일치하지 않는 것은?**

Stanley Kubrick was given his first camera by his father at the age of 13 and soon developed a fascination with photography. At the age of 17, he sold his first photo to a magazine ⓐ (call) *Look* and later was hired as a staff photographer. One year later, in 1947, Kubrick took a series of photographs that follow the day of a shoeshine boy. He took more than 200 photos, most of which remain unpublished. The photos tell the story of Mickey, a 12-year-old boy who earned a living ⓑ (shine) the shoes of passers-by for ten cents to help support his family, including his nine brothers and sisters. The photographs address the difficulties faced by all humans, a topic Kubrick continued to explore when he began making films. Later, he often talked about his early days as a photographer, wondering what his films would have been like if he hadn't developed his photographer's eye.

① 17세에 한 잡지사에 채용되었다.
② 구두닦이 소년의 하루 일상을 담은 사진을 찍었다.
③ 18세에 찍은 사진은 대부분 미공개로 남아 있다.
④ 생계를 책임질 9명의 형제자매들이 있었다.
⑤ 사진에서 다뤘던 주제는 영화에서도 이어졌다.

words
fascination 매력, 매혹
photography 사진술
hire 고용하다
staff 직원
a series of 일련의
remain ~로 남아 있다
unpublished 출간되지 않은, 공개되지 않은
earn a living 생계를 꾸리다
passer-by 행인
support 부양하다
face 직면하다
explore 탐색하다
eye 시각

내신·서술형 대비

1. 윗글 ⓐ, ⓑ 괄호 안의 단어를 어법에 맞게 쓰시오.

ⓐ ________________ ⓑ ________________

2. 윗글의 밑줄 친 address가 뜻하는 바로 알맞은 것은?

① to communicate directly
② to say something to someone
③ to mark directions for delivery on
④ to deal with a matter, issue, problem, etc.
⑤ to give a formal speech to a group of people

정답 및 해설 pp. 32-33

2 Henry Moore에 관한 다음 글의 내용과 일치하지 <u>않는</u> 것은?

Henry Moore was one of the most important sculptors of the 20th century. He redefined the way people see art by installing huge sculptures outside. He was born in England in 1898. While attending Sunday school, he was impressed by the work of Michelangelo and became interested in sculpture. In his 20s, he enrolled in Leeds School of Art. He studied drawing at first, but later insisted on switching to sculpting. The school had no sculpture department, so they started one just for him. Most of his artwork features the abstract forms of people, usually women or families. Their flowing bodies have curves, bumps, hollow spaces and even holes. This is because Moore was inspired by the shapes of nature. He would often walk through the woods sketching rocks, tree roots and animal bones. Although Moore's work was initially criticized, it grew more and more popular over time. Today, his work continues to inspire new generations of sculptors.

words
- **sculptor** 조각가
- **redefine** 재정립하다
- **install** 설치하다
- **sculpture** 조각(상)
- **impress** 감명을 주다
- **enroll** 등록하다
- **insist** 고집하다, 주장하다
- **switch** 바꾸다
- **feature** ~을 특징으로 하다
- **abstract** 추상적인
- **flowing** 흐르는
- **bump** 울퉁불퉁한 것
- **hollow** 빈
- **initially** 처음에는
- **criticize** 비판하다
- **generation** 세대

① 야외에 작품을 설치함으로써 사람들이 예술을 보는 방식을 바꾸었다.
② 미켈란젤로 작품에 감명을 받아 조각에 관심을 갖기 시작했다.
③ 20세 때 예술 학교에 등록하여 먼저 조각을 공부했다.
④ 주로 여성과 가족의 모습을 추상적인 형태로 표현했다.
⑤ 처음에 그의 작품은 비판을 받았지만 시간이 지나면서 인기를 얻었다.

내신·서술형 대비

1. 윗글의 제목으로 가장 적절한 것은?
① A Brilliant Sculptor Inspired by Nature
② Urban Lives in Henry Moore Sculptures
③ A Young Sculptor Who Influenced Michelangelo
④ A Sculptor Who Uses Rocks, Trees and Animal Bones
⑤ Henry Moore: A New Generation of Modern Painting

2. 주어진 영영 풀이에 해당하는 단어를 윗글에서 찾아 쓰시오.

v. to give a strong desire to do something or to create a new idea

3 Notre-Dame de Paris에 관한 다음 글의 내용과 일치하지 않는 것은?

Notre-Dame de Paris, often simply called Notre-Dame, is a famous medieval Catholic cathedral located in Paris, France. In English, its name means "Our Lady of Paris." The cathedral is considered (A) [be / to be] one of the most excellent examples of Gothic architecture due to its innovative rib vault, huge rose windows, and decorative sculptures. Construction on the cathedral began in 1160 and continued until 1620. During the French Revolution, many of its religious statues were damaged, and the cathedral was even (B) [using / used] as a storage place. In 1804, however, Napoleon was crowned emperor in the cathedral, and people began to recognize Notre-Dame's unique beauty again. After the novel *The Hunchback of Notre-Dame* brought even more attention in 1831, a major restoration project was launched, which lasted from 1844 to 1864. Unfortunately, in 2019, a major fire occurred, destroying much of the cathedral and causing its spire and wooden roof to collapse.

*rib vault 갈비뼈 모양의 둥근 천장

words

medieval 중세의
cathedral 대성당
Our Lady 성모 마리아
architecture 건축물
innovative 혁신적인
decorative 장식용의
construction 건설
religious 종교적인
statue 조각상
storage 저장, 창고
crown 왕위에 앉히다
emperor 황제
restoration 복원
launch 시작하다
last 지속되다
spire 첨탑
collapse 무너지다

① 프랑스 파리에 위치한 중세 시대 가톨릭 성당이다.
② 혁신적으로 설계된 고딕 양식 건축물이다.
③ 1160년에 건축이 시작되어 500년 넘도록 끝나지 않았다.
④ 나폴레옹의 대관식을 계기로 성당의 아름다움이 재인식되었다.
⑤ 소설로 주목받은 후 대대적인 복원 프로젝트가 시작되었다.

내신·서술형 대비

1. 윗글 (A), (B)의 각 네모 안에서 어법상 옳은 것을 고르시오.

(A) ______________ (B) ______________

2. 윗글에서 나온 노트르담 성당이 훼손된 2가지 원인을 우리말로 쓰시오.

____

4 Christiaan Barnard에 관한 다음 글의 내용과 일치하지 않는 것은?

Christiaan Barnard, a cardiac surgeon, was born in Beaufort West, South Africa, in 1922. His family was extremely poor, but his mother instilled in her children ⓐ the belief that they could do anything if they set their minds to it. Barnard studied hard and earned a medical degree in Cape Town. He then became a family doctor in a small village. However, he decided to relocate to the US to study general surgery. Later, he returned to his native country as a cardiac surgeon and began experimenting with heart transplants on dogs. Finally, in 1967, he performed the world's first human-to-human heart transplant. His decision to use the heart of a brain-dead donor was also a significant medical breakthrough. ⓑ Thanks to Barnard's pioneering work, a wide variety of organ transplants are performed routinely today. Looking back on his impoverished childhood, Barnard once said, "The most unfortunate people are those who have been given everything and have nothing to look forward to."

*cardiac surgeon 심장외과의사

words

- extremely 극도로
- instill 서서히 주입시키다
- medical degree 의학 학위
- family doctor 가정의
- relocate 이사하다, 이전하다
- general surgery 일반외과학
- experiment 실험하다
- transplant 이식
- brain-dead 뇌사 상태의
- donor 기증자
- significant 중대한, 의미 있는
- breakthrough 돌파구, 큰 발전
- pioneering 선구적인
- routinely 일상적으로
- impoverished 가난한
- look forward to ~를 고대하다

① 1922년 남아프리카의 가난한 가정에서 태어났다.
② 의학 학위를 받고 난 후 마을에서 가정의로 일했다.
③ 의사로 일하던 중 학업을 위해 미국으로 이주를 결심했다.
④ 개를 대상으로 한 심장 이식 실험에 실패했다.
⑤ 뇌사자의 장기를 사용하기로 한 그의 결정은 의학적으로 중대한 일이었다.

내신•서술형 대비

1. 윗글의 밑줄 친 ⓐ the belief가 의미하는 바를 우리말로 쓰시오. (20자 내외)

____

2. 윗글의 밑줄 친 ⓑ와 의미가 통하도록 빈칸을 완성하시오.

Thanks to Barnard's pioneering work, a wide variety of organ transplants are performed routinely today.
→ Without Barnard's pioneering work, a wide variety of organ transplants ____________ ____________ ____________ routinely today.

11 내용 일치(도표)

유형 알기 도표를 설명하는 글을 읽고 도표의 내용과 일치하지 않는 문장을 고르는 유형이다. 시각 자료인 도표를 비교·분석하는 능력과 간단한 계산 능력이 요구된다.

풀이 전략 제목, 비교 항목, 단위 등을 보고 도표의 내용을 대략적으로 파악한다.
도표에 나타난 두드러진 특징에 주목하며 각 문장과 도표의 내용을 꼼꼼히 대조한다.
수치의 증감이나 비교를 나타내는 표현에 유의하여 도표와 일치하지 않는 것을 고른다.

기출 풀기

다음 도표의 내용과 일치하지 않는 것은?

Natural Disasters by Region, 2014

Number of natural disasters
Oceania 522(6%)
Europe 1,264(14%)
Africa 1,898(21%)
Americas 2,126(23%)
Asia 3,432(36%)

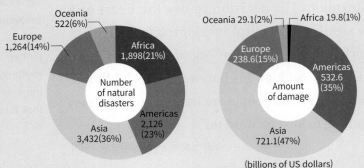

Amount of damage
Oceania 29.1(2%)
Africa 19.8(1%)
Europe 238.6(15%)
Americas 532.6(35%)
Asia 721.1(47%)
(billions of US dollars)

The two pie charts above show the number of natural disasters and the amount of damage by region in 2014. ① The number of natural disasters in Asia was the largest of all five regions and accounted for 36 percent, which was more than twice the percentage of Europe. ② Americas had the second largest number of natural disasters, taking up 23 percent. ③ The number of natural disasters in Oceania was the smallest and less than a third of that in Africa. ④ The amount of damage in Asia was the largest and more than the combined amount of Americas and Europe. ⑤ Africa had the least amount of damage even though it ranked third in the number of natural disasters.

피하기

한 문장에서 두 가지 정보가 제시될 경우 앞의 내용은 맞고 뒤의 내용은 틀리게 제시되는 경우가 있으므로 주의한다.

Words

natural disaster 자연재해 by region 지역별로 amount 액수, 양 damage 피해 account for ~을 차지하다 take up ~을 차지하다 combined 합쳐진 rank (순위를) 차지하다

전략 적용

❶The two pie charts above show the number of natural disasters and the amount of damage by region in 2014. ① The number of natural disasters in Asia was the largest of all five regions and accounted for 36 percent, which was more than twice the percentage of Europe. ② Americas had the second largest number of natural disasters, taking up 23 percent. ③ The number of natural disasters in Oceania was the smallest and less than a third of that in Africa. ④ ❷The amount of damage in Asia was the largest and more than the combined amount of Americas and Europe. ⑤ Africa had the least amount of damage even though it ranked third in the number of natural disasters.

도표 소개 2014년 지역별 자연재해

도표 분석 지역별 자연재해를 횟수와 피해액으로 나누어 분석

Step 1 ▶ 제목, 비교 항목, 단위 등을 보고 도표의 내용을 대략적으로 파악한다.

❶ 위 두 개의 파이 그래프는 2014년의 지역별 자연재해 횟수와 피해액을 보여 준다.

→ 도표의 제목과 문장 ❶에서 도표의 내용을 알 수 있다. 제시된 도표는 아프리카, 아메리카, 아시아, 유럽, 오세아니아 지역의 자연재해 발생 횟수(number)와 피해액(amount)을 백분율(percentage)로 보여 주고 있다.

Step 2 ▶ 도표에 나타난 두드러진 특징에 주목하며 각 문장과 도표의 내용을 꼼꼼히 대조한다.

① 다섯 지역 중 아시아의 자연재해 횟수가 가장 많았는지, 유럽의 비율의 2배가 넘었는지 확인한다. (O)

② 아메리카의 자연재해 횟수가 두 번째로 많았고 23퍼센트였는지 확인한다. (O)

③ 오세아니아의 자연재해 횟수가 가장 적었으며 아프리카의 자연재해 횟수의 3분의 1보다 적었는지 확인한다. (O)

④ 아시아의 피해액이 가장 많았으며 아메리카와 유럽이 합쳐진 액수보다 더 많았는지 확인한다. (×)

⑤ 아프리카가 자연재해 횟수에서는 3위를 차지했지만 피해액은 가장 적었는지 확인한다. (O)

Step 3 ▶ 수치의 증감이나 비교를 나타내는 표현에 유의하여 도표와 일치하지 않는 것을 고른다.

❷ 아시아의 피해액이 가장 많았으며 아메리카와 유럽이 합쳐진 액수보다 더 많았다.

→ 아시아의 피해액(7,211억 달러)이 가장 많았던 것은 사실이나, 아메리카와 유럽이 합쳐진 액수(5,326억 + 2,386억 = 7,712억 달러)보다는 적었으므로 more가 아닌 less로 고쳐야 한다. 따라서 ④가 정답이다.

✔ 도표 설명 빈출 표현

- **증가:** increase, grow, rise, go up, soar, multiply
- **감소:** decrease, fall, drop, go down, reduce, decline
- **증감 정도:** gradually, slightly, steadily, constantly, continuously, sharply, rapidly, dramatically, significantly
- **비교:** the most/largest(가장 많은/큰 ~), the least/smallest(가장 적은/작은 ~), the second largest(두 번째로 큰), twice as large as[twice larger than](~보다 두 배 큰), more than twice(두 배가 넘는), more than(~보다 많은), less than(~보다 적은)
- **분수:** one-half(1/2), one-third(1/3), one-fourth[one-quarter](1/4), three-fourths[three-quarters](3/4)
- **비율:** a rate of 2 to 3(2:3의 비율), five out of ten(10개 중 다섯 개, 50%)

유형 연습

1 **다음 표의 내용과 일치하지 않는 것은?**

CO_2 Emissions of Major Countries from Fuel Combustion

(million tons)

	1990	2015	percent change
World	20,509	32,294	57.5
China	2,109	9,085	330.8
USA	4,803	4,998	4.1
Russia	2,163	1,469	-32.1
India	530	2,066	289.8
Japan	1,042	1,142	9.6
Germany	940	730	-22.3
UK	549	390	-29
Korea	232	586	152.6
Brazil	184	451	145.1

The table above shows the CO_2 emissions of the world as a whole and nine major countries for the years 1990 and 2015, along with the percentage change of each. ① Overall, the entire world experienced an increase of more than 50% in CO_2 emissions over this period. ② Only three of the included countries managed to decrease their CO_2 emissions, with Russia leading the way with a drop of almost 33%. ③ China, on the other hand, had the largest increase, with 2015 CO_2 emissions that were more than four times as great as those in 1990. ④ India emitted about half as much CO_2 as Japan in 1990, but more than three times as much in 2015. ⑤ Of all the countries on the table, Brazil and Korea had the two lowest CO_2 emissions in 1990, but both experienced significant increases in 2015, leaving the UK with the lowest amount for that year.

*combustion 연소

words

emission 배출
major 주요한
fuel 연료
as a whole 전체로
along with ~에 덧붙여
overall 전반적으로
entire 전체의
increase 증가; 증가하다
included 포함된
manage to-v 가까스로 ~하다
decrease 감소시키다
drop 감소, 하락
significant 상당한

내신•서술형 대비

1. 주어진 영영 풀이에 해당하는 단어를 윗글에서 찾아 쓰시오.

v. to produce heat, light, or a smell and send it out by means of a physical or chemical process

2. 윗글의 밑줄 친 three of the included countries에 해당하는 국가를 표에서 찾아 쓰시오.

____

정답 및 해설 pp. 34-35

2 다음 도표의 내용과 일치하지 않는 것은?

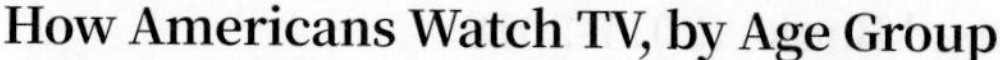

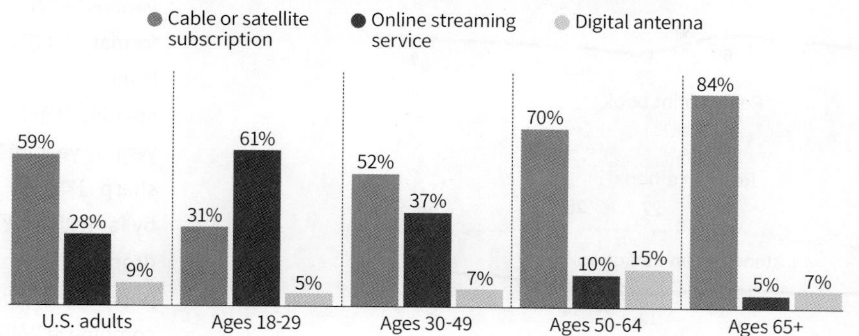

words
break down 나누어지다
primarily 주로
via ~를 통해서
satellite 위성
subscription 구독, 가입
nearly 거의
slightly 약간, 조금

The graph above shows the ways that American adults watch television, broken down by age group. ① More than half of American adults overall primarily watch television via a cable or satellite subscription, and this percentage rises ⓐ <u>steadily</u> from the youngest age group to the oldest. ② Nearly two-thirds of the youngest age group primarily use online streaming services to watch television, with less than a third using cable or satellite subscriptions. ③ In the 30-to-49 age group, a cable or satellite subscription is the primary way of watching television for 52% of the people, which is slightly more than the overall percentage of American adults. ④ Using a digital antenna is more common than using online streaming services in the two older age groups. ⑤ The percentage of adults aged 50 to 64 using a digital antenna was more than twice ⓑ <u>that</u> of American adults 65 and older.

내신·서술형 대비

1. 윗글의 밑줄 친 ⓐ <u>steadily</u>와 바꿔 쓸 수 있는 단어는?

① roughly ② inevitably ③ notably
④ similarly ⑤ constantly

2. 윗글의 밑줄 친 ⓑ <u>that</u>이 가리키는 것을 본문에서 찾아 쓰시오.

____

3 다음 도표의 내용과 일치하지 않는 것은?

How Adult Americans Read Books (2011-2018)

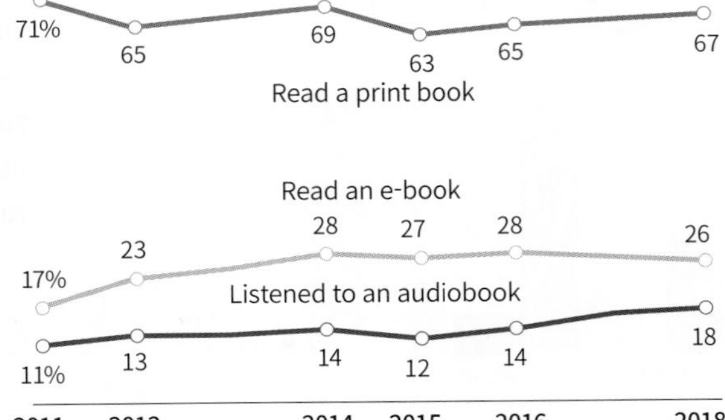

*Note: Multiple responses were allowed in the survey.

The above graph shows the percentage of US adults who used various book formats from 2011 to 2018. ① The percentage of adults who read a print book decreased from 2011 to 2012 and then <u>remained</u> below 2011 levels until 2018. ② The percentage of adults who read an e-book, on the other hand, increased by nine percentage points from 2011 to 2018. ③ During the same period, the percentage of adults who listened to an audiobook also increased steadily year by year. ④ Between 2011 and 2012, the sharpest increase was in the percentage of adults ⓐ (read) an e-book, while the sharpest decrease was in the percentage of adults reading a print book. ⑤ Despite this drop in print book readers, print books remain by far the most popular format, with a higher percentage of readers than e-books and audiobooks ⓑ (combine).

words

e-book 전자책
various 다양한
format (서적 등의) 체재, 형식
level 수준
steadily 꾸준히
year by year 매년
sharp 급격한
by far 단연코, 훨씬
drop 하락
popular 대중적인, 인기 있는
combine 결합하다

내신·서술형 대비

1. 윗글의 밑줄 친 <u>remained</u>와 바꿔 쓸 수 있는 단어는?

① flourished ② regained ③ stayed
④ restored ⑤ refrained

2. 윗글 ⓐ, ⓑ 괄호 안의 단어를 어법에 맞게 쓰시오.

ⓐ ________________ ⓑ ________________

4 다음 도표의 내용과 일치하지 않는 것은?

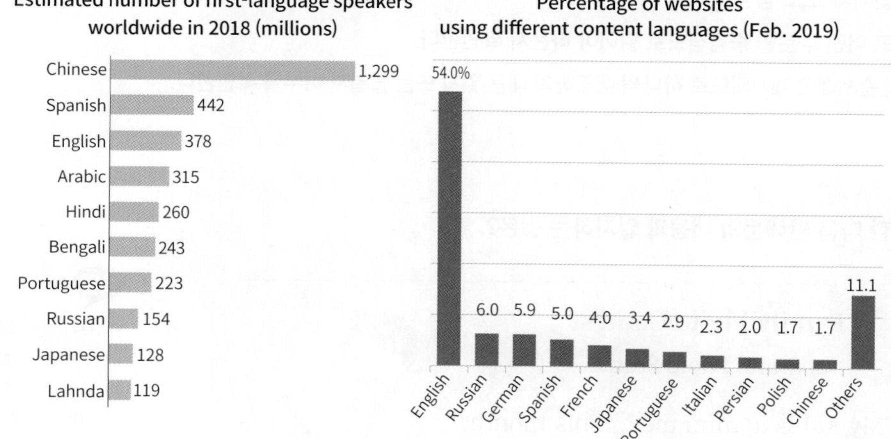

words
- first-language 모국어, 제1언어
- major 주요한
- along with ~와 함께
- bottom 맨 아래, 바닥
- in a tie 동점으로, 무승부로
- dominant 지배적인
- similarly 유사하게
- common 흔한
- in terms of ~에 관하여
- appear 나타나다

The two graphs above show the number of first-language speakers of ten major languages, along with the percentage of websites using (A) [various / valuable] languages. ① Although Chinese has the greatest number of first-language speakers around the world, just 1.7 percent of websites use it, putting it at the bottom of the list in a tie with Poland. ② English has less than a third of the number of first-language speakers that China does, but it is the dominant language on the web, with more than half of all websites using it. ③ Similarly, German is the third most common language in terms of websites, but it doesn't even make the top-10 list of languages with the most first-language speakers. ④ Spanish has 442 million first-language speakers and is the language of 5 percent of all websites, (B) [putting / moving] it in second place on both graphs. ⑤ Finally, Arabic has 315 million first-language speakers and does not appear on the graph of languages used by websites.

내신·서술형 대비

1. 윗글 (A), (B)의 각 네모 안에서 문맥상 낱말의 쓰임이 옳은 것을 고르시오.

(A) ______________ (B) ______________

2. 위 도표를 보고, **보기**의 단어들을 바르게 배열하여 아랍어와 러시아어 모국어 사용자 수를 비교하는 문장을 완성하시오.

보기 as, twice, many, than, as, more, first-language speakers

→ Arabic has ____ Russian.

12 내용 일치(안내문)

유형 알기 안내문을 읽고 제시된 정보와 일치하거나 일치하지 않는 것을 고르는 유형이다.
공지나 광고, 사용 설명서 등 다양한 종류의 실용문이 출제되며 선택지는 한글로 제시된다.

풀이 전략 안내문의 제목과 삽화를 보고 중심 소재를 파악한다.
선택지를 먼저 읽고 어떤 부분을 중점적으로 읽어야 하는지 확인한다.
선택지가 안내문의 순서대로 제시되므로 하나씩 대조하여 내용 일치 또는 불일치 여부를 확인한다.

기출 풀기

Family Photo Contest에 관한 다음 안내문의 내용과 일치하는 것은?

Family Photo Contest
at Smile Photo Studio

Have you ever thought, "My kid is a 'mini-me'?" This month, we will be holding a "parent-child" look-alike contest!

- Only "mother-daughter" or "father-son" combinations will be accepted.
- Your picture must have been taken within the last 6 months.

Schedules

- Submission: July 9 through July 13
  (Email the photo to contest@smilephoto.com.)
- Voting: July 16 through July 20
  (Voting will be done via our website.)
- Winner Announcement: July 23

Prizes

- 1st place: a $50 digital photo printing coupon
- 2nd place: a $30 digital photo printing coupon

① 어머니와 아들이 함께 나온 사진으로 응모할 수 있다.
② 사진은 1년 이내에 촬영된 것이어야 한다.
③ 사진을 이메일로 제출해야 한다.
④ 투표는 7월 16일부터 3일간 이루어진다.
⑤ 1등 상품은 디지털 카메라이다.

오답 피하기
내용과 '일치하는 것'을 찾는 문제인지 '일치하지 않는 것'을 찾는 문제인지 혼동하여 실수하는 경우가 있으므로 주의한다.

Words

hold 개최하다 look-alike 매우 흡사한, 꼭 빼닮은 combination 조합 accept 받아들이다, 인정하다 submission 제출 voting 투표, 선거 via ~을 통해서 winner 우승자 announcement 발표

전략 적용

❶ **Family Photo Contest at Smile Photo Studio**

Have you ever thought, "My kid is a 'mini-me'?" This month, we will be holding a "parent-child" look-alike contest!

❷ • Only "mother-daughter" or "father-son" combinations will be accepted.

❸ • Your picture must have been taken within the last 6 months.

❹ **Schedules**

- Submission: July 9 through July 13

❺ (Email the photo to contest@smilephoto.com.)

❻ - Voting: July 16 through July 20

(Voting will be done via our website.)

- Winner Announcement: July 23

❼ **Prizes**

❽ - 1st place: a $50 digital photo printing coupon

- 2nd place: a $30 digital photo printing coupon

(행사명 및 내용 소개) (일정 안내) (상품 안내)

Step 1 ▶ 안내문의 제목과 삽화를 보고 중심 소재를 파악한다.

❶ Smile 사진관에서 열리는 가족 사진 경연 대회 ❹ 일정 ❼ 상품

→ 한 사진관에서 개최하는 가족 사진 경연 대회에 관한 안내문으로 대회 일정과 상품에 대한 안내가 나와 있다.

Step 2 ▶ 선택지를 먼저 읽고 어떤 부분을 중점적으로 읽어야 하는지 확인한다.

① → 사진에 누가 나와야 하는가

② → 언제 찍은 사진이어야 하는가

③ → 사진을 어떻게 제출해야 하는가

④ → 투표 일정은 어떻게 되는가

⑤ → 상품은 무엇인가

Step 3 ▶ 선택지가 안내문의 순서대로 제시되므로 하나씩 대조하여 내용 일치 또는 불일치 여부를 확인한다.

① → ❷ '엄마와 딸', '아빠와 아들'이 함께 나온 사진만 응모 가능하다. (×)

② → ❸ 최근 6개월 이내에 촬영된 사진이어야 한다. (×)

③ → ❺ contest@smilephoto.com으로 사진을 보내야 한다. (O)

④ → ❻ 7월 16일부터 7월 20일까지 5일간 투표가 이루어진다. (×)

⑤ → ❽ 1등 상품은 50달러 디지털 사진 인화 쿠폰이다. (×)

따라서 정답은 ③ '사진을 이메일로 제출해야 한다.'이다.

✔ 안내문 빈출 어휘

- **축제/행사**(festival/event): date, time, place, ticket price, general admission, discount for, non-refundable, parking lot
- **대회/시합**(contest/competition): guideline, deadline, submit(submission), entry, vote, evaluate, winner, prize, gift certificate, announce(announcement), register(registration)
- **관광**(tour): admission ticket, tour guide, guidebook, audio-guided tour, departure, round-trip, location, transportation, cost(adults/children), reservation, schedule, itinerary
- **회원·수강자 모집**(camp/class): participant, instructor, class schedule, foundation, organization, volunteer service, sign up, qualification, benefits of membership, duration of service

유형 연습

1 Spring Play Auditions에 관한 다음 안내문의 내용과 일치하지 <u>않는</u> 것은?

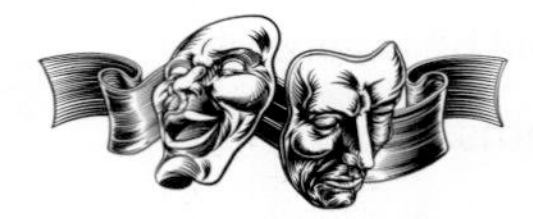

Spring Play Auditions

The Chelmsford High School Drama Society is looking for students to take part in its performance of *A Midsummer Night's Dream* by William Shakespeare.

- **When & where:**
  Group auditions for the main roles will be held on March 3 at 5 p.m. at the Main Hall. The results will be announced on that day.
  ※ The auditions for supporting roles will be the next day.
- **How to participate:**
  You must sign up in the drama office by noon on March 2 and indicate what role you are auditioning for.
- **What to prepare:**
  For your audition, please prepare a short monologue (a maximum of two minutes in length) from one of Shakespeare's plays.

The show will be performed for the first three weekends of July. Rehearsals will start April 1 and be held every Tuesday and Thursday at 6 p.m. For more information, contact Ms. Shim at cshim@rchs.edu.

① 고등학교 연극 공연의 배우를 뽑는 오디션이다.
② 조연 배우 오디션은 3월 4일에 있다.
③ 주연 배역 오디션 결과는 다음 날 발표된다.
④ 주연 배역 참가 신청은 오디션 전날 정오까지 가능하다.
⑤ 리허설은 4월 1일부터 주 2회 실시된다.

words

audition 오디션; 오디션에 참가하다
take part in ~에 참가하다
performance 공연
main role 주연
hold 개최하다
announce 발표하다
supporting role 조연
participate 참가하다
sign up 등록하다
indicate 표시하다
monologue 독백
maximum 최대
perform 공연하다
rehearsal 예행연습, 리허설

내신·서술형 대비

윗글을 읽고, 오디션 참가자가 준비해야 할 것이 무엇인지 우리말로 쓰시오. (30자 이내)

____

2 Bluetooth Wireless Headphones 사용에 관한 다음 안내문의 내용과 일치하는 것은?

Bluetooth Wireless Headphones
- Instructions -

Connect the Headphones to Your Mobile Phone:

1. To put your headphones in pair mode, press and hold the power button.
2. When you hear the beeping sound, release the button and set the headphones aside.
3. Make sure Bluetooth is activated on your phone, and then set it to search for new devices. If your phone asks for a passcode, enter four zeros (0000).

Charge Your Headphones:

1. Connect the supplied USB charging cable to the charging slot.
2. The headphones' light will turn red during charging.
3. When the light goes off, the headphones are fully charged.

Caution:

- Be sure ⓐ (charge) the battery for at least five hours before ⓑ (use) the headphones for the first time.
- Use only the supplied USB charging cable to charge the headphones.

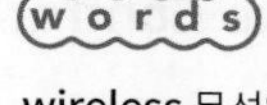

wireless 무선의
instructions 설명, 지시
connect 연결하다
pair 한 쌍
press 누르다
hold 유지하다
release 풀다, 놓아 주다
set aside 곁에 두다
make sure 확인하다
activate 작동시키다
search 찾다
device 장치
ask for 요구하다
charge 충전하다
supply 제공하다
slot 단자
go off 꺼지다
caution 주의, 경고
at least 적어도

① 전원 버튼을 살짝 한 번 누르면 켜진다.
② 비밀번호를 입력하려면 껐다가 다시 켜야 한다.
③ 충전이 완료되면 LED가 빨간색으로 변한다.
④ 최초 사용 전 최소 다섯 시간의 충전이 필요하다.
⑤ 다른 제품의 충전 케이블을 사용해도 된다.

내신·서술형 대비

윗글 ⓐ, ⓑ 괄호 안의 단어를 어법에 맞게 쓰시오.

ⓐ ________________ ⓑ ________________

3 **Remote-Control Super Stunt Car 사용에 관한 다음 안내문의 내용과 일치하지 <u>않는</u> 것은?**

Remote-Control Super Stunt Car

Thanks for purchasing our remote-control stunt car. Please read this manual carefully before using.

How to Control the Car

1. Slide the power switch to the "on" position.
2. Move the direction lever to make the car go forward or backward, left or right.
3. Sliding the power switch to the "off" position will put the remote control in sleep mode.

Operation Tips

- A low battery will decrease the car's speed and make turning difficult.
- The car can be controlled at distances up to 40 meters.

Care and Maintenance

- Clean the car using a dry, soft cloth.
- Do not store the car in direct sunlight.
- When transporting or storing the car, remove the batteries.

※ Warning

- This product is suitable only for people over the age of eight.
- Do not throw, twist or intentionally crash the car.
- Do not operate the car on roads, as it can cause accidents.

① 전원을 끄면 원격 조종기는 수면 모드가 된다.
② 배터리가 부족하면 속도에 영향을 준다.
③ 자동차는 40미터 이내의 거리에서 조종이 가능하다.
④ 자동차를 닦을 때는 부드럽고 마른 천을 사용한다.
⑤ 자동차를 옮길 때는 배터리를 장착해야 한다.

words

remote-control 원격 조종, 리모콘
purchase 구입하다
manual 설명서
slide 옮기다, 부드럽게 밀다
direction 방향
lever (기계 차량 조정용) 레버
operation 조작, 작동
distance 거리
care 손질
cloth 천
store 보관하다
direct 직접적인, 직접 닿는
transport 옮기다, 수송하다
remove 제거하다
warning 경고, 주의
suitable 적절한
intentionally 고의로
crash 충돌하다
operate 조작하다
cause ~을 일으키다, 야기하다

내신·서술형 대비

주어진 영영 풀이에 해당하는 단어를 윗글에서 찾아 쓰시오.

n. the work needed to keep a road, building, machine, etc. in good condition

정답 및 해설 pp. 38-39

4 **Open Air Music Festival에 관한 다음 안내문의 내용과 일치하지 <u>않는</u> 것은?**

Open Air Music Festival

The Oakville Town Council is hosting its fourth annual (A) [live / alive] music festival.

- **Date:**
  The festival will be held for two nights on Friday, May 18, and Saturday, May 19.
- **Place:**
  The event will take place in the town square. Free parking will be available behind Town Hall, but space is limited, so please take public (B) [transportation / transformation] if possible!
- **Tickets:**
  Tickets can be (C) [purchased / pursued] on the town website for $5 for a single night or $8 for both nights.
- **The performance schedule:**

	May 18 (Fri.)	May 19 (Sat.)
6 p.m. to 7 p.m.	open mike hour	jazz trio **Timeout**
7 p.m. to 8 p.m.	folk singer **Jenny Karlson**	pop singer **Lee Green**
8 p.m. to 10 p.m.	local rock band **Fire Heart**	a classical performance by **the Oakville High School Orchestra**

① 올해로 4회를 맞이하는 시 주최 행사이다.
② 5월 중 시 광장에서 이틀간 진행된다.
③ 무료 주차가 가능하지만, 대중교통 이용을 권장한다.
④ 2일권의 공연 입장료는 8달러이다.
⑤ 하루 총 공연 시간은 5시간이다.

words

open air 야외, 옥외
town council 시의회
host 주최하다
annual 매년의
take place 열리다
available 이용 가능한
open mike (누구나 노래, 장기 자랑 등을 할 수 있는) 마이크 개방 시간

내신•서술형 대비

윗글 (A), (B), (C)의 각 네모 안에서 문맥상 낱말의 쓰임이 옳은 것을 고르시오.

(A) ____________ (B) ____________ (C) ____________

13 흐름과 무관한 문장

유형 알기 도입부 뒤에 이어지는 다섯 개의 문장 중 글의 주제에서 벗어나거나 논리적인 흐름과 맞지 않는 문장을 찾는 유형이다.
과학, 역사, 심리, 경제, 스포츠 등 다양한 소재의 설명문이 출제된다.

풀이 전략 글의 도입부를 읽고 소재나 주제를 파악한 후 글의 전개 방식을 예측한다.
각각의 문장을 읽으면서 주제와 무관하거나 논리적 비약이 있는 문장을 찾는다.
선택한 문장을 제외한 후 앞뒤 문장의 흐름이 자연스럽게 이어지는지 확인한다.

기출 풀기

다음 글에서 전체 흐름과 관계 없는 문장은?

Hygge, a term that comes from Danish, is both a noun and a verb and does not have a direct translation into English. The closest word would have to be coziness, but that doesn't really do it justice. ① While *hygge* is centered around cozy activities, it also includes a mental state of well-being and togetherness. ② It's a holistic approach to deliberately creating intimacy, connection, and warmth with ourselves and those around us. ③ When we *hygge*, we make a conscious decision to find joy in the simple things. ④ The joy in the simple things, such as making a home-cooked meal, has been removed because we perceive them as difficult and time-consuming. ⑤ For example, lighting candles and drinking wine with a close friend you haven't seen in a while, or sprawling out on a blanket while having a relaxing picnic in the park with a circle of your loved ones in the summertime can both be *hygge*.

*holistic 전체론적인

오답 피하기
앞뒤 내용의 일부나 글의 주제와 관련된 그럴듯한 내용이 글의 흐름과 무관한 문장으로 나올 수 있으므로 주의한다.

Words
term 용어 direct 직접의 translation 번역 coziness 아늑함 do justice ~을 제대로 다루다 center around ~에 중점을 두다 cozy 아늑한 mental 정신의 state 상태 togetherness 단란함 approach 접근(법) deliberately 의도적으로 intimacy 친밀함 conscious 의식적인 remove 제거하다 perceive 인식하다 sprawl out 팔다리를 펴다, 몸을 쭉 펴고 눕다 circle 집단

정답 및 해설 pp. 39-40

∷ 전략 적용

[1] *Hygge*, a term that comes from Danish, is both a noun and a verb and does not have a direct translation into English. [2] The closest word would have to be coziness, but that doesn't really do it justice. ① While *hygge* is centered around cozy activities, it also includes a mental state of well-being and togetherness. ② It's a holistic approach to deliberately creating intimacy, connection, and warmth with ourselves and those around us. [3] ③ When we *hygge*, we make a conscious decision to find joy in the simple things. [4] ④ The joy in the simple things, such as making a home-cooked meal, has been removed because we perceive them as difficult and time-consuming. [5] ⑤ For example, lighting candles and drinking wine with a close friend you haven't seen in a while, or sprawling out on a blanket while having a relaxing picnic in the park with a circle of your loved ones in the summertime can both be *hygge*.

주제 '휘게'라는 용어의 소개

근거 휘게에 대한 구체적인 설명과 예시

Step 1 ▶ 글의 도입부를 읽고 소재나 주제를 파악한 후 글의 전개 방식을 예측한다.

❶ 덴마크어에서 유래한 용어인 '휘게(Hygge)'는 명사이면서 동사이기도 한데 영어로 직역되지는 않는다.

❷ 가장 근접한 단어는 '아늑함'이지만 그것이 실제로 그 의미를 모두 담아내지는 못한다.

→ 덴마크어에서 유래한 용어인 '휘게(Hygge)'에 대해 설명하는 글로, 이후에 '휘게(Hygge)'에 대한 자세한 설명이나 예시가 나올 것임을 예측할 수 있다.

Step 2 ▶ 각각의 문장을 읽으면서 주제와 무관하거나 논리적 비약이 있는 문장을 찾는다.

❸ 우리가 '휘게를 실천할' 때, 우리는 단순한 것에서 즐거움을 찾기 위한 의식적인 결정을 한다.

❹ 집에서 음식을 요리하는 것과 같은 단순한 것에서의 즐거움은 우리가 그것들을 어렵고 시간이 걸리는 것으로 인식하기 때문에 제거되어 왔다.

→ ③에서 휘게를 실천할 때 단순한 것에서의 즐거움을 찾기 위해 의식적인 결정을 한다고 이야기했으므로 그다음에는 결정 내용에 관한 구체적인 내용이나 예시가 나와야 한다. ④는 음식을 요리하는 것과 같은 단순한 즐거움, 즉 휘게의 예시가 될 만한 것에 대해 말하고 있으나 그것에 대한 부정적인 내용으로 끝나기 때문에 앞에서 설명한 휘게의 속성과는 맞지 않다.

Step 3 ▶ 선택한 문장을 제외한 후 앞뒤 문장의 흐름이 자연스럽게 이어지는지 확인한다.

❸ 우리가 '휘게를 실천할' 때 우리는 단순한 것에서의 즐거움을 찾기 위한 의식적인 결정을 한다.

❺ 예를 들어, 한동안 만나지 못했던 친한 친구와 촛불을 켜고 와인을 마시는 것, 또는 여름날 사랑하는 사람들과 무리 지어 공원에서 편안하게 소풍을 즐기면서 담요 위에 팔다리를 쭉 펴고 누워 있는 것 둘 다 '휘게'가 될 수 있다.

→ ④를 제외하고 앞뒤 문장을 연결해 보면 '단순한 것에서 즐거움을 찾는 휘게의 속성 – 단순한 활동을 즐기는 것의 예시'로 글의 흐름이 자연스럽다. 따라서 정답은 ④이다.

✓ 흐름과 무관한 문장의 특징

- 바로 앞뒤 문장에 나온 주요 어휘나 어구를 포함한다.
- 주제와 관련 있어 보이는 단어를 포함한다.
- 글의 논리적 흐름을 방해하는 연결어가 나온다.
- 글의 소재와 관련해 지나치게 포괄적이거나 일반적인 진술을 포함한다.

유형 연습

1 **다음 글에서 전체 흐름과 관계 없는 문장은?**

Projection is a psychological phenomenon in which you see or find your own characteristics — positive or negative — in other people. Like a lot of human behavior, projection comes down to self-defense. It allows you to ignore the parts of yourself that you don't like and keep uncomfortable truths hidden. ① Those who don't know themselves well but think they do are the most likely to use projection. ② Psychologists have been studying projection for a long time and have developed ways to treat it. ③ Those who suffer from low self-esteem and have little confidence also tend to project. ④ They project their own feelings of inferiority onto others. ⑤ People who are open and honest about their own failures and weaknesses is the least likely to project because of they don't experience negative feelings about themselves.

words

projection 투영, 투사
psychological 심리적인
phenomenon 현상
characteristic 특징
come down to 결국 ~이 되다, ~에 이르다
self-defense 자기 방어
ignore 무시하다
uncomfortable 불편한, 거북한
treat 치료하다
suffer 앓다
self-esteem 자존감
confidence 자신감, 신념
project 투명하다
inferiority 열등함

내신·서술형 대비

1. 윗글의 밑줄 친 문장에서 어법상 틀린 부분 두 군데를 찾아 바르게 고치시오.

(1) ______________ (2) ______________

2. 윗글에 언급된 투사(projection)를 하는 이유 2가지를 우리말로 쓰시오.

(1) ______________________________

(2) ______________________________

2 다음 글에서 전체 흐름과 관계 <u>없는</u> 문장은?

With the development of artificial intelligence, interest in self-driving cars has increased, leading to questions about ethical decisions. What happens if a self-driving car finds itself in a situation where it has only two options — hit a pedestrian or crash into a wall, sacrificing its passengers? ① It's unrealistic to think that a self-driving car should be able to make such a difficult ethical decision. ② In order to have this ability, a car would need (A) to program / to be programmed to have the same characteristics as a human, including the ability to enjoy casual conversations, find jokes funny, and make moral judgements. ③ Whether you realize it or not, AI has become a crucial part of our daily lives today, and it assists us in almost every situation. ④ The current AI technology (B) finding / found in self-driving cars is not capable of doing any of <u>these things</u>. ⑤ Therefore, we cannot expect AI to act like human beings in many situations.

words

- **artificial intelligence (AI)** 인공 지능
- **self-driving** 자율 주행
- **ethical** 윤리적인
- **pedestrian** 보행자
- **crash** 충돌하다
- **sacrifice** 희생하다
- **unrealistic** 비현실적인
- **casual** 일상적인
- **moral** 도덕적인
- **judgement** 판단
- **realize** 깨닫다
- **crucial** 중요한
- **assist** 도움을 주다
- **current** 현재의
- **be capable of** ~할 수 있다

내신•서술형 대비

1. 윗글 (A), (B)의 각 네모 안에서 어법상 옳은 것을 고르시오.

   (A) ________________ (B) ________________

2. 윗글의 밑줄 친 <u>these things</u>가 가리키는 것을 우리말로 쓰시오.

   ____

3 다음 글에서 전체 흐름과 관계 없는 문장은?

When they are setting a goal, people tend to believe that the key to ⓐ (achieve) it is simply to control their behavior. Self-control involves regulating and sometimes altering their responses to common situations to decrease their undesirable behavior. ① It is commonly believed that self-control is something that can be learned and improved, so it has always been recommended. ② However, although practicing self-control over the long-term can strengthen it, self-control is limited in the short-term. ③ If you focus all of your self-control on one task, you will actually have less self-control in terms of everything else, a situation known as "ego depletion." ④ As a result, like a muscle, your concentration gets better and stronger with continued use. ⑤ When this occurs, people are unable to find enough willpower ⓑ (achieve) the next task, even though they have increased their self-control in one task.

words

- **set a goal** 목표를 세우다
- **achieve** 달성하다
- **self-control** 자제력
- **regulate** 조절하다
- **alter** 바꾸다
- **undesirable** 바람직하지 못한
- **long-term** 장기적인(↔ short-term)
- **task** 과업
- **in terms of** ~의 측면에서
- **ego** 자아
- **depletion** 고갈
- **muscle** 근육
- **concentration** 집중력
- **willpower** 의지력

내신·서술형 대비

1. 윗글 ⓐ, ⓑ 괄호 안의 단어를 어법에 맞게 쓰시오.

ⓐ ____________ ⓑ ____________

2. 윗글의 밑줄 친 this가 의미하는 바를 우리말로 쓰시오.

____

정답 및 해설 pp. 41-42

4 다음 글에서 전체 흐름과 관계 없는 문장은?

Art therapy, the combination of art and psychotherapy, is based on the idea that creativity can help speed up the healing process. ① Making works of art allows people to express themselves more easily and to explore their own deepest thoughts and feelings to manage or solve their problems. ② Almost any form of art can be used in art therapy, including painting, collage, photography and sculpture. ③ The works of art that are created during therapy sessions act as a bridge between the unconscious and conscious minds, the inner world and external reality. ④ The unconscious mind remains undetected when we are awake, but expresses itself through dreams when we sleep. ⑤ It doesn't matter if the created work is unattractive or if the participant lacks artistic skills. The whole point of art therapy is to help people learn more about themselves and the feelings inside of them through their work.

*collage 콜라주(인쇄물 조각 등을 붙여 그림을 만드는 추상 미술의 기법)

words

therapy 치료
combination 결합
psychotherapy 심리 치료
healing 치유[치료]
explore 탐험하다
sculpture 조각
session 기간, 회기
unconscious 무의식의
conscious 의식의
external 외부의
undetected 감지되지 않는
participant 참가자
lack 부족하다
whole point 요점

내신·서술형 대비

1. 다음 괄호 안의 단어를 이용하여 주어진 우리말과 같은 뜻이 되도록 문장을 완성하시오. (단, 본문에 나온 구문을 이용할 것)

당신이 영어를 유창하게 구사하지 않아도 상관없다. (matter, you, speak, fluently)

→ It ______________________________.

2. Art therapy에 관한 윗글의 내용과 일치하지 않는 것은?

① 미술과 심리 치료가 결합된 것이다.
② 미술 작품을 만들면서 자신의 감정을 탐색하는 것이다.
③ 그림, 조각, 사진 등 거의 모든 미술 분야에서 가능하다.
④ 작품을 통해 의식과 무의식이 연결될 수 있다.
⑤ 참가자의 미술 실력이 치료에 영향을 준다.

14 이어질 글의 순서

유형 알기 주어진 글 뒤에 이어질 세 개의 단락 (A), (B), (C)의 순서를 올바르게 배열하는 유형이다. 사건이나 실험, 이야기 등 글의 논리적 흐름이 명확하고 전후 관계가 잘 드러나는 글이 자주 출제된다.

풀이 전략 주어진 글을 읽고 중심 소재나 주제를 파악하고 이어질 내용을 예측한다.
각 단락을 읽으며, 글의 순서를 판단할 수 있는 단서를 찾는다. 이때 대명사나 지시어, 연결어에 주목한다.
단서를 바탕으로 단락을 재배열하고 흐름이 자연스러운지 확인한다.

기출 풀기

주어진 글 다음에 이어질 글의 순서로 가장 적절한 것은?

> Your story is what makes you special. But the tricky part is showing how special you are without talking about yourself. Effective personal branding isn't about talking about yourself all the time.

(A) By doing so, you promote their victories and their ideas, and you become an influencer. You are seen as someone who is not only helpful, but is also a valuable resource. That helps your brand more than if you just talk about yourself over and over.

(B) Although everyone would like to think that friends and family are eagerly waiting by their computers hoping to hear some news about what you're doing, they're not.

(C) Actually, they're hoping you're sitting by your computer, waiting for news about them. The best way to build your personal brand is to talk more about other people, events, and ideas than you talk about yourself.

*tricky 교묘한, 까다로운

① (A) – (C) – (B) ② (B) – (A) – (C) ③ (B) – (C) – (A)
④ (C) – (A) – (B) ⑤ (C) – (B) – (A)

오답 피하기
대명사와 지시어를 단서로 활용할 때는 수 일치에 유의하여 가리키는 대상을 정확하게 파악해야 한다.

Words

effective 효과적인 personal branding 퍼스널 브랜딩(그 사람의 이름을 말하면 떠오르는 신뢰나 느낌) all the time 항상
promote 촉진하다, 승격시키다 influencer 영향을 주는 사람 valuable 귀중한 resource 자원, 자산 over and over 반복해서
eagerly 간절하게 actually 사실은

전략 적용

Your story is what makes you special. But the tricky part is showing how special you are without talking about yourself.[1] Effective personal branding isn't about talking about yourself all the time.

(A)[2] By doing so, you promote their victories and their ideas, and you become an influencer. You are seen as someone who is not only helpful, but is also a valuable resource. That helps your brand more than if you just talk about yourself over and over.

(B) Although everyone would like to think that friends and family are eagerly waiting by their computers hoping to hear some news about what you're doing, they're not.

(C)[3] Actually, they're hoping you're sitting by your computer, waiting for news about them. The best way to build your personal brand is to talk more about other people, events, and ideas than you talk about yourself.

(도입) 퍼스널 브랜딩의 어려움

(주제 정리) 타인에게 관심을 갖는 것이 퍼스널 브랜딩에 더 도움이 됨

(부연 설명1) 퍼스널 브랜딩에 대한 일반적인 생각

(부연 설명2) 효과적인 퍼스널 브랜딩 방법

Step 1 ▶ 주어진 글을 읽고 중심 소재나 주제를 파악하고 이어질 내용을 예측한다.

→ 주어진 글을 통해 중심 소재는 'personal branding(퍼스널 브랜딩)'이며, 주어진 글 다음에 '효과적인(effective)' 퍼스널 브랜딩의 방법이 나올 것임을 예측할 수 있다.

Step 2 ▶ 각 단락을 읽으며, 글의 순서를 판단할 수 있는 단서를 찾는다. 이때 대명사나 지시어, 연결어에 주목한다.

❶ 효과적인 퍼스널 브랜딩은 항상 당신 자신에 대해 이야기하는 것이 아니다.

→ 늘 자기 이야기만 하는 것이 퍼스널 브랜딩이 아니라고 했으므로 뒤에는 이것에 대한 부연 설명이나 반대 내용이 올 것임을 예측할 수 있다.

❸ 사실, 그들은 당신이 그들에 대한 소식을 기다리며 컴퓨터 옆에 앉아 있기를 희망한다.

→ '사실(Actually)'은 반대의 내용을 제시하기 전에 쓰인 부사이고, '그들(they)'이 가리키는 것은 (B)에서 나온 'friends and family(친구와 가족)' 이다.

❷ 그렇게 함으로써, 당신은 다른 사람들의 성취와 생각을 추켜세우고, 영향을 주는 사람이 된다.

→ '그렇게(so)'는 (C)에서 설명한 내용, 즉 당신 자신보다 친구와 가족에게 관심을 가져 주는 것을 가리킨다.

Step 3 ▶ 단서를 바탕으로 단락을 재배열하고 흐름이 자연스러운지 확인한다.

주어진 글 다음에는 부연 설명으로 일반적 진술인 (B)가 나오고, 그 다음에는 (B)에서 설명한 내용과 반대되는 내용인 (C)가 이어진 후, (C)의 내용에 대해 부연 설명과 함께 주제를 정리해 주는 (A)가 나오는 것이 자연스럽다. 따라서 정답은 ③ '(B)-(C)-(A)'이다.

✓ 글의 순서를 연결하는 빈출 연결어

- **대조:** but, however, on the other hand, in contrast
- **결과:** therefore, as a result, thus, so
- **유사:** similarly, in other words, likewise
- **예시:** for example, for instance
- **부연:** also, in addition, besides, moreover
- **순서:** first, second, lastly, finally, then

유형 연습

1 **주어진 글 다음에 이어질 글의 순서로 가장 적절한 것은?**

> In the 1760s the American colonies were growing, but the colonists complained that the English government wasn't meeting their needs and desires.

(A) They sneaked onto an English ship that was anchored in Boston Harbor and dumped the tea into the water. This famous historical event, which is now called the "Boston Tea Party," escalated into the American Revolution.

(B) However, taxation without representation isn't found only in history books. Americans living in Washington, D.C. don't have full representation in the U.S. Congress. They protested this situation by ⓐ (add) the phrase "Taxation without Representation" to their license plates from 2002 until 2017.

(C) The main problem was a situation that was referred to as "taxation without representation." The colonists believed they shouldn't have to pay taxes because there were not any representatives of the colonies in the English Parliament. When the Tea Act of 1773 made the colonists ⓑ (pay) a tax on the tea, they decided to protest.

① (A) – (C) – (B)　② (B) – (A) – (C)　③ (B) – (C) – (A)
④ (C) – (A) – (B)　⑤ (C) – (B) – (A)

words

colony 식민지
colonist 식민지 정착민
meet one's needs 요구를 충족시키다
desire 욕망, 욕구
sneak 몰래 들어가다
anchor 닻을 내리다
dump 버리다
historical 역사적인
escalate into 확대되다
taxation 세금 부과
representation 대표
Congress 의회
protest 저항하다
add 추가하다
license plate 자동차 번호판
be referred to 언급되다
representative 대표자
parliament 의회, 국회
act 법률, 조례

내신·서술형 대비

1. 윗글 ⓐ, ⓑ 괄호 안의 단어를 어법에 맞게 쓰시오.

ⓐ ________________　ⓑ ________________

2. 윗글을 읽고, '보스턴 차 사건(Boston Tea Party)'이 발생한 배경을 우리말로 쓰시오. (30자 내외)

____

2 주어진 글 다음에 이어질 글의 순서로 가장 적절한 것은?

> Kuzbass is a region in Siberia where more than two million people live. It is also one of the largest coal fields in the world. In 2019, several towns in the area were covered by strange black snow.

(A) All of these strange occurrences are why environmental groups from other countries are calling for stronger regulations in the region. Even if black snow isn't falling in your country, burning coal still pollutes the air and contributes to global warming.

(B) It was coal dust from open pit mines that blackened the snow. The average life expectancy of Kuzbass citizens is three to four years shorter than the national average, according to a 2015 report.

(C) This black snow was not the only unusual environmental disaster in Siberia in recent years. In 2018, red blood rain fell on a Siberian factory town after industrial waste was picked up by a storm. Shortly after the blood rain, a mysterious dust cloud blocked the sun for 3 hours.

① (A) – (C) – (B)　② (B) – (A) – (C)　③ (B) – (C) – (A)
④ (C) – (A) – (B)　⑤ (C) – (B) – (A)

words

- region 지역
- coal field 탄전(炭田)
- occurrence 사건, 발생
- call for ~을 요구하다
- regulation 규제, 규정
- contribute to ~의 원인이 되다
- open pit mine 노천굴 광산
- blacken 검게 만들다, 검어지다
- average life expectancy 평균 수명, 기대 수명
- according to ~에 따르면
- disaster 재해, 재난
- industrial waste 산업 폐기물
- pick up 치우다
- shortly 즉시

내신•서술형 대비

1. 다음 주어진 조건에 맞게 우리말을 영작하시오. (10단어)

조건	•본문에 나온 구문을 이용할 것	•괄호 안에 주어진 단어를 활용할 것	•필요한 경우 단어를 추가할 것

지난밤 공연을 망친 것은 바로 그의 자만심이었다. (arrogance, ruin, the performance)

→ ________________________________

2. 윗글의 밑줄 친 unusual environmental disaster로 언급된 것을 모두 찾아 영어로 쓰시오.

____

3 주어진 글 다음에 이어질 글의 순서로 가장 적절한 것은?

According to the investment theory of creativity, creativity is a kind of decision. More specifically, it is the decision to buy ideas low and sell them high.

(A) Therefore, the greatest obstacle to creativity doesn't come from external factors such as general belief and common sense. Instead, it comes from the limitations one ⓐ places on one's own thinking.

(B) When creative people have ideas that ⓑ considered new and strange, they are "buying low." Later, after their ideas have been accepted, they can "sell high" and profit from them.

(C) This is a natural process, as creative people refuse to think the same as the crowd. Rather than following a safe path, they choose their own direction and come up with ideas ⓒ that are unfamiliar to people but also useful in some way.

① (A) – (C) – (B)　② (B) – (A) – (C)　③ (B) – (C) – (A)
④ (C) – (A) – (B)　⑤ (C) – (B) – (A)

words
investment 투자
theory 이론
obstacle 장애물
external 외부의
factor 요인
general 일반의
common sense 상식
limitation 한계, 제한
specifically 구체적으로
accept 수락하다
profit 수익을 내다
crowd 군중, 사람들
path 길, 경로
direction 방향
come up with ~을 생각해 내다
unfamiliar 익숙하지 않은

내신•서술형 대비

1. 윗글의 밑줄 친 ⓐ~ⓒ 중, 어법상 틀린 것을 골라 바르게 고치시오.

____

2. 윗글의 내용과 일치하도록 빈칸에 알맞은 단어를 본문에서 찾아 쓰시오.

What hinders __________ the most is the __________ that people put on themselves.

정답 및 해설 p. 44

4 주어진 글 다음에 이어질 글의 순서로 가장 적절한 것은?

> How we obtain knowledge is a fundamental philosophical question. There are two basic schools of thought regarding this issue: empiricism and rationalism.

(A) Rationalists, on the other hand, believe the ultimate starting point for all knowledge is not the senses but reason. These sense experiences, they think, cannot be trusted because everyone has different experiences. They maintain that without reason, we couldn't organize and interpret our sense experiences in any way.

(B) They believe that the raw data we rely on comes from the senses through which we see, hear, smell, taste, and feel. Without this raw data, they say, there would be no knowledge. This is because empiricists believe we all start with a "blank slate" and then slowly fill it with knowledge as we have experiences.

(C) The main difference between the two is related to how dependently we are on sensory experience in our quest to gain knowledge. According to empiricists, sensory experiences are the essential foundation of all knowledge.

*empiricism 경험주의 **rationalism 합리주의

① (A) - (C) - (B) ② (B) - (A) - (C) ③ (B) - (C) - (A)
④ (C) - (A) - (B) ⑤ (C) - (B) - (A)

words

- **obtain** 얻다
- **knowledge** 지식
- **fundamental** 근본적인
- **philosophical** 철학적인
- **school of thought** 학파
- **ultimate** 궁극적인
- **sense** 감각
- **reason** 이성
- **maintain** 주장하다
- **organize** 조직하다
- **interpret** 해석하다
- **raw** 가공되지 않은, 원시의
- **blank slate** 백지 상태
- **sensory** 감각의
- **quest** 탐구, 탐색
- **essential** 본질적인
- **foundation** 토대

내신·서술형 대비

1. 윗글의 밑줄 친 문장에서 어법상 틀린 부분을 찾아 바르게 고치시오.

____

2. 다음은 윗글의 내용을 표로 정리한 것이다. ⓐ, ⓑ 빈칸에 알맞은 단어를 본문에서 찾아 쓰시오. (단, 대·소문자 무시)

Empiricism	Rationalism
• ____ⓐ____ are most important. • Without sensory ____ⓐ____, we would have nothing to rely on.	• ____ⓑ____ is most important. • Without ____ⓑ____, we couldn't deal with our ____ⓐ____ properly.

15 주어진 문장의 위치

유형 알기 글의 흐름상 주어진 문장이 들어가기에 적절한 위치를 고르는 유형이다.
글에서 빠졌을 때 글의 전체 흐름이나 논리에 문제가 생기는 문장이 주로 제시된다.

풀이 전략 먼저 주어진 문장의 내용을 정확하게 파악한다.
주어진 문장에 있는 연결어나 지시어, 대명사를 단서로 활용하여 글을 읽고 흐름이 단절되거나 논리적 비약이 있는 곳을 찾는다.
선택한 위치에 주어진 문장을 넣어 보고 글의 흐름이 자연스러운지 확인한다.

기출 풀기

글의 흐름으로 보아, 주어진 문장이 들어가기에 가장 적절한 곳은?

However, when a bill was introduced in Congress to outlaw such rules, the credit card lobby turned its attention to language.

Framing matters in many domains. (①) When credit cards started to become popular forms of payment in the 1970s, some retail merchants wanted to charge different prices to their cash and credit card customers. (②) To prevent this, credit card companies adopted rules that forbade their retailers from charging different prices to cash and credit customers. (③) Its preference was that if a company charged different prices to cash and credit customers, the credit price should be considered the "normal" (default) price and the cash price a discount — rather than the alternative of making the cash price the usual price and charging a surcharge to credit card customers. (④) The credit card companies had a good intuitive understanding of what psychologists would come to call "framing." (⑤) The idea is that choices depend, in part, on the way in which problems are stated.

피하기
주어진 문장이 들어갈 적절한 위치를 찾은 후 앞뒤 문장과의 흐름이 자연스러운지 다시 한번 확인한다.

Words

bill 법안 Congress 의회, 국회 outlaw 금지하다 lobby 압력 단체 attention 주의, 관심 frame (특정한 방식으로) 표현하다
domain 영역, 분야 payment 지불 retail 소매의 merchant 상인 charge 청구하다 prevent 막다, 방지하다 adopt 채택하다
forbid 금지하다 preference 선호 normal 정상의 default 디폴트, 기본값 discount 할인 alternative 대안 surcharge 추가 요금
intuitive 직관적인 psychologist 심리학자 state 말하다

정답 및 해설 p. 45

⁘ 전략 적용

❶ However, when a bill was introduced in Congress to outlaw such rules, the credit card lobby turned its attention to language.

Framing matters in many domains. (①) When credit cards started to become popular forms of payment in the 1970s, some retail merchants wanted to charge different prices to their cash and credit card customers. (②) To prevent this, credit card companies adopted rules that forbade their retailers from charging different prices to cash and credit customers. (③) Its preference was that if a company charged different prices to cash and credit customers, the credit price should be considered the "normal" (default) price and the cash price a discount — rather than the alternative of making the cash price the usual price and charging a surcharge to credit card customers. (④) The credit card companies had a good intuitive understanding of what psychologists would come to call "framing." (⑤) The idea is that choices depend, in part, on the way in which problems are started.

주제 + 예시 다양한 영역에서 프레이밍의 중요성을 언급한 후 신용카드가 처음 나왔을 때의 구체적 사례를 제시

요약 · 강조 신용카드 회사의 사례는 심리학적으로 프레이밍을 잘 이용한 사례임을 요약 강조

Step 1 ▶ 먼저 주어진 문장의 내용을 정확하게 파악한다.

❶ 하지만, 그러한 규정들을 금지하기 위한 법안이 의회에 제출되었을 때, 신용카드 압력 단체는 주의를 언어로 돌렸다.

→ 주어진 문장을 통해 의회에 제출된 법안과 신용카드 압력 단체의 입장 관련 내용에 관한 글임을 추측할 수 있다. 주어진 문장 앞에는 '그러한 규정들(such rules)'에 대한 내용이 올 것이고, 뒤에는 '언어(language)'와 관련된 내용이 와야 한다.

Step 2 ▶ 주어진 문장에 있는 연결어나 지시어, 대명사를 단서로 활용하여 글을 읽고 흐름이 단절되거나 논리적 비약이 있는 곳을 찾는다.

연결사 However가 있으므로 주어진 문장 앞뒤로 상반된 내용이 나올 것임을 추론할 수 있다. ③ 앞에 신용카드 회사들이 현금과 신용카드 사용 시 정가를 동일하게 하기를 원한다는 내용이 나오는데 ③ 뒤에는 두 가격이 다르다는 전제 하에 글이 전개 되고 있어 흐름이 어색하다. 또한 ③ 뒤의 Its가 가리키는 대상이 ③ 앞의 문장에 없으므로 연결이 어색하다.

Step 3 ▶ 선택한 위치에 주어진 문장을 넣어 보고 글의 흐름이 자연스러운지 확인한다.

주어진 문장의 '그러한 규정들(such rules)'은 앞 문장에 있는 '소매상들이 현금과 신용카드 고객들에게 다른 가격을 청구하는 것을 막는 규정(rules that forbade their retailers from charging different prices to cash and credit customers)'을 가리키며, 뒷문장의 Its는 주어진 문장의 '신용카드 압력 단체(the credit card lobby)'를 가리켜 글의 흐름이 자연스럽게 이어진다. 따라서 정답은 ③이다.

✓ 주어진 문장의 위치를 찾는 단서

- **for example**: 주어진 문장을 예로 들 수 있는 개괄적인 내용이 바로 앞에 나옴
- **also, besides, in addition**: 주어진 문장에서 언급된 내용과 유사한 내용이 바로 앞에 나옴
- **therefore, as a result**: 주어진 문장의 원인에 해당하는 내용이 바로 앞에 나옴
- **but, however, actually, instead, unfortunately**: 주어진 문장 전후로 상반된 내용이 전개됨
- **부정관사(a/an)+명사**: 주어진 문장에서 처음 언급하는 것을 가리킴
- **정관사(the)+명사**: 앞에서 이미 등장한 것을 가리킴
- **대명사(it/she/he/they/this/that/these/those/such)**: 앞부분에 대명사가 가리키는 특정 대상이 나옴

유형 연습

1 글의 흐름으로 보아, 주어진 문장이 들어가기에 가장 적절한 곳은?

> But what if it stopped helping with our decision-making and instead started deciding whether we were guilty of a crime?

Artificial intelligence has become part of our daily lives. (①) These days it helps us decide what items to buy, what food to eat, and what music to listen to. (②) By recommending different options ⓐ (base) on our past behavior, it makes our lives easier. (③) In 2019 researchers created an AI program that acts like a real judge — it analyzes past cases and makes its own decisions. (④) So far, it has been 79% accurate in 584 cases when ⓑ (compare) to the decisions of real judges. (⑤) If the judges or courts remain consistent in their decision that they make, their behavior can be translated into mathematical form and used to predict future decisions of the same judges or courts with a high degree of reliability.

words

decision-making 의사 결정
guilty 죄가 있는
crime 범죄
artificial intelligence (AI) 인공 지능
recommend 추천하다
behavior 행동
judge 판사
analyze 분석하다
case 사례, 사건
accurate 정확한
compare 비교하다
court 법정
consistent 일관성 있는
translate 변형하다, 옮기다
predict 예측하다
reliability 신뢰도

내신·서술형 대비

1. 윗글 ⓐ, ⓑ 괄호 안의 단어를 어법에 맞게 쓰시오.

ⓐ ________________ ⓑ ________________

2. 본문에서 사용된 단어를 이용하여 윗글의 제목을 완성하시오.

The Ability of AI to Play the Role of a/an ________________________

2 글의 흐름으로 보아, 주어진 문장이 들어가기에 가장 적절한 곳은?

So he wrote a simple screenplay with a straightforward narrative and focused on the visual aspects of the film.

To improve your chances of success, you must maximize your best skills. This is exactly what director James Cameron has done. (①) He started in the movie industry in 1981 as the production designer and second-unit director for the film *Galaxy of Terror*. (②) He had originally considered ⓐ (him) a screenwriter, but this experience taught ⓑ (him) that his real talent was related to special effects. (③) This enabled him to create cutting-edge special effects and push the boundaries of filmmaking technology. (④) His later movies, including *Titanic* (1997) and *Avatar* (2009), featured digital effects never before seen on movie screens. (⑤) Cameron's life-altering realization is a reminder that success often involves finding what you are good at and focusing on it.

words

screenplay 각본
straightforward 복잡하지 않은
narrative 이야기, 서술
aspect 측면
maximize 극대화하다
second-unit 제2제작진
screenwriter 시나리오 작가
talent 재능
special effect 특수 효과
cutting-edge 최첨단의
boundary 경계, 한계
feature ~을 특징으로 하다
life-altering 삶을 바꿔 놓은
realization 깨달음, 자각
reminder 상기시키는 조언

내신·서술형 대비

1. 윗글 ⓐ, ⓑ 괄호 안의 단어를 어법에 맞게 쓰시오.

ⓐ ______________ ⓑ ______________

2. 윗글의 밑줄 친 Cameron's life-altering realization이 가리키는 내용을 우리말로 쓰시오. (40자 내외)

____

3 글의 흐름으로 보아, 주어진 문장이 들어가기에 가장 적절한 곳은?

> Another reason we're attracted to an extreme adventure is that we want to test our courage.

Generally, fear is viewed as a negative force. However, some activities that are considered scary, such as watching a horror movie or riding a roller coaster, causes us to experience fun and fulfillment. (①) So why do we get pleasure from certain things that scare us? (②) Part of it is the natural high they create, which comes from the activation of our flight-or-fight response in a safe environment. (③) Because we understand that we're not actually in danger, we can relax and enjoy the feelings we get from the endorphin and dopamine released by our brains. (④) These chemicals help us deal with dangerous situations, but they can also make us feel excited and happy. (⑤) After we've finished sky-diving, we have a sense of accomplishment — we have faced our fears and survived.

*flight-or-fight response 투쟁 도피 반응

words

attract 끌어들이다, 유혹하다
extreme 극한의
adventure 모험
courage 용기
generally 일반적으로
negative 부정적인
force 힘
consider 여기다, 간주하다
fulfillment 성취
activation 활성화
in danger 위험에 처한
relax 긴장을 풀다
release 분비하다, 내보내다
deal with ~을 다루다
accomplishment 성취
face 직면하다

내신·서술형 대비

1. 윗글의 밑줄 친 문장에서 어법상 틀린 부분을 찾아 바르게 고치시오.

____

2. 윗글의 밑줄 친 certain things의 예를 본문에서 모두 찾아 우리말로 쓰시오.

____

정답 및 해설 pp. 46-47

4 글의 흐름으로 보아, 주어진 문장이 들어가기에 가장 적절한 곳은?

Surprisingly, even those as young as 8 months were able to predict how the woman would move.

Adults are able to predict the behavior of others. For example, they can predict that a person who reaches for a glass is going to drink something. Now, social scientists are discovering that very young children have this same ability. (①) Some developmental psychologists did an experiment to find out when and how babies acquire this skill. (②) They showed babies a video ⓐ which a woman reached for toys. (③) Then they showed the same babies another video of a woman ⓑ doing the same thing. (④) However, the second video paused just as she began to reach, and during the pause the psychologists tracked the movement of the babies' eyes. (⑤) This ability is believed to be important to development because ⓒ understanding other people's actions helps babies recognize social cues.

words

predict 예측하다
behavior 행동
reach for ~을 향해 손을 뻗다
developmental 발달의
psychologist 심리학자
experiment 실험
acquire 습득하다
pause 정지시키다
track 추적하다
movement 움직임
recognize 알아차리다
cue 신호

내신·서술형 대비

1. 윗글의 밑줄 친 ⓐ~ⓒ 중, 어법상 틀린 것을 골라 바르게 고치시오.

____

2. 윗글의 내용과 일치하도록 다음 주어진 문장을 완성하시오.

Using a video experiment, psychologists tried to find out if babies can ________ ________ ________ ________ ________.

16 장문 (1)

유형 알기 하나의 긴 글을 읽고 두 개의 문제를 푸는 유형이다.
한 문제는 제목이나 주제를 묻는 문제가 출제되고, 나머지 한 문제는 빈칸 추론이나 밑줄 친 어휘 중 쓰임이 잘못된 것을 고르는 문제가 출제된다.

풀이 전략 먼저 각 문제의 지시문과 선택지를 읽고 파악해야 할 정보를 확인한다.
글을 읽으면서 핵심 어구나 문장에 밑줄을 치고 중요 내용은 메모한다.
밑줄 친 부분과 메모한 내용을 참고하여 각 문제의 정답을 고른다.

기출 풀기

[1~2] 다음 글을 읽고, 물음에 답하시오.

In 2000, James Kuklinski of the University of Illinois led an influential experiment in which more than 1,000 Illinois residents were asked questions about welfare. More than half indicated that they were confident that their answers were correct — but in fact, only three percent of the people got more than half of the questions right. Perhaps more disturbingly, the ones who were the most confident they were right were generally the ones who knew the least about the topic. Kuklinski calls this sort of response the "I know I'm right" syndrome. "It implies not only that most people will resist correcting their factual beliefs," he wrote, "but also that the very people who most need to correct them will be least likely to do so."

How can we have things so wrong and be so sure that we're right? Part of the answer lies in the way our brains are wired. Generally, people tend to seek ______________. There is a substantial body of psychological research showing that people tend to interpret information with an eye toward reinforcing their preexisting views. If we believe something about the world, we are more likely to passively accept as truth any information that confirms our beliefs, and actively dismiss information that doesn't. This is known as "motivated reasoning." Whether or not the consistent information is accurate, we might accept it as fact, as confirmation of our beliefs. This makes us more confident in said beliefs, and even less likely to entertain facts that contradict them.

1 윗글의 제목으로 가장 적절한 것은?

① Belief Wins Over Fact
② Still Judge by Appearance?
③ All You Need Is Motivation
④ Facilitate Rational Reasoning
⑤ Correct Errors at the Right Time

2 윗글의 빈칸에 들어갈 말로 가장 적절한 것은? [3점]

① diversity ② accuracy ③ popularity
④ consistency ⑤ collaboration

∷ 전략 적용

Step 1 ▶ 먼저 각 문제의 지시문과 선택지를 읽고 파악해야 할 정보를 확인한다.

1. → 제목을 묻는 문제이므로 글의 중심 내용, 즉 주제를 파악해야 한다.
2. → 빈칸에 들어갈 핵심 어휘를 묻는 문제로 1번 문항에서 파악한 주제를 바탕으로 빈칸이 포함된 문장 전후의 내용을 잘 살핀다.

Step 2 ▶ 글을 읽으면서 핵심 어구나 문장에 밑줄을 치고 중요 내용은 메모한다.

6행 "It implies not only that most people will resist correcting their factual beliefs," he wrote, "but also that the very people who most need to correct them will be least likely to do so."
"이것은 대부분의 사람들이 그들의 사실적 믿음을 고치는 것에 저항할 뿐만 아니라 또한 그것들(자기가 믿고 있는 사실들)을 가장 고쳐야 할 필요가 있는 바로 그 사람들이 그렇게 할(고칠) 가능성이 가장 적다는 것을 의미한다."라고 그는 썼다.

9행 How can we have things so wrong and be so sure that we're right? Part of the answer lies in the way our brains are wired. 어떻게 우리는 그렇게 틀리고도 우리가 맞다고 그렇게 확신할 수 있을까? 그 답의 일부는 우리의 뇌가 연결되어 있는 방식에 있다.

11행 ... people tend to interpret information with an eye toward reinforcing their preexisting views.
… 사람들이 그들의 기존의 견해를 강화하는 쪽으로의 시각을 가지고 정보를 해석하는 경향이 있다.

14행 Whether or not the consistent information is accurate, we might accept it as fact, as confirmation of our beliefs.
일관성이 있는 정보가 정확하든 아니든 간에, 우리는 그것을 사실로, 즉 우리의 믿음에 대한 확인으로 받아들일 것이다. **(주제문)**

Step3 ▶ 밑줄 친 부분과 메모한 내용을 참고하여 각 문제의 정답을 고른다.

1. Step 2의 밑줄 친 부분들은 사람들이 사실 여부를 떠나 자신의 신념과 일치하는 정보는 받아들이고 신념과 일치하지 않는 정보를 수정하지 않는 경향이 있다는 것을 공통적으로 말하고 있다. 따라서 정답은 ① '믿음이 사실을 이기다'이다.
   ② 여전히 외모로 판단하십니까? ③ 필요한 것은 오로지 동기 부여다
   ④ 합리적 추론을 촉진하라 ⑤ 적절한 시점에 오류를 수정하라

2. 빈칸 앞뒤의 문장에서 '뇌가 연결되는 방식 때문에 기존의 견해들을 강화하는 쪽으로의 시각을 가지고 정보를 해석하는 경향이 있다'고 했으며, 주제문에서 '일관성 있는 정보(the consistent information)를 사실로 믿는 경향이 있다'고 했으므로 빈칸에 알맞은 말은 ④ '일관성'이다.
   ① 다양성 ② 정확성 ③ 인기 ⑤ 협력

Words

influential 영향력 있는 experiment 실험 resident 거주자 welfare 복지 indicate 말하다, 나타내다 confident 확신하는 correct 올바른; 수정하다 disturbingly 충격적으로 least 가장 덜, 최소로 response 대답, 응답 imply 암시하다 resist 저항하다, 반대하다 factual 사실에 기반을 둔 seek 구하다 wire 연결하다 substantial 상당한 body 많은 양 interpret 이해하다, 해석하다 reinforce 강화하다 preexisting 기존의 passively 소극적으로, 수동적으로(↔ actively) dismiss 묵살하다, 일축하다 motivated 동기가 부여된, 의도된 reasoning 추론 consistent 일관된 accurate 정확한 confirmation 확인 entertain (생각·감정 등을) 품다, 받아들이다 contradict 모순되다, 부정하다

유형 연습

[1-2] **다음 글을 읽고, 물음에 답하시오.**

Pain is the body's reaction to damage. Although the damage itself occurs on the body, our perception of the pain occurs in the brain. In an experiment, scientists placed a small patch on volunteers' arms. The patch would grow hot enough to deliver about the same amount of pain as holding a cup of hot coffee. The volunteers were shown two kinds of shapes on a screen: one warned that the pain would be quite bad, while the other signaled that the pain would be mild. They were asked to rate how much they thought the pain would hurt before it occurred, and then how much the pain actually had hurt after. The whole time, the volunteers were lying inside an MRI machine, which showed how active different parts of their brains were when they experienced the pain.

When volunteers saw the shape that suggested the pain would be bad, they rated the heat as quite painful. When they saw the shape that suggested it would more bearable, they rated it as less painful. The MRI scans showed a similar pattern, despite the fact that patch's temperature was the same for every participant. This shows that the reaction of the participants was based on what they expected. The results of this study are not only interesting but also useful. Although pain is real and can't be avoided entirely, doctors may be able to lessen the amount felt by patients by ____________ their expectations.

words

reaction 반응
damage 손상
occur 일어나다, 발생하다
perception 인지
place 놓다
deliver 전달하다
volunteer 지원자
warn 경고하다
signal 신호를 보내다
mild 온화한, 심하지 않은
rate 등급을 매기다, 평가하다
hurt 아프게 하다
active 활동하는
experience 경험하다
suggest 시사하다, 암시하다
bearable 참을 수 있는
participant 참가자
avoid 피하다
entirely 완전히
lessen 줄이다
expectation 예상

1 윗글의 제목으로 가장 적절한 것은?

① A More Accurate Way of Measuring Pain
② Pain Is Affected by Our Anticipation of It
③ Patients Lie about How Much Pain They Feel
④ Is It Unethical for Researchers to Cause Pain?
⑤ Using MRIs to Eliminate Painful Experiments

2 윗글의 빈칸에 들어갈 말로 가장 적절한 것은?

① increasing ② adjusting ③ encouraging
④ criticizing ⑤ grading

내신·서술형 대비

1. 다음 주어진 조건에 맞게 우리말을 영작하시오. (7단어)

조건	•본문에 나온 구문을 이용할 것	•괄호 안에 주어진 단어를 활용할 것	•필요한 경우 단어를 추가할 것

엄마는 내가 게임을 사는 데 얼마나 많은 돈을 썼는지 물었다. (spend, buying games)

→ Mom asked me ______________________________.

2. 윗글에서 실험의 결과를 나타내는 문장을 찾아 쓰고, 우리말로 해석하시오.

____

____

3. 윗글의 내용과 일치하지 않는 것은?

① 실제로 통증을 인지하는 곳은 뇌이다.
② 실험에는 두 종류의 신호가 사용되었다.
③ 참가자들은 고통을 가하기 전과 후에 통증의 등급을 매겼다.
④ 뇌의 반응은 참가자들이 매긴 등급과 비슷한 패턴으로 나왔다.
⑤ 참가자들의 패치 온도는 사람에 따라 다르게 적용되었다.

[3-4] **다음 글을 읽고, 물음에 답하시오.**

Today's six-sided dice are made by machines. Since they are all exactly the same shape, we expect them to be "fair." In other words, when we roll them, each of the six numbers has the same probability of landing facing up. Roman dice did have something in common with modern dice — their numbers were arranged the same way. If you looked at any two opposite sides, their numbers added up to seven. Unlike today's cubes, however, Roman dice were (a) irregular in shape. The Romans may have liked these dice because it was easier to (b) manipulate them to make a certain number come up. Also, it seems that they believed fate determined which number appeared, not probability.

Around 1100 AD, dice became more standardized in Europe. This was probably done to prevent gamblers from using (c) fair dice. The dice also got smaller, and the arrangement of their numbers changed. One and two were opposite, as were three and four, and five and six: The sets each added up to a different prime number. Around 1450, dice switched back to the "sevens" system of ancient Rome. They became more symmetrical, probably due to (d) advances in the field of mathematics during the Renaissance period.

The evolving shape of dice may seem unimportant, but it is very (e) useful to archaeologists and historians. For example, when ancient dice are discovered, their characteristics can be used to determine how old the archaeological site is.

*a prime number 소수(1과 자기 자신만으로 나누어 떨어지는 1보다 큰 양의 정수)

words

- **dice** 주사위
- **fair** 공정한, 공평한
- **probability** 확률, 가능성
- **land** 떨어지다
- **arrange** 배열하다
- **opposite** 맞은편의, 반대편의
- **add up to** 총 ~가 되다
- **irregular** 불규칙한
- **manipulate** 조종하다
- **fate** 운명
- **standardize** 표준화하다
- **prevent** 막다
- **gambler** 도박꾼
- **arrangement** 배열
- **switch** 바뀌다, 전환되다
- **advance** 진보, 발전
- **evolve** 진화하다
- **archaeologist** 고고학자
- **site** (건물·도시가 있던) 위치, 자리

3 윗글의 제목으로 가장 적절한 것은?

① Why All Dice Must Have Six Sides
② Changes in Dice Throughout History
③ Ancient Rome's Unusual Uses of Dice
④ Dice and the Beginning of Mathematics
⑤ Find the Origin of Dice Through Science

4 밑줄 친 (a)~(e) 중에서 문맥상 낱말의 쓰임이 적절하지 않은 것은?

① (a) ② (b) ③ (c) ④ (d) ⑤ (e)

내신·서술형 대비

1. 윗글의 밑줄 친 부분을 다음과 같이 바꿔 쓸 때, 빈칸에 들어갈 알맞은 말을 쓰시오.

It seems that they believed fate determined which number appeared.

→ They seem ____________ ____________ ____________ fate determined which number appeared.

2. 주어진 영영 풀이에 해당하는 단어를 윗글에서 찾아 쓰시오.

(1) *a.* having two parts that match exactly : __________

(2) *v.* to make someone believe something that is not true to get something for yourself : __________

3. 윗글의 내용과 일치하지 않는 것은?

① 현재의 주사위는 여섯 면이고 기계가 만든다.
② 고대 로마의 주사위는 '7' 시스템이었다.
③ 고대 로마인들은 점을 보기 위해 주사위를 사용했다.
④ 1100년경 주사위는 반대되는 면의 합이 소수가 되었다.
⑤ 르네상스 시대 수학의 발전은 주사위 모양에 영향을 주었다.

[5-6] 다음 글을 읽고, 물음에 답하시오.

Gaslighting is a term referring to emotionally and mentally abusive behavior designed to make people doubt their own perception of reality. The term (a) derives from a play in which a man tries to drive his wife insane. He constantly changes the lighting in their home. When she notices the changes, he then (b) agrees that it is different. Over time, the wife begins to doubt everything she believed was true. Because she can no longer trust her own view of reality, she must depend on her husband for everything.

Gaslighting is a form of abuse used to (c) exhibit power over the other person in a relationship. Like many kinds of abuse, it usually starts off small and then gradually gets worse. When the other person begins to feel unsurely about his or her own abilities, the abuser gains power. This type of behavior is often used to trick people into staying in a relationship they have been thinking about leaving. Although gaslighting may sound shocking and extreme, a fairly large portion of the population has used it. In many cases of mild gaslighting, however, people are actually unaware of their own manipulative behavior. Parents, for example, may sometimes use gaslighting on their own kids to (d) divert unwanted behavior, such as bad eating habits. Although no (e) intentional harm is caused to the child, it is still gaslighting.

words

- term 용어
- mentally 정신적으로
- abusive 학대하는
- perception 인식
- derive from ~에서 유래하다
- insane 제정신이 아닌
- constantly 끊임없이
- no longer 더 이상 ~이 아닌
- abuse 학대
- exhibit 드러내다, 과시하다
- start off 시작하다
- abuser 가해자, 학대하는 사람
- trick ~ into ~을 속여 …하게 하다
- fairly 상당히
- population 인구, (모든) 주민
- manipulative 조종하는, 조작적인
- divert 변화시키다
- intentional 의도적인

정답 및 해설 p. 50

5 **윗글의 제목으로 가장 적절한 것은?**

① Gaslighting: How to Spot It
② How to Escape Abusive People
③ Effective Behavior Improvement
④ Creating Doubt to Gain Control
⑤ Gaslighting: A Form of Self-Control

6 **밑줄 친 (a)~(e) 중에서 문맥상 낱말의 쓰임이 적절하지 않은 것은?**

① (a) ② (b) ③ (c) ④ (d) ⑤ (e)

내신•서술형 대비

1. 윗글의 밑줄 친 문장에서 어법상 잘못된 부분을 찾아 바르게 고치시오.

____

2. 다음은 윗글의 내용을 요약한 문장이다. 빈칸에 들어갈 알맞은 말을 본문에서 각각 찾아 쓰시오.

> Gaslighting makes its victims ____________ themselves and causes them to lose confidence in their own ____________.

3. 윗글의 내용과 일치하지 않는 것은?

① 가스라이팅은 일종의 심리적 학대 행위이다.
② 가스라이팅이란 말은 한 연극에서 유래했다.
③ 가스라이팅 가해자의 목적은 통제력을 얻는 것이다.
④ 가벼운 가스라이팅은 대개 무의식적으로 행해진다.
⑤ 부모가 자식에게 가스라이팅을 하는 경우는 드물다.

17 장문 (2)

유형 알기 네 개의 단락으로 이루어진 글을 읽고 세 개의 문제를 푸는 유형이다.
단락의 이어질 순서, 지칭 추론, 내용 일치/불일치 문제가 출제된다.

풀이 전략 먼저 단락 (A)와 3번 내용 일치/불일치 문제의 선택지를 읽고 글의 소재와 대략적인 내용을 파악한다.
연결어나 지시어, 대명사, 시간의 부사(구) 등의 단서를 활용하여 글의 순서를 파악하고 지칭 대상을 확인한다.
내용 일치/불일치 문제는 제시된 단락 순서대로 선택지가 출제되므로 내용을 차례로 확인한다.

기출 풀기

[1-3] 다음 글을 읽고, 물음에 답하시오.

(A)

It was 1983 and Sloop was entering the sixth grade. The one class she looked forward to was chorus, but something happened early in the semester that is still in (a) her memory. The students were arranged into groups on the risers: altos, sopranos, tenors, and baritones. The music teacher — a woman with a seemingly permanent frown on her face — led the choir in a familiar song, using a pointer to click the rhythm of the song on a music stand.

(B)

In the summer after her seventh-grade year, Sloop attended a camp for gifted kids and surprised herself by participating in chorus. During practice, she mouthed the words, but the teacher noticed it. After class she invited Sloop to sit next to her on the piano bench and asked (b) her to sing together. Then the teacher looked her in the eyes and said, "You have a distinctive, expressive, and beautiful voice."

(C)

For the rest of that magical summer, Sloop experienced a metamorphosis, shedding (c) her cocoon and emerging as a butterfly looking for light. She became confident in her singing. In high school, she joined the theater department and played the leading role in almost every musical production. (d) She grew comfortable in front of audiences until, in her proudest moment, she sang with her choir at Carnegie Hall! This was the same girl who had once been told to "mouth the words."

*metamorphosis 변신

(D)

Then the teacher started walking over toward Sloop. Suddenly (e) she stopped the song and addressed her directly. "Your voice is not blending in with the other girls at all. Just pretend to sing." For the rest of the year, whenever the choir sang, she mouthed the words. She recalls, "Chorus was supposed to be my favorite thing. My family said I could sing, but the teacher said I couldn't. So I started to question everything." She began to act out, hanging out with the wrong crowd at school. It was a dark time.

1 주어진 글 (A)에 이어질 내용을 순서에 맞게 배열한 것으로 가장 적절한 것은?

① (B) - (D) - (C)　② (C) - (B) - (D)　③ (C) - (D) - (B)
④ (D) - (B) - (C)　⑤ (D) - (C) - (B)

2 밑줄 친 (a)~(e) 중에서 가리키는 대상이 나머지 넷과 다른 것은?

① (a) ② (b) ③ (c) ④ (d) ⑤ (e)

3 윗글의 Sloop에 관한 내용으로 적절하지 않은 것은?

① 6학년 때 찡그린 얼굴의 여자 음악 선생님을 만났다.
② 7학년 후 여름에 재능이 있는 아이들을 위한 캠프에 참가했다.
③ 고등학교 시절 연극부에서 주로 조연 역할을 맡았다.
④ Carnegie Hall에서 합창단과 함께 노래를 불렀다.
⑤ 학교에서 나쁜 무리와 어울린 적이 있다.

전략 적용

Step 1 ▶ 먼저 단락 (A)와 3번 내용 일치/불일치 문제의 선택지를 읽고 글의 소재와 대략적인 내용을 파악한다.
이 글은 Sloop라는 인물에 대한 글로 6학년 합창 수업 시간에 있었던 일을 시작으로 그녀가 겪었던 일에 대해 나올 것임을 알 수 있다.

Step 2 ▶ 연결어나 지시어, 대명사, 시간의 부사(구) 등의 단서를 활용하여 글의 순서를 파악하고 지칭 대상을 확인한다.
1. (D)의 첫 문장의 the teacher는 (A)의 the music teacher를 가리키므로 (D)가 (A) 다음에 와야 한다. 7학년 후 여름에 있었던 일인 (B)와 (C) 중에서 (C)의 that magical summer는 (B)의 In the summer after her seventh-grade year에 있었던 일을 가리키므로 (C)는 (B) 뒤에 와야 한다. 따라서 정답은 ④ '(D)-(B)-(C)'이다.
   (A) 6학년이 된 Sloop는 기다렸던 합창 수업에서 찌푸린 인상의 음악 선생님을 만나게 됨
   (D) 음악 선생님은 Sloop의 목소리가 도드라진다고 입 모양으로만 노래하게 했고, Sloop는 자신감을 잃고 방황하게 됨
   (B) 7학년 후 여름에 Sloop는 재능 있는 아이들을 위한 캠프에 참가하여 합창단에 들어갔고, 그곳의 선생님으로부터 칭찬을 받음
   (C) 그 여름 후 Sloop는 연극부에 가입해 거의 모든 뮤지컬 작품에서 주연을 맡았고, Carnegie Hall에서 합창단과 함께 노래도 부르게 됨
2. 밑줄 친 (a) ~ (d)는 모두 Sloop를 가리키고, (e)는 the teacher를 가리키므로 2번의 정답은 ⑤이다.

Step 3 ▶ 내용 일치/불일치 문제는 제시된 단락 순서대로 선택지가 출제되므로 내용을 차례로 확인한다.
① → Sloop was entering the sixth grade. The music teacher — a woman with a seemingly permanent frown on her face — led the choir .... (O)
② → In the summer after her seventh-grade year, Sloop attended a camp for gifted kids .... (O)
③ → In high school, she joined the theater department and played the leading role in almost every musical production. (×)
④ → ..., she sang with her choir at Carnegie Hall! (O)
⑤ → She began to act out, hanging out with the wrong crowd at school. (O)
(C)에서 '고등학교 시절 그녀는 연극부에 가입했고 거의 모든 뮤지컬 작품에서 주연 역할을 했다'고 했으므로 '조연을 맡았다'는 내용은 본문의 내용과 일치하지 않는다. 따라서 정답은 ③이다.

Words

look forward to ~를 고대하다 chorus 합창 semester 학기 arrange 정리하다, 배열하다 riser (무대 위에 임시 설치한) 이중 무대 permanent 영구적인 frown 찡그림 choir 합창단 mouth (소리는 내지 않고) 입 모양으로만 말하다 distinctive 독특한 expressive 표현력이 있는 shed (껍질을) 벗다 cocoon (곤충의) 고치 emerge 나오다, 모습을 드러내다 confident 자신감 있는 audience 청중 address 말을 하다 blend in 조화를 이루다 pretend ~인 척하다 recall 회상하다 hang out with ~와 어울리다

유형 연습

[1-3] 다음 글을 읽고, 물음에 답하시오.

(A)

As a child, I loved being in the wild. (a) My parents and I would often go for long walks in a large forest near our town. I used to ask them what would have happened if we were to get lost and had to live in the wild until we could find our way back to the town. (b) They answered that it would be an amazing experience.

(B)

I think I reacted so positively to such a potentially frightening situation because of my parents. (c) They didn't panic and stayed in control, heading for the nearest open area to find a trail marker or a sign that would lead us in the right direction. I can't be sure, but it seemed as if (d) they were as excited as I was. In the end, it didn't take long to find a sign with a map on it. Soon we were back on the main trail and heading toward civilization.

(C)

Growing up, I continued to enjoy these walks with my parents, but I forgot about my fantasies of getting lost. (e) They just sort of faded away. But then one day it actually happened. We had decided to leave the main trail and take a different path. After about half an hour, the path disappeared and we were lost. It was completely unexpected.

(D)

An incredible feeling of excitement came over me, and everything in the forest seemed to change. Colors grew brighter, and sounds grew louder. The plants and trees were so thick that I couldn't see any farther than 10 meters away. I wanted the moment to last forever. All of the stress from my life outside the forest was gone. I realized that I would rather stay lost in the forest forever than go back to society.

words

wild (야생 상태의) 자연
go for a walk 산책하다
get lost 길을 잃다
amazing 놀라운
positively 긍정적으로
potentially 어쩌면; 잠재적으로
situation 상황
panic 당황하다, 공포에 사로잡히다
stay in control 평정을 잃지 않다
head for ~로 향해 가다
civilization 문명
sort of 말하자면
fade away 희미해지다
unexpected 예상치 못한
incredible 믿을 수 없는
come over (어떤 기분이) 갑자기 들다
thick 울창한, 빽빽한
last 계속되다
would rather A than B B하기보다는 A하는 것이 낫다
society 사회

1 **주어진 글 (A)에 이어질 내용을 순서에 맞게 배열한 것으로 가장 적절한 것은?**

① (B) – (D) – (C)
② (C) – (B) – (D)
③ (C) – (D) – (B)
④ (D) – (B) – (C)
⑤ (D) – (C) – (B)

2 **밑줄 친 (a)~(e) 중에서 가리키는 대상이 나머지 넷과 다른 것은?**

① (a) ② (b) ③ (c) ④ (d) ⑤ (e)

3 **윗글에 관한 내용으로 적절하지 않은 것은?**

① 필자는 부모님과 숲에서 산책을 하곤 했다.
② 길을 잃었지만 부모님과 함께여서 두렵지 않았다.
③ 지도를 가지고 다녀서 길을 찾을 수 있었다.
④ 숲에 나무가 우거져 앞이 잘 보이지 않았다.
⑤ 길을 잃고 숲에 있는 동안 스트레스가 풀렸다.

내신•서술형 대비

1. 윗글의 밑줄 친 부분에서 어법상 틀린 부분을 찾아 바르게 고치시오.

____

2. 주어진 영영 풀이에 해당하는 단어를 윗글의 (B)에서 찾아 쓰시오.

n. 1. a series of marks that someone or something leaves behind as they move
2. a path through a countryside, mountain, or forest area
3. various pieces of information that together show where someone you are searching for has gone

3. 다음 주어진 조건에 맞게 우리말을 영작하시오. (10단어)

조건 •본문에 나온 구문을 이용할 것 •괄호 안에 주어진 단어를 활용할 것 •필요한 경우 단어를 추가할 것

나는 너무 당황해서 한마디도 할 수 없었다. (embarrassed, speak)

→ ________________________

유형 연습

[4-6] 다음 글을 읽고, 물음에 답하시오.

(A)

Sylvia Bloom worked at a law firm as a legal secretary in New York for 67 years. (a) She was known for being unusually thrifty — for example, she always took the subway to work rather than taking a taxi. When she died at the age of 96, it was revealed that she had actually saved up a fortune worth $12 million. Even more surprisingly, she left instructions to donate most of it to charity!

(B)

When she did, she would also use her own money to buy some of the same stock for herself. She couldn't afford to buy much, due to her small salary, but her strategy still made (b) her a very wealthy woman. In her will, she left a small amount of money for her family. The rest will provide disadvantaged youths with college scholarships. Because of Bloom's clever strategy, many young people from poor families will receive a valuable education.

(C)

Bloom grew up during the Great Depression, so she knew the importance of saving money. (c) She attended public schools as a child and took college courses at night as an adult while working during the day to earn a living. She and her husband Raymond, who passed away in 2002, never had any children, and they lived a comfortable but modest lifestyle. Bloom's niece, Jane Lockshin, believes it is possible that (d) her uncle was completely unaware of the money.

(D)

This is because Bloom kept it in several bank accounts she had in her own name. But how did a secretary earn so much money? (e) She had a secret. In those days, it was common for secretaries to take care of many of their bosses' personal tasks, including their investments. Bloom used this to her advantage. Whenever Bloom's boss identified a promising stock, he would instruct Bloom to purchase a certain amount on his behalf.

words

law firm 법률 사무소
legal 법률의
secretary 비서
thrifty 검소한
reveal 알리다, 밝히다
fortune 재산, 행운
worth ~의 가치가 있는
instruction 지시
donate 기부하다
charity 자선 단체
stock 주식
afford to-v ~할 여유가 있다
strategy 전략, 계획
will 유언
disadvantaged 혜택 받지 못한, 불리한 조건에 놓인
scholarship 장학금
valuable 귀중한
the Great Depression 대공황
pass away 세상을 떠나다
modest 수수한, 보통의
unaware ~을 잘 알지 못하는
account 계좌
investment 투자
identify 확인하다, 판정하다
promising 유망한
instruct 지시하다
purchase 구매하다
on one's behalf ~을 대신하여

4 **주어진 글 (A)에 이어질 내용을 순서에 맞게 배열한 것으로 가장 적절한 것은?**

① (B) – (D) – (C)
② (C) – (B) – (D)
③ (C) – (D) – (B)
④ (D) – (B) – (C)
⑤ (D) – (C) – (B)

5 **밑줄 친 (a)~(e) 중에서 가리키는 대상이 나머지 넷과 다른 것은?**

① (a) ② (b) ③ (c) ④ (d) ⑤ (e)

6 **윗글에 관한 내용으로 적절하지 않은 것은?**

① Bloom은 조카에게 거액의 유산을 물려주었다.
② Bloom은 낮에는 일하고 밤에는 대학에 다녔다.
③ Bloom 부부에게는 자식이 없었다.
④ Bloom은 자기 이름으로 된 은행 계좌에 돈을 보관하였다.
⑤ Bloom은 상사의 주식 투자를 모방하여 돈을 벌었다.

내신·서술형 대비

1. 윗글의 밑줄 친 Bloom's clever strategy의 내용을 본문에 근거하여 우리말로 쓰시오. (30자 내외)

____

2. 다음 주어진 조건에 맞게 우리말을 영작하시오. (9단어)

조건	• 괄호 안에 주어진 단어를 활용할 것 • 필요한 단어는 본문에서 찾아 쓰되 필요하면 어형을 바꿀 것

우리 할머니는 그녀 재산의 대부분을 자선 단체에 기부하셨다. (donate, her, most of, charity)

→ ______________________________

3. 윗글의 (C)에서 밑줄 친 it이 가리키는 것을 본문에서 찾아 쓰시오.

____

[7-9] **다음 글을 읽고, 물음에 답하시오.**

(A)

A wealthy businessman was driving his new sports car through a poor neighborhood. He was playing his music loudly and humming the song to himself, feeling good. Suddenly, he heard a bang as something hit the side of his car. (a) He slammed on his brakes and jumped out. Lying next to his car was a big rock.

(B)

The boy who had thrown the rock thanked him over and over. The man tried to respond, but he couldn't even speak. He was too shaken up by what just had happened. He watched as the boy slowly began to push his brother down the sidewalk, whispering happily into his ear. The man walked back to his car. The dent in his car door was deep and the paint was scratched a little, but (b) he decided not to have it repaired. It wasn't important at all.

(C)

The boy wiped his eyes and said, "Can you help me?" The man realized that the boy was very upset, so he assured him that he would help. (c) He walked over to the other boy, who was lying on the concrete next to an empty wheelchair. Carefully lifting him up, the man returned him to his wheelchair. He had suffered some cuts and bruises but was otherwise okay.

(D)

He looked down the road and saw a boy just standing there. "What did you do to my car?" he yelled and ran toward the kid. He just stood there apologizing to (d) him. "I'm really sorry, sir. But I couldn't help it because no one would stop to help me. Throwing that rock was the only way to make you stop." (e) He pointed towards the sidewalk. "It's my older brother. He fell out of his wheelchair, and I can't pick him up."

words

wealthy 부유한
hum 흥얼거리다
bang 쾅 (하는 소리)
hit 치다
slam (브레이크 등을) 세차게 밟다
respond 반응하다
shake 충격을 주다, 동요시키다
whisper 속삭이다
dent 흠집, 움푹하게 파인 곳
scratch 긁다
wipe 닦다
assure 안심시키다, 장담하다
lift 들어올리다
cut (긁히거나 베인) 상처
bruise 멍
otherwise 그 외에, 그렇지 않으면
yell 소리치다
cannot help it 어쩔 수 없다
pick up 들어올리다

7 **주어진 글 (A)에 이어질 내용을 순서에 맞게 배열한 것으로 가장 적절한 것은?**

① (B) - (D) - (C)
② (C) - (B) - (D)
③ (C) - (D) - (B)
④ (D) - (B) - (C)
⑤ (D) - (C) - (B)

8 **밑줄 친 (a)~(e) 중에서 가리키는 대상이 나머지 넷과 다른 것은?**

① (a) ② (b) ③ (c) ④ (d) ⑤ (e)

9 **윗글에 관한 내용으로 적절하지 않은 것은?**

① 사업가는 자신의 차로 소년과 형을 집까지 데려다 주었다.
② 사업가는 차의 흠집을 수리하지 않기로 했다.
③ 소년의 형이 휠체어에서 떨어져 바닥에 누워 있었다.
④ 소년의 형은 상처와 멍이 있었지만 크게 다치지 않았다.
⑤ 소년은 도움을 청하기 위해 사업가의 차에 돌을 던졌다.

내신·서술형 대비

1. 윗글의 밑줄 친 문장에서 help의 행위가 무엇인지 우리말로 쓰시오. (30자 내외)

____

2. 아래 두 사람의 대화를 읽고, 소년의 대답을 완성하시오.

Man: Why did you throw that rock to my car?

Boy: Because no one ____________________________.

3. 윗글에 나온 단어의 영영 풀이 중 틀린 것은?

① hum: to sing without opening your mouth
② repair: to fix something that is broken or damaged
③ concrete: a material used in building that becomes hard when it dries
④ return: to do something to someone because they have done the same thing to you
⑤ yell: to shout loudly, especially because you are frightened, angry, or excited

18 어법

유형 알기 주어진 글의 밑줄 친 다섯 개의 선택지 중에서 어법상 틀린 것을 찾는 유형이다.

풀이 전략 먼저 각 선택지의 밑줄 친 부분에서 묻고 있는 어법 요소를 파악한다.
밑줄 친 부분이 포함된 문장의 구조와 문맥을 파악하여 각 어법 요소가 올바른지 판단한다.
어법상 틀린 부분을 바른 표현으로 고쳐보며 정답을 확인한다.

기출 풀기

다음 글의 밑줄 친 부분 중, 어법상 틀린 것은?

Are cats liquid or solid? That's the kind of question that could win a scientist an Ig Nobel Prize, a parody of the Nobel Prize that honors research that "makes people laugh, then think." But it wasn't with this in mind ① that Marc Antoine Fardin, a physicist at Paris Diderot University, set out to find out whether house cats flow. Fardin noticed that these furry pets can adapt to the shape of the container they sit in ② similarly to what fluids such as water do. So he applied rheology, the branch of physics that deals with the deformation of matter, to calculate the time ③ it takes for cats to take up the space of a vase or bathroom sink. The conclusion? Cats can be either liquid or solid, depending on the circumstances. A cat in a small box will behave like a fluid, ④ filled up all the space. But a cat in a bathtub full of water will try to minimize its contact with it and ⑤ behave very much like a solid.

피하기

길고 복잡한 문장의 경우 수식어를 괄호로 묶어 문장 구조를 단순화해야 오류 판단에 유리하다.

Words

liquid 액체 solid 고체 win A B A에게 B를 얻게 하다 parody 패러디 honor ~에게 영광을 주다, 예우하다 physicist 물리학자 set out 시작하다 flow 흐르듯 움직이다 furry 털로 덮인 adapt 맞추다, 조절하다 fluid 유체, 유동체 rheology 유동학 physics 물리학 deal with ~을 다루다 deformation 변형 calculate 계산하다 take up (공간)을 차지하다, 쓰다 conclusion 결론 circumstance 환경 fill up 채우다 minimize 최소화하다 contact 접촉

전략 적용

Are cats liquid or solid? That's the kind of question that could win a scientist an Ig Nobel Prize, a parody of the Nobel Prize that honors research that "makes people laugh, then think." But it wasn't with this in mind ① that Marc Antoine Fardin, a physicist at Paris Diderot University, set out to find out whether house cats flow. Fardin noticed that these furry pets can adapt to the shape of the container they sit in ② similarly to what fluids such as water do. So he applied rheology, the branch of physics that deals with the deformation of matter, to calculate the time ③ it takes for cats to take up the space of a vase or bathroom sink. The conclusion? Cats can be either liquid or solid, depending on the circumstances. A cat in a small box will behave like a fluid, ④ filled up all the space. But a cat in a bathtub full of water will try to minimize its contact with it and ⑤ behave very much like a solid.

(도입) 문제 제기 (고양이는 액체인가, 고체인가?)

(전개) 문제 해결 과정 (Fardin의 계산)

(마무리) 문제 해결 (고양이는 경우에 따라 액체일 수도, 고체일 수도 있음)

Step 1 ▶ 먼저 각 선택지의 밑줄 친 부분에서 묻고 있는 어법 요소를 파악한다.

① → that의 쓰임이 적절한가?
② → 부사 similarly의 쓰임이 적절한가?
③ → it의 쓰임이 적절한가?
④ → 과거분사 filled의 쓰임이 적절한가?
⑤ → 동사 behave의 형태가 적절한가?

Step 2 ▶ 밑줄 친 부분이 포함된 문장의 구조와 문맥을 파악하여 각 어법 요소가 올바른지 판단한다.

① But it wasn't with this in mind ① that Marc Antoine Fardin, a physicist at Paris Diderot University, set out to find out whether house cats flow.
→ 「with+목적어+전치사구」 형태의 분사구문을 포함한 not with this in mind를 강조하는 「it is[was] ~ that」 강조 구문으로 that의 쓰임은 적절하다.

② ... these furry pets can adapt to the shape of the container they sit in ② similarly to what fluids such as water do.
→ 동사 can adapt를 꾸며주는 말로 부사인 similarly의 쓰임은 적절하다.

③ ..., to calculate the time ③ it takes for cats to take up the space of a vase or bathroom sink.
→ 「it takes+시간+for+목적어+to부정사」(목적어가 ~하는 데 시간이 …걸리다) 구문에서 시간에 해당하는 the time이 선행사로 쓰인 구문으로 it의 쓰임은 적절하다. it 앞에는 목적격 관계대명사 that 또는 which가 생략되었다.

④ A cat in a small box will behave like a fluid, ④ filled up all the space.
→ 콤마 이하가 동시동작을 나타내는 분사구문이고 분사구문의 주체는 문장의 주어인 a cat이므로 수동의 의미를 나타내는 과거분사가 아닌 능동의 의미를 나타내는 현재분사 filling으로 쓰는 것이 적절하다.

⑤ But a cat in a bathtub full of water will try to minimize its contact with it and ⑤ behave very much like a solid.
→ 조동사 will 뒤에 두 개의 동사구(try to minimize, behave~)가 and로 대등하게 연결되어야 하므로 동사원형인 behave가 적절하다.

Step 3 ▶ 어법상 틀린 부분을 바른 표현으로 고쳐보며 정답을 확인한다.

A cat in a small box will behave like a fluid, filling up all the space.
→ 작은 상자 안에 있는 고양이는 '자기 스스로' 상자의 공간을 채우는 것이므로 현재분사 filling이 와야 하며, filling 이하는 동시동작을 나타내는 분사구문이다. 따라서 정답은 ④이다.

어법 빈출 항목 8

1 수 일치

1 수식어나 삽입구가 포함되어 구조가 복잡한 문장에서 주어와 동사의 수가 일치하는지 확인한다.
2 동명사, to부정사, 명사절이 주어로 쓰이면 단수 취급하므로 단수동사를 쓴다.
3 가리키는 대상이 단수인지 복수인지에 따라 대명사가 적절하게 쓰였는지 확인한다.
4 주격 관계대명사절에서 동사는 선행사의 수에 일치시킨다.

(기출로 확인) **다음 네모 안에서 어법상 옳은 것을 고르시오.**

(1) The process of job advancement in the field of sports [is / are] often said to be shaped like a pyramid.
(2) Getting in the habit of asking questions [transform / transforms] you into an active listener.
(3) He came up with new ways of thinking about these subjects, as well as broad, flexible approaches to [it / them].
(4) A sign posted at a fork in a trail which [read / reads] "Bear To The Right" can be understood in two ways.

2 현재분사와 과거분사

1 수식하는 명사와의 관계가 능동이면 현재분사를, 수동이면 과거분사를 쓴다.
2 분사구문에서 주어와 분사의 관계가 능동이면 현재분사를, 수동이면 과거분사를 쓴다.
3 주체가 감정을 불러일으키는 경우 현재분사를, 감정을 느끼는 경우 과거분사를 쓴다.

(기출로 확인) **다음 네모 안에서 어법상 옳은 것을 고르시오.**

(1) I would estimate that less than one percent of the material [sent / sending] to publishers is ever published.
(2) [Assuming / Assumed] to have a substantial amount of water, Mars is most habitable planet.
(3) You will find that even boring lecturers become a bit more [interesting / interested] after some time.

3 동명사와 to부정사

1 동명사만 목적어로 취하는 동사(avoid/admit/enjoy/finish/give up/mind/put off 등)와 to부정사만 목적어로 취하는 동사(want/hope/expect/decide/plan/promise/refuse 등)를 구분해서 알아 둔다.
2 전치사의 목적어는 동명사만 가능하다. 관용 표현에 쓰인 전치사 to 뒤에 동명사가 제대로 쓰였는지 확인한다.

(기출로 확인) **다음 네모 안에서 어법상 옳은 것을 고르시오.**

(1) She enjoys [to frighten / frightening] people, although she knows it is just a game.
(2) When it comes to [teach / teaching] kids about money, we have a problem.

4 that과 what

1 앞에 선행사가 있으면 관계대명사 that을, 선행사가 없으면 관계대명사 what을 쓴다.
2 동사의 목적어로 절이 올 경우, 이어지는 절이 완전하면 접속사 that을, 주어나 목적어가 빠져 있으면 관계대명사 what을 쓴다.

(기출로 확인) **다음 네모 안에서 어법상 옳은 것을 고르시오.**

(1) Alvin does [that / what] he loves, and he makes a lot of money.
(2) Your car mechanic doesn't just observe [that / what] your car is not working.

5 문장의 구조

1 and, but, or 등의 등위접속사로 연결된 어구나 문장은 문법적으로 대등해야 한다. (병렬 구조)
2 문장의 동사가 있어야 할 곳에 준동사(동명사/to부정사/분사)가 쓰였는지 확인한다.
3 접속사 뒤에는 「주어+동사」의 절이, 전치사 뒤에는 명사(구)나 동명사(구)가 온다.
4 의문사가 있는 간접의문문은 「의문사+주어+동사」의 어순으로 쓴다.
5 「타동사+부사」의 목적어가 대명사일 때 「타동사+대명사+부사」의 어순으로 쓴다.

(기출로 확인) **다음 네모 안에서 어법상 옳은 것을 고르시오.**

(1) A designer must first document the existing conditions of a problem and [collect / collecting] relevant data.
(2) The volcanic ash, after being blasted high into the atmosphere, [presenting / presented] a risk to airplanes.
(3) Koalas were inactive [because / because of] the compounds in eucalyptus leaves kept them sleepy.
(4) The only thing you notice is a huge painting of [how the castle looked / how did the castle look] in the past.
(5) They are taught to find their own solutions rather than [look up them / look them up] in an old book.

6 능동태와 수동태

1 주어가 행위를 하는 주체면 능동태로, 행위의 대상이면 수동태로 쓴다.
2 appear, become, lie, occur, survive, seem 등과 같은 자동사는 수동태로 쓰지 않는다.

(기출로 확인) **다음 네모 안에서 어법상 옳은 것을 고르시오.**

(1) Women [left / were left] in charge of making sure that things got done.
(2) When Jim's picture [appeared / was appeared] in newspapers, a reporter recognized him.

7 형용사와 부사

1 보어(주격보어/목적격보어)로 부사는 쓸 수 없고 형용사만 가능하다.
2 동사, 형용사, 다른 부사(구)를 수식하는 역할을 하고 생략해도 문장 구조가 성립하면 부사를 쓴다.

(기출로 확인) **다음 네모 안에서 어법상 옳은 것을 고르시오.**

(1) Louisiana was the only state where cockfighting remained [legal / legally].
(2) Focusing on building muscle appears to be a [relatively / relative] recent phenomenon.

8 특수 구문

1 부정어, 부사(구), 보어를 강조하기 위해 문장 앞에 쓰면 주어와 동사의 어순이 바뀐다.
2 비교급을 강조할 때 very는 쓸 수 없고 much, still, even, far, a lot 등을 쓴다. 최상급을 강조할 때는 「the very+최상급」 또는 「much/even/quite/far+the+최상급」의 형태로 쓴다.
3 동사를 강조할 때는 「do[does/did]+동사원형」으로, 그 외 문장 성분을 강조할 때는 「It is[was] ~ that」 강조 구문을 이용한다.

(기출로 확인) **다음 네모 안에서 어법상 옳은 것을 고르시오.**

(1) Rare [is / are] the musical organizations that can afford to hire those musicians for every concert.
(2) The existing set of conditions is [much / very] less satisfactory than a new set of conditions would be.
(3) Animals [do / doing] communicate with each other. It is vocal signals [that / what] dolphins use.

유형 연습

1 다음 글의 밑줄 친 부분 중, 어법상 틀린 것은?

Most Americans have middle names, which they use when filling out official documents or ① writing their initials. In daily life, however, middle names are seldom used, so why do they even exist? In ancient Rome, some people had three different names — a personal name, a family name, and a name that indicated ② which branch of the family they came from. The more names you had, the more ③ respecting you were. The American usage of middle names, however, comes from the Middle Ages. At that time, many European parents couldn't decide between giving their kids their family name or a saint. Eventually, it became a tradition to give children the given name first, a saint name second, and a family name third. When Europeans began ④ to immigrate to America, they brought this tradition with them. Today, instead of choosing saints' names like they ⑤ used to, many Americans come up with more creative middle names.

words

fill out 채우다, 작성하다
official 공식적인
document 서류
initial 머리글자
seldom 거의 ~ 않는
exist 존재하다
indicate 표시하다, 나타내다
branch 분파, 가족
usage 사용
saint 성인(聖人)
eventually 결국
tradition 전통
immigrate 이주해 오다
come up with ~을 생각해 내다

내신•서술형 대비

1. 다음 주어진 조건에 맞게 우리말을 영작하시오. (10단어)

조건 • choice, goal, set을 사용할 것(필요하면 어형을 바꿀 것) • 본문에 나온 구문을 이용할 것

우리가 더 많은 선택권을 가질수록, 우리는 더 많은 목표를 세웠다.

→ ______________________________

2. 윗글에서 알맞은 단어를 찾아 윗글의 제목을 완성하시오.

Why Americans Have __________ __________

2 다음 글의 밑줄 친 부분 중, 어법상 틀린 것은?

Throughout history people have been making attempts ① to classify knowledge into different types; these classifications differ based on the fields involved. In the case of business and knowledge management, two types of knowledge ② is usually defined. The first is known as explicit knowledge, and the second is called tacit knowledge. Explicit knowledge refers to official knowledge, such as ③ that found in books and other written documents, while tacit knowledge refers to intuitive, hard-to-define knowledge that comes from personal experience. Despite this distinction, all knowledge should be looked at as being a mixture of these two types rather than being one or ④ the other. Explicit knowledge is simpler in nature and doesn't have the rich experience-based know-how that can provide a lasting competitive advantage. On the other hand, tacit knowledge is often referred to as know-how, and it makes up the bulk of ⑤ what we know, providing a foundation upon which explicit knowledge can be built.

words

- **throughout** ~ 내내
- **make attempts** 시도하다
- **classify** 분류하다
- **define** 정의하다
- **explicit** 명시적인
- **tacit** 암묵적인
- **refer to** 일컫다, 나타내다
- **official** 공식적인
- **intuitive** 직관적인
- **personal** 개인적인
- **distinction** 구분
- **mixture** 혼합
- **in nature** 사실상
- **know-how** 노하우, 기술
- **make up** 차지하다
- **bulk** 대량
- **foundation** 기초, 토대

내신•서술형 대비

1. 윗글의 밑줄 친 fields와 바꿔 쓸 수 없는 단어는?

① areas ② sectors ③ categories
④ branches ⑤ locations

2. 다음은 윗글의 내용을 정리한 표이다. 다음 중 옳지 않은 것은?

Explicit Knowledge	Tacit Knowledge
① official ② from books and documents ③ know-how	④ intuitive ⑤ from experience ⑥ hard-to-define

3 다음 글의 밑줄 친 부분 중, 어법상 틀린 것은?

The gold-medal winner in an Olympic event is ① clearly the happiest participant. But who is second happiest, the silver-medal winner or the bronze-medal winner? Most people ② would guess the former, but a study suggests otherwise. When rating athletes' emotions after an event based on their facial expressions, the study's participants judged the bronze medalists, on average, ③ to be happier than the silver medalists. It is believed that this is due to the silver medalists focusing on what could have been — they envision what would have happened if they ④ have run a little faster or nailed their landing. This makes them feel like they lost. Bronze medalists, on the other hand, tend to focus on the fact that they managed to win a medal. This makes them feel like winners. The results of this study show that our level of satisfaction with a situation depends largely on ⑤ how we choose to view it.

words

participant 참가자
bronze medal 동메달
otherwise 달리, 다르게
rate 순위를 매기다
athlete (운동) 선수
facial expression 얼굴 표정
judge 판단하다, 여기다
on average 평균적으로
focus on 집중하다
envision 상상해 보다, 그리다
nail (특히 스포츠에서) 이루어 내다
landing 착지, 착륙
manage to-v 간신히 ~하다
level of satisfaction 만족도

내신·서술형 대비

1. 윗글의 밑줄 친 otherwise가 의미하는 바를 우리말로 쓰시오. (30자 내외)

____

2. 주어진 영영 풀이에 해당하는 단어를 윗글에서 각각 찾아 쓰시오.

(1) *n.* someone who is taking part in an activity or event : ____________

(2) *n.* the look on someone's face showing what they feel or think : ____________

(3) *v.* to imagine that something is a likely or desirable possibility in the future : ____________

정답 및 해설 pp. 57-58

4 다음 글의 밑줄 친 부분 중, 어법상 틀린 것은?

Horseshoe crabs have been around for more than 450 million years and have been survived three great extinction events. Despite their name, they are not actual crabs. They are more ① closely related to arachnids. Unlike human blood, horseshoe crab blood is blue. Horseshoe crabs do not use hemoglobin, the substance ② that transports oxygen throughout our bodies. Instead, they use hemocyanin, which contains copper, to transport oxygen. This is why their blood is a distinctive shade of blue. When the blood comes into contact with bacteria, it surrounds them and forms a solid material. This action, called clotting, traps the bacteria, ③ stopping it from spreading to other parts of the crab. This clotting agent is used ④ to make a solution known as LAL, which can detect bacterial contamination in medicines and vaccines. Before LAL was discovered, researchers tested vaccines and other drugs by injecting them into laboratory animals and ⑤ wait to see if they suffered from adverse reactions.

*arachnids 거미류 **hemocyanin 헤모시아닌

words

- horseshoe crab 투구게
- extinction 멸종
- hemoglobin 헤모글로빈
- substance 물질
- transport 운반하다
- copper 구리
- distinctive 특이한
- shade 색조
- surround 둘러싸다
- solid 단단한; 고체의
- clotting 응고
- trap 가두다
- agent 작용제, 물질
- solution 용액
- detect 감지하다
- contamination 전염, 오염
- inject 주사하다
- adverse reaction 부작용

내신•서술형 대비

1. 윗글의 밑줄 친 문장에서 어법상 틀린 부분을 찾아 바르게 고치시오.

____

2. 다음 중 윗글의 내용과 일치하지 않는 것은?

① 투구게는 세 번의 큰 멸종 위기를 겪었다.
② 투구게는 실제 조상은 게이지만 거미로 분류된다.
③ 투구게는 사람과 다르게 혈액의 색깔이 파랗다.
④ 투구게의 혈액은 박테리아를 감싸며 단단한 물질을 형성한다.
⑤ LAL이 발견되기 전에는 동물을 대상으로 약물 부작용을 실험했다.

19 어휘

유형 알기 세 개의 네모 안에 제시된 두 개의 낱말 중 문맥에 맞는 것을 고르거나, 밑줄 친 다섯 개의 낱말 중 문맥상 쓰임이 적절하지 않은 것을 고르는 유형이다.
대개 철자 또는 의미가 유사해서 혼동하기 쉬운 낱말이나 반의어가 제시된다.

풀이 전략 글의 도입부를 읽으며 소재와 중심 내용을 파악한다.
앞뒤 문장에 근거하여 네모나 밑줄이 있는 문장을 정확히 해석한다.
답을 고른 후 전후 문맥과 논리에 맞는지 다시 한 번 확인한다.

기출 풀기

(A), (B), (C)의 각 네모 안에서 문맥에 맞는 낱말로 가장 적절한 것은?

The ancient Egyptians and Mesopotamians were the Western world's philosophical forebears. In their concept of the world, nature was not an (A) [assistant / opponent] in life's struggles. Rather, man and nature were in the same boat, companions in the same story. Man thought of the natural world in the same terms as he thought of himself and other men. The natural world had thoughts, desires, and emotions, just like humans. Thus, the realms of man and nature were (B) [distinguishable / indistinguishable] and did not have to be understood in cognitively different ways. Natural phenomena were imagined in the same terms as human experience. These ancients of the Near East did (C) [neglect / recognize] the relation of cause and effect, but when speculating about it they came from a "who" rather than a "what" perspective. When the Nile rose, it was because the river wanted to, not because it had rained.

	(A)		(B)		(C)
①	assistant	……	distinguishable	……	neglect
②	assistant	……	indistinguishable	……	recognize
③	opponent	……	distinguishable	……	recognize
④	opponent	……	indistinguishable	……	neglect
⑤	opponent	……	indistinguishable	……	recognize

오답 피하기

선택지를 고를 때 (A), (B), (C) 3개의 답을 모두 확인해야 한다. 앞의 두 개는 맞지만 (C)가 오답인 선택지를 고르는 경우가 있으니 주의한다.

Words

ancient 고대의, 고대인 philosophical 철학의 forebear 선조, 조상 concept 개념 opponent 적 struggle 투쟁 companion 동반자, 동지 realm 영역 distinguishable 구별할 수 있는 cognitively 인지적으로 phenomenon 현상 (*pl.* phenomena) relation 관계 cause and effect 원인과 결과, 인과 speculate 숙고하다, 추측하다 perspective 관점, 시각

∷ 전략 적용

❶ The ancient Egyptians and Mesopotamians were the Western world's philosophical forebears. ❷ In their concept of the world, nature was not an (A) [assistant / opponent] in life's struggles. Rather, man and nature were in the same boat, companions in the same story. Man thought of the natural world in the same terms as he thought of himself and other men. The natural world had thoughts, desires, and emotions, just like humans. ❸ Thus, the realms of man and nature were (B) [distinguishable / indistinguishable] and did not have to be understood in cognitively different ways. Natural phenomena were imagined in the same terms as human experience. ❹ These ancients of the Near East did (C) [neglect / recognize] the relation of cause and effect, but when speculating about it they came from a "who" rather than a "what" perspective. When the Nile rose, it was because the river wanted to, not because it had rained.

(주제) 고대 이집트와 메소포타미아인들의 자연관

(예시) 나일강의 범람은 비 때문이 아닌, 나일강의 의지임

Step 1 ▶ 글의 도입부를 읽으며 소재와 중심 내용을 파악한다.

❶ 고대 이집트와 메소포타미아 사람들은 서구 사회의 철학적 선조였다.
❷ 그들의 세계관에서 자연은 삶의 투쟁 속에 있는 (A) 조력자는/적은 아니었다.
→ 고대 이집트와 메소포타미아인들의 세계관과 자연관에 대한 내용이 나올 것임을 예측할 수 있다.

Step 2 ▶ 앞뒤 문장에 근거하여 네모나 밑줄이 있는 문장을 정확히 해석한다.

❷ 그들의 세계관에서 자연은 삶의 투쟁 속에 있는 (A) 조력자는/적은 아니었다.
❸ 그러므로, 인간과 자연의 영역은 구분이 (B) 분명했으며/불분명했으며 인지적으로 다른 방식으로 이해될 필요는 없었다.
❹ 이러한 근동 지역의 고대인들은 인과 관계를 (C) 무시하고는/인식하고는 있었지만, 그것에 대해서 숙고할 때에는 '무엇'의 관점보다는 '누구'의 관점에서 접근했다.

Step 3 ▶ 답을 고른 후 전후 문맥과 논리에 맞는지 다시 한 번 확인한다.

❷ 그들의 세계관에서 자연은 삶의 투쟁 속에 있는 (A) 적은 아니었다.
→ 다음 문장에서 '오히려 자연과 한 배를 탄' 것으로 생각했다는 내용이 나오므로 '적(opponent)'이 적절하다.
❸ 그러므로 인간과 자연의 영역은 구분이 (B) 불분명했으며 인지적으로 다른 방식으로 이해될 필요는 없었다.
→ 앞에서 자연계가 인간들처럼 생각, 욕구, 감정이 있는 것으로 보았다고 했으므로 '불분명한(indistinguishable)'이 적절하다.
❹ 이러한 근동 지역의 고대인들은 인과 관계를 (C) 인식하고는 있었지만, 그것에 대해서 숙고할 때에는 '무엇'의 관점보다는 '누구'의 관점에서 접근했다.
→ 인과 관계에 대한 개념은 있었지만, 자연의 입장에서 현상을 바라보았다는 내용이므로 '인지하다(recognize)'가 적절하다. 따라서 정답은 ⑤이다.

빈출 어휘

혼동 어휘

- **absorb**(흡수하다) – **absurd**(불합리한, 터무니없는)
- **acquire**(획득하다) – **inquire**(묻다) – **require**(요구하다)
- **adapt**(적응시키다) – **adopt**(채택하다)
- **attribute**(~의 탓으로 하다) – **distribute**(분배하다)
- **beneficial**(유익한, 유리한) – **beneficent**(인정 많은, 친절한)
- **complement**(보완하다) – **compliment**(칭찬)
- **comprehensible**(이해할 수 있는) – **comprehensive**(종합적인)
- **confident**(자신감 있는) – **confidential**(비밀의)
- **considerable**(상당한) – **considerate**(사려 깊은)
- **corruption**(부패, 타락) – **eruption**(분출)
- **decline**(기울다, 감소하다) – **incline**(~하는 경향이 있다)
- **delete**(삭제하다) – **detect**(발견하다, 탐지하다)
- **describe**(묘사하다) – **prescribe**(처방하다)
- **eject**(추방하다, 내쫓다) – **inject**(주사하다) – **reject** (거절하다)
- **emerge**(나타나다) – **submerge**(물속에 잠기다)
- **ethnic**(민족의) – **ethical**(윤리적인)
- **evolve**(진화[발전]하다) – **involve**(포함하다) – **revolve**(회전하다)
- **expand**(확대하다) – **expend**(소비하다) – **extend**(넓히다, 연장하다)
- **expire**(끝나다, 만료되다) – **inspire**(고무하다)
- **extinguish**(불을 끄다) – **distinguish**(구별하다)
- **impair**(해치다, 손상하다) – **repair**(수리하다)
- **inhibit**(억제하다) – **inhabit**(거주하다)
- **meditation**(명상) – **mediation**(중재)
- **natural**(자연의) – **neutral**(중립의)
- **noble**(고상한, 귀족적인) – **novel**(소설; 새로운)
- **observe**(관찰하다) – **reserve**(예약하다) – **preserve**(보존하다)
- **oppose**(반대하다) – **suppose**(추측하다)
- **personal**(개인적인) – **personnel**(인원, 인사과)
- **prescription**(처방전) – **subscription**(구독)
- **principle**(원리, 원칙) – **principal**(주요한; 교장)
- **process**(과정, 절차, 처리) – **progress**(진보하다, 나아가다)
- **regretful**(후회하는) – **regrettable**(유감스러운)
- **representative**(대표자) – **representation**(표현, 설명)
- **sacred**(신성한) – **scared**(무서워하는) – **scarce**(부족한, 드문)
- **sensible**(분별 있는) – **sensitive**(세심한, 민감한)
- **simulate**(흉내내다) – **stimulate**(자극하다)
- **stationary**(움직이지 않는) – **stationery**(문방구)
- **successful**(성공적인) – **successive**(연속적인)
- **terrific**(대단한) – **terrible**(끔찍한)
- **transfer**(옮기다) – **transport**(수송하다) – **transmit**(부치다)
- **vacation**(휴가) – **vocation**(천직, 직업)
- **vanish**(사라지다) – **banish**(추방하다)

반의어

- **absence**(부재, 결석) – **presence**(존재, 출석)
- **absolute**(절대적인) – **relative**(상대적인)
- **abstract**(추상적인) – **concrete**(구체적인)
- **accept**(받아들이다) – **reject**(거절[거부]하다), **refuse**(거절[거부]하다)
- **ancestor**(조상, 선조) – **descendant**(자손, 후예)
- **associate**(연관짓다) – **dissociate**(분리하다)
- **attach**(붙이다) – **detach**(떼다)
- **combine**(결합하다) – **divide**(나누다)
- **compulsory**(강제적인) – **voluntary**(자발적인)
- **conceal**(감추다, 숨기다) – **reveal**(밝히다, 폭로하다)
- **constructive**(건설적인) – **destructive**(파괴적인)
- **damaged**(손상된) – **recovered**(회복된)
- **demand**(요구, 수요) – **supply**(공급)
- **exclude**(배제하다) – **include**(포함하다)
- **expense**(지출) – **income**(수입)
- **explicit**(분명한, 명시적인) – **implicit**(암시된, 내포된)
- **extrovert**(외향적인 사람) – **introvert**(내성적인 사람)
- **flexible**(융통성 있는, 유연한) – **rigid**(융통성이 없는, 뻣뻣한)
- **guilty**(유죄의) – **innocent**(무죄인, 무고한)
- **horizontal**(수평의) – **vertical**(수직의)
- **immigrate**(이민을 오다) – **emigrate**(이민을 가다)
- **inferior**(열등한) – **superior**(우등한)
- **invaluable**(매우 귀중한) – **valueless**(무가치한)
- **majority**(다수) – **minority**(소수)
- **objective**(객관적인) – **subjective**(주관적인)
- **offense**(공격) – **defense**(방어, 수비)
- **optimistic**(낙관적인) – **pessimistic**(비관적인)
- **permanent**(영구적인) – **temporary**(일시적인)
- **prohibit**(금하다) – **permit**(허용하다)
- **quantity**(양) – **quality**(질)
- **regulate**(규제하다) – **promote**(촉진하다)
- **vice**(악, 악덕 행위) – **virtue**(선, 선행, 미덕)

유형 연습

정답 및 해설 pp. 59-60

1 (A), (B), (C)의 각 네모 안에서 문맥에 맞는 낱말로 가장 적절한 것은?

Although many people believe that e-cigarettes are (A) [harmful / harmless], studies have shown that this is not true. Compared with non-users, e-cigarette users are 71 percent more likely to suffer a stroke. They also have a 59 percent higher risk of having a heart attack and a 40 percent higher risk of developing heart disease. This may be because smoking e-cigarettes (B) [contributes / distributes] to an increase in the fatty deposits found in the arteries. It also causes processes and reactions that can (C) [cope / interfere] with the normal circulation of blood through the body. Eventually, this may trigger a heart attack or a stroke. This is actually <u>the same dangerous pattern</u> caused by smoking normal cigarettes. Therefore, to improve their health, people should stop smoking all kinds of cigarettes, including e-cigarettes.

words
- e-cigarette 전자 담배
- non-user 비사용자
- suffer 겪다, 고통받다
- stroke 뇌졸중
- heart attack 심장 마비
- increase 증가
- fatty 지방으로 된
- deposit 침전물
- artery 동맥
- circulation 순환
- trigger 유발하다
- improve 개선하다

	(A)		(B)		(C)
①	harmless	……	contributes	……	cope
②	harmless	……	distributes	……	interfere
③	harmless	……	contributes	……	interfere
④	harmful	……	distributes	……	interfere
⑤	harmful	……	contributes	……	cope

내신·서술형 대비

1. 윗글의 내용을 한 문장으로 요약할 때, 빈칸에 들어갈 말을 보기에서 골라 쓰시오.

보기	harmful	normal cigarettes	our health	e-cigarettes

__________ are as __________ to __________ as __________.

2. 윗글의 밑줄 친 the same dangerous pattern으로 언급된 2가지를 본문에서 찾아 우리말로 쓰시오.

(1) ______________________________

(2) ______________________________

2 (A), (B), (C)의 각 네모 안에서 문맥에 맞는 낱말로 가장 적절한 것은?

Avoiding threats and potential losses was often a matter of life or death for early humans. Because of this, we now consider the (A) prospect / perspective of loss to be more important than the possibility of gains. Life is much safer today, but our brains still work like those of our ancestors, which makes us (B) prone / immune to making irrational decisions. One example is the sunk cost fallacy. A sunk cost is an investment of time, money, or effort that you cannot recover. For example, imagine you watched the first 30 minutes of a movie in a theater before realizing it is terrible. What would you do? Many people would choose to keep watching, in order to (C) reject / justify their sunk cost — 그들이 이미 그것을 보는 데 쓴 시간 and the money they spent on the ticket. It would be more rational, however, to spend the next 90 minutes doing something more enjoyable.

	(A)		(B)		(C)
①	prospect	……	prone	……	reject
②	prospect	……	immune	……	reject
③	prospect	……	prone	……	justify
④	perspective	……	immune	……	justify
⑤	perspective	……	prone	……	reject

words

threat 위협
potential 잠재적인
loss 손해, 손실
prospect 가능성, 전망
perspective 관점
ancestor 조상
prone to ~하기 쉬운
immune to ~에 면역력이 있는
irrational 비합리적인
sunk cost 매몰 비용
fallacy 오류
investment 투자
recover 복구하다, 회복하다
realize 깨닫다
reject 거절하다
justify 정당화하다

내신·서술형 대비

1. 윗글의 밑줄 친 우리말을 보기 에 주어진 단어를 이용하여 영작하시오. (7단어/필요하면 어형을 바꿀 것)

보기 the time, already, spend, watch

____

2. 주어진 영영 풀이에 해당하는 단어를 윗글에서 찾아 쓰시오.

n. an idea which many people believe to be true, but which is in fact false because it is based on incorrect information or reasoning

정답 및 해설 pp. 60-61

3 다음 글의 밑줄 친 부분 중, 문맥상 낱말의 쓰임이 적절하지 않은 것은?

People involved in relationships can't ① avoid conflict. If the conflict is handled well, it can actually make the relationship stronger. If it is not, it can have negative effects, leading to frequent arguments and uncomfortable silences. One way to ② ensure you handle conflict appropriately is by being honest and open about how you feel and what you need. At the same time, you should accept and respect the feelings and needs of the other person. You can ③ sympathize with other people better by imagining how they must be feeling. This will allow you to view the conflict from the other person's ④ perspective. People don't always have to agree with one another. What makes us unique as human beings is that we all have different views — it is this ⑤ uniformity that helps make our relationships exciting and special.

words

involved 관련된, 관여된
relationship 관계
conflict 갈등
handle 다루다
lead to ~을 초래하다, ~로 이어지다
argument 논쟁, 말다툼
ensure 확실하게 하다, 보장하다
appropriately 적절하게
sympathize 공감하다
perspective 관점
unique 독특한
human being 인간
uniformity 획일성

내신•서술형 대비

1. 갈등을 다루는 방법에 관해 아래와 같이 요약할 때, 빈칸에 들어갈 단어를 윗글에서 찾아 쓰시오.

To resolve a conflict, you need to be ____________ and open about how you ____________ and what you need, and you should view the ____________ from the other person's ____________.

2. 주어진 영영 풀이에 해당하는 단어를 윗글에서 찾아 쓰시오.

(1) *n.* an angry discussion or a situation in which two or more people disagree : ____________

(2) *n.* the way two people or two groups feel and behave towards each other : ____________

4 다음 글의 밑줄 친 부분 중, 문맥상 낱말의 쓰임이 적절하지 않은 것은?

When parents and children read together, there are many benefits. Not only it boosts language development in children, it also strengthens their ① bond with their parents. However, not all book types are ② equal. Research suggests that paper books are superior to e-books in enhancing parent-child interaction. In a study, researchers ③ observed 37 pairs of parents and toddlers engaging in reading activities. During the study, parents used three types of books: Paper books, e-books, and e-books with sound effects and animations. The researchers found that the parents and toddlers reading e-books interacted ④ more and spent much of their time explaining how to use the device. This hinders the children's opportunity to freely communicate with their parents while reading. ⑤ Unlike e-books, paper books promote a good interaction that enriches a child's love for reading, and enhances it with age.

words

- **benefit** 장점
- **boost** 끌어올리다, 촉진하다
- **strengthen** 강화하다
- **bond** 유대감
- **superior** 우세한, 우월한
- **enhance** 향상시키다, 높이다
- **interaction** 상호 작용
- **observe** 관찰하다
- **toddler** 유아, 걸음마를 배우는 아이
- **engage in** ~에 참여하다
- **interact** 상호 작용을 하다
- **device** 장비, 장치
- **hinder** 막다, 방해하다
- **promote** 촉진하다

내신·서술형 대비

1. 윗글의 밑줄 친 부분에서 어법상 틀린 부분을 찾아 바르게 고치시오.

____

2. 다음 중 윗글의 내용과 일치하는 것은?

① 부모와 아이가 함께 책을 읽을 때 아이들의 언어 발달이 지연된다.
② 전자책보다 종이책을 읽을 때 부모와 아이의 상호 작용이 감소된다.
③ 전자책을 읽을 때는 장치 자체에 대한 말을 많이 하게 된다.
④ 전자책을 읽는 동안 아이들이 부모와 자유롭게 의사소통하는 기회가 많아진다.
⑤ 전자책은 아이들의 독서에 대한 흥미와 애정을 강화시킨다.

정답 및 해설 pp. 61-62

5 다음 글의 밑줄 친 부분 중, 문맥상 낱말의 쓰임이 적절하지 않은 것은?

We may need to change the way we view adolescence — the period when children become adults. Scientists in Australia now say adolescence can start as early as the age of 10 and continue until the age of 24. This is partly due to the fact that puberty is beginning earlier than it did in the past. It used to start around 14, but changes in nutrition mean it now starts ① sooner, sometimes at the age of 10. The reason the upper age of adolescence has increased is largely social. Young people now stay in school longer and ② delay marriage and parenthood. The scientists say that society must adjust to this ③ wider range of adolescence by changing some laws. In many countries, people legally become adults at 18, but the actual adoption of adult responsibilities is occurring ④ earlier. There are actually some big ⑤ differences in the legal age of adulthood from country to country. In Indonesia, for example, it is 15, but in Singapore it is 21.

words

- **adolescence** 청소년기
- **period** 기간
- **puberty** 사춘기
- **nutrition** 영양
- **upper** 위쪽의, 상부의
- **largely** 대체로, 주로
- **parenthood** 부모로서의 신분
- **adjust to** ~에 맞추다, 적응하다
- **range** 범위
- **legally** 법률적으로
- **adoption** 채용, 채택
- **responsibility** 책임, 의무
- **occur** 발생하다, 일어나다
- **adulthood** 성년, 성인

내신•서술형 대비

1. 다음 주어진 조건에 맞게 우리말을 영작하시오. (9단어)

조건	• 본문에 나온 구문을 이용할 것 • 괄호 안의 단어를 이용할 것(단, 필요한 경우 어형을 바꿀 것)

그가 거짓말을 했다는 사실 때문에 그 선거에서 졌다. (lose, election)

→ ______________________________ he had lied.

2. 밑줄 친 The reason에 해당하는 구체적인 원인으로 언급된 것을 우리말로 쓰시오. (30자 내외)

____

6 다음 글의 밑줄 친 부분 중, 문맥상 낱말의 쓰임이 적절하지 않은 것은?

Anthropology compares different groups of people to better understand the wide range of human behavior. It doesn't judge other people's values or ① divide societies into categories like "underdeveloped" and "developed." However, anthropologists don't suspend all judgements about people's actions; for example, they won't ② defend violence committed in the name of a culture. Instead, they seek to understand why people act the way they do and how they view them. This is known as cultural relativism, and it's an essential tool for anthropologists. It sees societies as being ③ qualitatively different from one another, each with its own inner logic. A society might rank low in terms of literacy, for example, but this may turn out to be completely ④ irrelevant if the members of the society have no interest in books. Cultural relativists would never ⑤ deny that one society is better than another.

words

- **anthropology** 인류학
- **judge** 판단하다
- **underdeveloped** 저개발의, 후진국의
- **developed** 발달한, 선진의
- **suspend** 보류하다, 중단하다
- **defend** 옹호하다, 변호하다
- **violence** 폭력
- **commit** 저지르다
- **relativism** 상대주의
- **essential** 필수적인
- **qualitatively** 질적으로
- **rank** 순위를 차지하다
- **in terms of** ~면에서
- **literacy** 읽고 쓰는 능력
- **turn out** 밝혀지다
- **irrelevant** 관계 없는

내신·서술형 대비

1. 윗글의 밑줄 친 them을 어법에 맞게 쓰시오.

____

2. 다음은 윗글을 요약한 것이다. 빈칸에 들어갈 알맞은 단어를 윗글에서 각각 찾아 쓰시오.

Cultural ______________ is an indispensable tool for ______________.

Part II

수능 실전 대비

01 다음 글에 드러난 I의 심경 변화로 가장 적절한 것은?

Last month my friend Jason and I decided to go camping at a lake deep in the woods. We spent the day out on the lake, fishing for trout. We couldn't believe our luck—we pulled fish after fish onto the boat, each one bigger than the one before. Once we had caught the legal limit, we headed back to shore and started a campfire. There's nothing more delicious than fresh trout roasted over an open fire. As we ate, the sun went down. That's when Jason started telling ghost stories. Jason is a great storyteller, but sometimes his stories are too realistic. As he talked about a devil dog that roamed the woods at night, my heart began to pound in my chest. The idea of an evil dog was just too horrible. Just then, a dog began to bark in the darkness.

① excited → bored
② delighted → scared
③ worried → relaxed
④ amused → annoyed
⑤ doubtful → satisfied

02 다음 글에서 필자가 주장하는 바로 가장 적절한 것은?

Physical education classes are important because they provide students with the opportunity to exercise regularly. They include activities that raise the heart rate, increase the pulse rate, and get the metabolism working. They also include activities designed to increase coordination, such as catching a ball and shooting an arrow at a target. The physical effort involved in these classes promotes the production of endorphins, hormones believed to improve mood and create pleasurable feelings. This allows students to go to their next class feeling cheerful, relaxed and ready to focus on their lessons. Finally, they can improve their social skills by following the rules in physical education classes. Although disputes do occur during competitions, teachers can use these moments to teach students about resolving conflicts in a positive manner. Recently there have been calls to reduce the number of physical education classes, but they should remain as they are now.

*metabolism 신진대사

① 체육 수업의 중요성을 널리 알려야 한다.
② 체육 수업 전에 건강 상태를 점검해야 한다.
③ 체육 수업 프로그램이 다양화되어야 한다.
④ 체육 수업과 다른 교과 수업을 융합해야 한다.
⑤ 체육 수업을 현행대로 계속 실시해야 한다.

03 다음 글의 요지로 가장 적절한 것은?

Today's economy is mostly industrial. Businesses and manufacturers rely on machines and artificial materials to create goods. However, it seems inevitable that we are moving towards a bioeconomy. Producing renewable bioresources and converting these resources and waste into value-added products such as food, feed, bio-based products and bioenergy are key to the bioeconomy. For example, natural materials such as sugarcane, corn and even animal waste can be used to make biofuels, as well as oils and fertilizers. In fact, there are endless possibilities for the industrial application and refinement of biological processes. Such a change in the way we do things will be challenging, but it will also be exciting. Together, we can find ways to replace old factories and machines with alternatives that do less harm to our planet. The future is coming, and we have a chance to make it smarter, cleaner and better for everyone.

① 제품 개발을 위해서는 기업과 제조사 간의 협업이 필수적이다.
② 천연 재료를 활용한 친환경 제품을 지속적으로 개발해야 한다.
③ 바이오 경제는 기존의 산업 방식을 바꾸는 대안이 될 수 있다.
④ 산업 경제 활동과 폐기 물질이 환경 오염의 주된 원인이 된다.
⑤ 바이오 경제 주도권을 위한 경쟁에 적극 대응해야 한다.

04 Under the Waterfall에 관한 다음 안내문의 내용과 일치하지 않는 것은?

Under the Waterfall
East Asia's Most Popular Boat Tour

The best place to experience the Yellow River Waterfall is from underneath it. The Under the Waterfall boat tour will take you as close to the waterfall as possible!

• Prices

Ticket Type	Age	Price
Adult	13+	$19
Child	5 to 12	$11
Infant	4 and under (with accompanying adult)	Free

※ Ticket prices include the elevator ride from the main building down to the dock, which normally costs $1.25 per person. Raincoats are also provided.

• Operating Hours

- Weekdays: every 30 minutes, 9 a.m. to 5 p.m.
- Weekends: every 30 minutes, 9 a.m. to 6 p.m.

• We do not accept advance reservations.
• Ticket prices and tour schedules may change without notice.
• Our ticket office closes 15 minutes before the last scheduled departure of each day.
• A little rain won't stop the Under the Waterfall tour! We only cancel departures in the case of extreme weather conditions.

① 4세 이하는 무료이다.
② 엘리베이터 사용료 1.25달러를 추가로 내야 한다.
③ 사전 예약이 불가능하다.
④ 평일 운영 시간은 오전 9시부터 오후 5시까지이다.
⑤ 매표소는 마지막 배가 출발하기 전에 닫는다.

05 Schoonschip에 관한 다음 글의 내용과 일치하지 않는 것은?

Schoonschip is a neighborhood project creating sustainable houses that float on the water. Schoonschip is a Dutch word that means "clean ship" in English. The project is taking place on the Johan van Hasseltkanaal, a side canal in the north of Amsterdam. It was created as a way of dealing with the limited amount of available land in Amsterdam, which is expected to decrease due to rising sea levels. The houses all have solar panels, and the electricity that each house creates can be shared. They also have batteries in their basements for storing electricity and some have green roofs where fruit and vegetables can be grown. And water pumps are used to extract heat from the canal during the colder months of the year. Other cities around the world are watching the Schoonschip project carefully. There are many lessons to be learned about how to live in harmony with nature, even in an urban environment.

① '깨끗한 배'를 의미하는 말이다.
② 암스테르담 북쪽의 측설 운하에서 진행 중이다.
③ 해수면 상승으로 인한 가용 부지의 감소를 해결하는 방법의 일환이다.
④ 지붕에 태양열로 발전된 전기를 저장할 수 있는 배터리가 있다.
⑤ 일부 집에는 과일과 야채를 재배할 수 있는 지붕이 갖춰져 있다.

06 (A), (B), (C)의 각 네모 안에서 문맥에 맞는 낱말로 가장 적절한 것은?

People often say, "You are what you eat." Although this makes sense, when you eat is just as (A) [practical / critical]. Experts say you should pay attention to your body's inner clock, which guides you to wake and sleep automatically, when planning your meals. By eating in tune with it, you will be giving your body fuel when it is active and allowing it to rest when it is tired. Ignoring your body's natural sleep rhythms by eating late at night can raise your blood sugar levels, which puts you at risk for diabetes. This is because the human body (B) [evolved / involved] to eat during the day, when the energy could be used for survival activities. Therefore, your body allows a hormone called insulin to distribute glucose to your cells during the day. At night when we're less active, your body's (C) [insistence / resistance] to insulin is higher, so eating at night causes your body to simply store the calories as fat.

	(A)		(B)		(C)
①	critical	……	evolved	……	insistence
②	critical	……	involved	……	resistance
③	critical	……	evolved	……	resistance
④	practical	……	evolved	……	insistence
⑤	practical	……	involved	……	insistence

07 다음 빈칸에 들어갈 말로 가장 적절한 것은?

Empathy and sympathy are used similarly and often interchangeably but differ subtly in their emotional meaning. Empathy involves both recognizing the suffering of others and understanding their emotions because you have felt them yourself or put yourself in their shoes. It should not be confused with sympathy, which is merely the recognition of the distress felt by others. Feeling sympathy means you feel sorry for someone's situation, even if you've never been there yourself. Empathy is when you truly understand and can feel what another person is going through. Compared to empathy, sympathy displays a lower degree of understanding and engagement with the situation faced by the suffering person. ______________________, empathy is generally felt only for other people, not for animals. For example, you can sympathize with a horse that is forced to pull a heavy load, but it is unlikely that you can truly empathize with it.

① Unless other emotions are involved
② Since it requires shared experiences
③ Because it occurs in tragic situations
④ When victims feel they are powerless
⑤ In the same way as sympathy and pity

08 다음 빈칸에 들어갈 말로 가장 적절한 것은?

Every time we recall a past event, we are likely to make tiny mistakes or exaggerations. A recent experiment has shown that this often occurs when we tell the same story to different audiences. And these changes don't just affect how we tell the story to others — ______________________. Participants were shown a video of two men fighting. Afterward, they had to describe the video to a stranger. Half of the participants were told that the stranger didn't like one of the men in the video. The others were told that the stranger liked this same man. The group that thought the stranger disliked the man described his behavior more negatively than the other group did. More importantly, when they were later asked about details of the video, they recalled the man's behavior as being worse than it actually was.

① they also involve who we tell it to
② they also explain the behavior of others
③ they also affect how we remember it
④ they also affect what others believe
⑤ they also change our social relationships

09 주어진 글 다음에 이어질 글의 순서로 가장 적절한 것은?

> You might think that the ideal vacation involves spending all of your time lying on a beach or relaxing in a forest. But how about doing some good while you travel? You can do this if you take a volunteer vacation.

(A) For example, in countries that have weak education systems, you can spend some time teaching local kids. Or if you're an animal lover, you can combine a whale-watching trip with volunteer work that protects the habitats of sea turtles.

(B) A volunteer vacation, also referred to as a working vacation, gives you the opportunity to do volunteer work in a local community while traveling. There is a need for different types of volunteers everywhere.

(C) To learn more about taking a volunteer vacation, including the ones mentioned above, you can contact nearby charities in your area. There are also some organizations that specialize in organizing volunteer vacations.

① (A) – (C) – (B)
② (B) – (A) – (C)
③ (B) – (C) – (A)
④ (C) – (A) – (B)
⑤ (C) – (B) – (A)

10 다음 글의 내용을 한 문장으로 요약하고자 한다. 빈칸 (A), (B)에 들어갈 말로 가장 적절한 것은?

> The New York Museum of Metropolitan of Art purchased an artifact — the gold-plated coffin of a first-century-BC priest — from an art dealer in 2017. But the museum announced that they would return the valuable artifact to its homeland, Egypt. This is because it was discovered that the coffin was stolen. There are more artifacts and works of art in European and American museums that were taken illegally from their homelands in the past. Museums should release information about where and how they obtain each artifact to the public. They should also assist in the process of returning artifacts which turn out to be stolen to their home countries. If any items do not have proper documentation, the museums should refuse to purchase them. If these positive steps are taken, artifacts will be more likely to remain in their home countries.

⬇

> European and American museums should return ______(A)______ obtained artifacts to their homelands and refuse to purchase those of ______(B)______ origins.

	(A)		(B)
①	carefully	······	private
②	recently	······	cultural
③	illegally	······	doubtful
④	secretly	······	ancient
⑤	easily	······	unusual

[11-12] 다음 글을 읽고, 물음에 답하시오.

A "sleeper hit" is a movie that does poorly in the box office when it is first released but goes on to become a major hit. This is (a) unusual because movies generally earn most of their money in their first week, when they are most heavily promoted. A weak opening weekend is usually enough to make industry experts label a movie a "box office bomb," meaning it has failed badly. This is because it is very (b) common for movies to become more profitable after a disappointing first weekend. Sleeper hits, however, (c) defy this trend. In fact, sleeper hits are so unexpected that movie studios must increase the number of theaters they are being shown in to meet public demand.

There are a few scenarios that can contribute to a sleeper hit starting out slowly, including neutral or negative critical reviews, poor marketing, and fierce box office competition. While these factors cause a movie to underperform, what typically turns things around is word of mouth. As viewers share (d) positive feedback with family members, friends, and coworkers, the film's audience begins to grow. However, movies that are highly anticipated by a certain fan base, such as sequels, superhero franchises, or adaptations of popular novels, are (e) unlikely candidates to become sleeper hits.

11 **윗글의 제목으로 가장 적절한 것은?**

① How to Predict the Success of a Movie
② Why Box Office Experts Are Often Wrong
③ Major Hit Movies Can Actually Lose Money
④ Movies That Exceed Box Office Expectations
⑤ Effective Marketing Tools to Promote Movies

12 **밑줄 친 (a)~(e) 중에서 문맥상 낱말의 쓰임이 적절하지 않은 것은?**

① (a) ② (b) ③ (c) ④ (d) ⑤ (e)

01 다음 글의 분위기로 가장 적절한 것은?

Richard walked along the empty street, feeling the cold morning air on his skin despite his thick coat. His eight-year-old son walked beside him, carrying his schoolbag and happily humming a song. Glancing over his shoulder, Richard spotted someone on the sidewalk behind them. It was a large man with his hat pulled down to hide his face. He was walking quickly and getting closer. Richard took a deep breath and tried to remain calm. He had been threatened two or three times in the past. As one of the city's richest merchants, he and his family were constantly in danger. If the man wanted his money, Richard decided, he would simply give it to him to avoid any trouble. Just then the man stopped in front of Richard and his son, pulling something out of his pocket.

① thrilling and fun
② exciting and festive
③ gloomy and mysterious
④ boring and monotonous
⑤ threatening and urgent

02 다음 글의 요지로 가장 적절한 것은?

When people are negotiating, they often choose to see only what they want to see. They look over all of the information in front of them and then pick out the facts that confirm their prior perceptions. They also tend to disregard or misinterpret those that call their perceptions into question. But this can be a problem because a successful negotiator must be able to see the situation through the other person's eyes. This doesn't mean that you need to agree with their point of view. A better understanding of their thinking may lead you to revise your own views about the merits of a situation. Doing so has no cost, and it doesn't weaken your position. In fact, it often improves the negotiations, as it can reduce conflict and eliminate some of the disagreements between the two sides.

① 협상 중에 의견을 바꾸는 것은 신뢰를 떨어뜨릴 수 있다.
② 상대방의 관점을 이해하는 것이 성공적인 협상을 이끌 수 있다.
③ 성공적 협상을 위해, 유리한 근거들을 가능한 한 많이 모아야 한다.
④ 협상을 할 때, 다양한 근거를 제시하는 것이 상대를 설득하는 데 효과적이다.
⑤ 협상에 임할 때, 사전에 가지고 있었던 정보의 정확성을 미리 검증해야 한다.

03 다음 글의 제목으로 가장 적절한 것은?

Approximately 60% of wild coffee species may go extinct in the near future, including Arabica, the most popular species of coffee. Most wild coffee plants are found in the jungles of Africa, where they face threats from habitat loss, climate change, pests and diseases. Furthermore, climate change is also threatening the health of many existing types of cultivated coffee. In Ethiopia, for example, the amount of land where Arabica coffee grows is expected to be reduced by up to 85% by 2080, and up to 60% of the land used for Ethiopia's coffee production could become unsuitable by the end of the century. If wild coffee species are wiped out, it will be difficult for the coffee industry to develop new types of coffee in the future. Coming up with new varieties is vital to the sustainability of the coffee industry, as these new species may be more resistant to disease and adverse climate conditions.

① Where Was Coffee First Cultivated by Humans?
② How to Manage Risks within the Coffee Industry
③ Endangered Wild Coffee Species Threatening the Coffee Industry
④ Several Differences between Arabica and Other Coffee
⑤ How Is the Coffee Industry Protecting the Environment?

04 밑줄 친 go back to the drawing board가 다음 글에서 의미하는 바로 가장 적절한 것은?

When a project fails, someone is likely to say, "Let's go back to the drawing board." However, this is not how the creative process works in reality. The Wright brothers, for example, are considered to have invented the first successful flying machine in 1903. However, some people made important advances in aviation before them, including Otto Lilienthal, Samuel Langley, and Octave Chanute. The Wright brothers wisely paid close attention to their work and learned from it. When they finally created the world's first airplane, it was by building on the efforts of those who came before them. This is a quite common situation, as most innovative creations are based on a combination of old ideas and new ones. It's important to scrutinize failed processes of the past in order to figure out what should be kept and what needs to be improved.

① write down the reason why the project failed
② use visual tools to analyze the project
③ look into and learn from others' failures
④ discuss the possible outcomes of re-trying the same idea
⑤ start all over again from the beginning

05 George Westinghouse에 관한 다음 글의 내용과 일치하지 않는 것은?

George Westinghouse was born in New York in 1846. His father was a machine shop owner, and Westinghouse showed a talent for machinery and business as a young man. In 1867 he invented a railroad braking system which revolutionized rail safety. After the Westinghouse system became widely accepted, he turned his attention to the electrical field. Despite the opposition of many people, including Thomas Edison, Westinghouse introduced an alternating current (AC) system for transmitting electricity long distances. In 1886, he established a new company, the Westinghouse Electric Company, which began producing the first large alternator, as well as transformers, turbine generators, and other types of electrical equipment. It also obtained patents for more than 400 inventions and worked on early power projects, including the construction of power stations. Westinghouse was a pioneer and leader of American industry until he was forced to step down due to the banking panic of 1907. He died in 1914 in New York City at age 67.

① 아버지가 기계 공장의 주인이었다.
② 그가 발명한 열차 브레이크 시스템은 널리 쓰이게 되었다.
③ 많은 사람들이 그의 교류 시스템 도입에 반대했다.
④ 그의 회사는 400개가 넘는 전기 장비의 특허를 보유했다.
⑤ 금융 공황으로 회사에서 사임한 이듬해 사망했다.

06 다음 글의 밑줄 친 부분 중, 문맥상 낱말의 쓰임이 적절하지 않은 것은?

In ancient Greece, women had few opportunities to hold positions of power. That's why the role of the priestess of the Temple of Apollo at Delphi ① stands out. She was an important part of a powerful religious organization, and her job often ② involved telling powerful people unwelcome truths. For example, a man from Sparta once visited the temple hoping to be ③ confirmed as the world's wisest man. The priestess, however, told him that someone else was wiser. In other situations, powerful men in ancient Greece would not have accepted this kind of ④ straight talk from a woman. However, the Greeks believed that the god Apollo himself conveyed his superior divine knowledge through the priestess, so she was considered to be above the ⑤ praise of normal humans.

07 밑줄 친 부분이 가리키는 대상이 나머지 넷과 다른 것은?

Greg Maddux was born in San Angelo, Texas in 1966. Although he graduated from a high school in Las Vegas, he spent part of his childhood in Madrid, Spain, where ① his father, Dave Maddux, was stationed at an Air Force base. Dave taught Greg and his older brother Mike the fundamentals of baseball. Both of ② his sons began their major league careers in 1986. Greg won the Cy Young Award for four consecutive years (1992-1995) and won at least 15 games in 17 straight seasons, making him one of only two players to do so. ③ He also holds the record for most Gold Gloves with 18. The 1990s were the peak of ④ his career, and he won more games during that decade than any other MLB pitcher. ⑤ He retired after the 2008 season with a lifetime record of 355 wins and 227 losses.

08 다음 빈칸에 들어갈 말로 가장 적절한 것은?

It's natural to get nervous in certain situations. Nervousness is usually caused by the pressure we put on ourselves to do well, and a certain amount of nervousness can actually help us perform better. Unfortunately, we sometimes worry so much about making sure that everything is perfect that ________________________. Our nervousness drives us to start paying too much attention to little details that we normally handle automatically, especially when it comes to things that we do all the time. This kind of overly intense focus can disrupt our performance. It's like walking up a set of stairs, something you probably do every day without any problems. But if you start focusing on how to bend your knees properly or worrying about where you put your feet, there's a very good chance that you'll stumble and fall.

① our desire to reach our goals begins to fade
② others have excessive expectations for us
③ we unconsciously miss out on small things
④ we ignore the influence of those around us
⑤ we accidentally undermine ourselves

09 다음 빈칸에 들어갈 말로 가장 적절한 것은?

The term *deus ex machina* refers to a situation in fiction or drama where an unexpected character arrives or something extremely unlikely occurs and provides a contrived solution to an insolvable difficulty. For example, the main characters might get trapped in a dangerous situation, but someone suddenly appears from nowhere and rescues them. The term literally means "god from a machine" in Latin. "Machine," in this case, refers to the cranes used to lower actors playing gods onto the stage, where they would set things right at the end of the play. *Deus ex machina* is still a common plot device in films, novels, and short stories today. However, it is often considered a sign of an ill-structured plot. Instead of using a logical situation, the writer relies on something unbelievable, ________________________ of the story.

① defining the key roles
② creating the main drama
③ maximizing the capacities
④ representing the necessary interventions
⑤ highlighting the inherent deficiencies

10 글의 흐름으로 보아, 주어진 문장이 들어가기에 가장 적절한 곳은?

> As a result, people feel the need to protect themselves from feelings of personal failure.

When you do well on a test, you may believe that it's because you studied hard. (①) But when you failed an exam, you may blame outside forces, saying the classroom was too warm or the teacher didn't explain the subject correctly. (②) This is a good example of a self-serving bias. It is generally more common in Western countries, where individual achievement is of greater importance. (③) On the other hand, in collectivist cultures, where personal success is viewed as luck and failures as lack of talent, self-serving bias is likely to occur less commonly. (④) It is also less likely to occur with people who are in a close relationship, whether it is a romance or a friendship. (⑤) Having someone around who you like and trust, in other words, can make you more honest when it comes to accepting responsibility for a bad situation.

[11-13] 다음 글을 읽고, 물음에 답하시오.

(A)

A young boy was playing basketball in the driveway of his home when the ball rolled into the street. Chasing after it, he was struck by a passing automobile and suffered serious head injuries. He was rushed to a nearby hospital, where (a) he lay in a coma after undergoing surgery. Despite the efforts of his doctors, as well as those of the friends and family members who came to visit him, he showed no signs of recovery.

(B)

As soon as the dog was placed on the boy's bed, the boy began to react. Within moments he was reaching out and touching (b) him with his hand. Finally, when the dog licked his face, the boy opened his eyes slowly for the first time in weeks. He even managed to say the dog's name a few times. Although the doctors are still not sure if (c) he will ever recover completely, he has been making great progress since that day.

(C)

Some people might consider what happened to be amazing. However, the doctors weren't surprised that the boy's dog managed to do what his friends and family members could not. "Children and their pets often have a very special relationship," said one of them. "In this case, the patient clearly loves his dog, and his dog loves (d) him back. We will definitely continue to let them enjoy time together on a regular basis."

(D)

This continued for weeks, until one morning when (e) his parents began talking about his pet dog, Cody. To their surprise, the boy seemed to respond to the dog's name, moving one of his arms and one of his legs. Excited, his parents requested permission from the boy's doctors to bring his dog into the hospital. After much discussion, the doctors agreed to let the dog into the boy's room during the next visiting hours.

11 **주어진 글 (A)에 이어질 내용을 순서에 맞게 배열한 것으로 가장 적절한 것은?**

① (B) – (D) – (C)　② (C) – (B) – (D)
③ (C) – (D) – (B)　④ (D) – (B) – (C)
⑤ (D) – (C) – (B)

12 **밑줄 친 (a)~(e) 중에서 가리키는 대상이 나머지 넷과 다른 것은?**

① (a)　② (b)　③ (c)　④ (d)　⑤ (e)

13 **윗글의 소년에 관한 내용으로 적절하지 않은 것은?**

① 공을 잡으러 가다가 교통사고를 당했다.
② 수술 후 혼수상태로 병실에 누워 있었다.
③ 애완견의 도움으로 완전히 회복되었다.
④ Cody라는 이름의 애완견을 갖고 있었다.
⑤ 의사들의 허락을 받아 애완견을 만났다.

01 다음 글의 목적으로 가장 적절한 것은?

Due to the severe winter conditions our region has been experiencing over the past few weeks, the town of Oakville is now struggling with supply issues related to the rock salt used to treat our icy roads. As our supply is dangerously low, we will be applying less rock salt to the roads than we usually do until we receive a new shipment. Therefore, residents are cautioned to be extra careful when driving around town. We will continue to remove snow from the roads and apply rock salt to hills, curves and intersections, but other parts of the roads may develop patches of ice. We would like to thank the town's employees for all of their efforts to keep the roads as safe as possible during this difficult time, and we would also like to thank all of our residents for their patience, cooperation and understanding.

① 혹한이 다가옴을 알려 대비하게 하려고
② 암염 부족을 알리고 안전 운전을 당부하려고
③ 추위에 대비해 암염 공급을 요청하려고
④ 집 앞 도로에 쌓인 눈 청소를 부탁하려고
⑤ 교차로 운행 시 교통 신호 준수를 당부하려고

02 다음 글에 드러난 Robert의 심경으로 가장 적절한 것은?

Robert looked up as the nurse entered the room. She gave him a warm smile, but her face looked worn out and tired. It was late, and she probably had been working all day. Painfully pulling himself up into a sitting position in the bed, he accepted the small cup of pills she offered him. By the time he had swallowed them all, she was gone, leaving him alone again. His operation was in the morning, and still no one had come to visit him. Anything could happen tomorrow. The operation could be a great success, or it could be a failure. He could die. He should have been with his friends and family, but instead he was all by himself, waiting to see if the nurse would return. He tried to recall happier times in the past, but he couldn't think of any.

① lonely and distressed
② upset and impatient
③ relieved and grateful
④ shocked and ashamed
⑤ curious and hopeful

03 다음 글의 주제로 가장 적절한 것은?

If you have trouble remembering things, there are a couple of methods you can use to improve your memory. The first is organizing the information into groups. The way it is organized isn't important. It can be by the first letters of the words, the length of the words, or anything you choose. Once the information has been arranged into groups, you'll find that memorizing it is much easier. To remember a list of 35 animals, for example, you can organize those animals into 5 groups — mammals, reptiles, birds, fish, and insects — and it'll be easier to recall the information. The second method is using association. Whenever you learn a new piece of information, try to associate it with something you already know. So, if you want to remember the year of a historical event, think of something else that happened that year. This will attach the new information to something that is already stored in your long-term memory.

① what kind of information is the most valuable
② how to arrange things in order to memorize them
③ whether memorization is important in the digital age
④ how you can memorize things more efficiently
⑤ how to find important patterns in information

04 다음 글의 요지로 가장 적절한 것은?

Children who have eaten a healthy breakfast perform better in the classroom. Their concentration is sharper, and their health, attitude, and overall well-being benefit. Unfortunately, there are millions of students who head to school each day without having eaten a proper breakfast. When schools offer a morning meal to these hungry students, it can have a powerful impact, causing both their grades and attendance to improve. It also creates stronger social bonds between the students who eat together every day before class. Their parents, who may be facing problems of their own, also benefit — they can send their children off to school every morning knowing they will be happy and well fed. As adults and educators, it is our responsibility to create an environment in which students have all the advantages they need to meet their full potential. It's time to make sure they have a good breakfast every morning.

① 아침 식사와 성적은 상관관계가 있다.
② 아침 식사를 제공하는 학교에 보조금을 지급해야 한다.
③ 학교에서 학생들에게 아침 식사를 제공해야 한다.
④ 학생들에게 아침 식사의 중요성에 대해 가르쳐야 한다.
⑤ 문제가 있는 부모들은 아침 식사를 차려주지 않는다.

05 다음 표의 내용과 일치하지 않는 것은?

Exports of the Top Seven Sectors
of the Korean Content Industry

(1,000,000 dollars)

Sector	2013	2014	2015	2016	2017
Gaming	2,715	2,974	3,215	3,277	3,906
Character	446	489	551	613	649
Knowledge information	457	480	516	566	630
Broadcasting	309	336	320	411	493
Music	277	336	381	443	455
Publishing	292	247	223	187	221
Content solution	155	168	176	188	197

The above table shows the earnings from the exports of the top seven sectors of the Korean content industry from 2013 to 2017. ① All of the sectors experienced an overall increase in earnings in 2017 when compared to the 2013 numbers, with the exception of the publishing industry. ② The gaming industry accounted for the highest export earnings each year, with its 2017 earnings more than five times higher than those of the next-highest sector, the character industry. ③ The export earnings of the broadcasting industry dropped a bit in 2015, but they then increased sharply, surpassing those of the character industry in the last two years shown on the table. ④ The export earnings of the music industry increased steadily across the entire five-year span, with an increase of more than $175 million from 2013 to 2017. ⑤ The content solution industry accounted for the lowest earnings each year except 2016, when the publishing industry earned only $187 million.

06 다음 글의 밑줄 친 부분 중, 어법상 틀린 것은?

Imagine you're shopping for a new bag online. After ① browsing a few sites, you surf over to an article on a news site. There, right next to the article, you see an ad for the exact bag you ② were admiring minutes earlier. "What a coincidence!" you think, and then you switch over to a weather site to find out if it's going to rain. Then you see another ad for the same bag again! It's not magic, and it's not a coincidence. It's called targeted advertising, and it's been on the Internet since the late 1990s. Before targeted advertising, companies tried ③ to reach online consumers the same way they reached those watching TV. If they were advertising sports equipment, sports shows would feature their ads, and so ④ would sports websites. Later, these companies started using data ⑤ collecting from Internet users' browsing history. This data now allows them to create personalized ads and promotions that follow people across the Internet.

07 (A), (B), (C)의 각 네모 안에서 문맥에 맞는 낱말로 가장 적절한 것은?

Some bacteria eat bizarre things, including rocks, sewage, and nuclear waste. There is even a species of marine bacteria that live on the sea floor and eat methane. Methane is a greenhouse gas that is (A) [released / realized] into the air when oil, gas and coal are burned. An (B) [access / excess] of greenhouse gases in Earth's atmosphere has accelerated global warming. There are also natural sources of methane, such as natural gas and cow manure. Some of the natural methane seeps out from the sea floor. If it weren't consumed by these bacteria, even more methane would escape into the atmosphere. Instead, large amounts of methane are trapped by the ocean. These microorganisms act as vital gatekeepers, (C) [preventing / permitting] ocean methane from contributing to the serious problem of climate change.

	(A)		(B)		(C)
①	released	……	excess	……	permitting
②	realized	……	excess	……	permitting
③	released	……	excess	……	preventing
④	released	……	access	……	preventing
⑤	realized	……	access	……	permitting

08 다음 빈칸에 들어갈 말로 가장 적절한 것은?

Antarctica is one of the last places on Earth that hasn't been damaged by ______________, mainly because of its harsh and unwelcoming environment. As a result, it has a thriving ecosystem. This ecosystem, however, has been under threat since the 1990s from an unexpected source — tourists who visit the region seeking adventure. Even when they make efforts to protect the environment, these visitors are leaving behind bacteria that are harmful to native birds. An analysis of waste samples from 24 local species of birds revealed the presence of several types of human bacteria, including one kind that causes food poisoning in humans. These bacteria were able to resist some of the most common human antibiotics, which indicates they were brought to Antarctica by tourists rather than by migrating birds.

① native people
② climate change
③ deadly viruses
④ human activity
⑤ migrating birds

09 다음 빈칸에 들어갈 말로 가장 적절한 것은?

Imagine there are two envelopes and you can have one. One contains $10, and the other is empty. How much would you pay to find out which envelope contains the money? Obviously, you wouldn't pay $10. But you might be willing to pay as much as $9. It's a matter of how much value you place on making an extra dollar. Businesses must make this kind of decision every day. They pay market research teams lots of money to find out how likely it is that a new product will be successful. Product development can cost millions of dollars, so the companies are willing to pay these teams hundreds of thousands of dollars. Just like in the situation with the envelope, ____________________ ____________________. Businesses place a value on information every time they buy competitive intelligence, hire consultants or researchers. They generally will not talk in terms of information value, but this is basically the value judgement they are making.

① spending too much money is a common mistake
② all information should be revealed to the public
③ most products succeed without any market research
④ the goal is to gain information that will reduce uncertainty
⑤ it is important to keep reliable information secret

10 다음 글에서 전체 흐름과 관계 없는 문장은?

Many offices have a policy that allows workers to wear more casual clothes every Friday. This policy costs companies nothing and improves the attitude of workers, so it has been growing more and more popular in recent years. The concept actually dates back to the 1960s in Hawaii. The president of the Hawaiian Fashion Guild was trying to spread the popularity of Hawaiian shirts, short-sleeved, button-down shirts with colorful prints and patterns. Hawaiian workers favored these shirts due to the hot weather there. ① He sent Hawaiian shirts to politicians and lobbied the government to allow workers to wear them every Friday. ② Tourism is the biggest industry in the Hawaiian islands, employing more than 200,000 people. ③ This idea became known as Aloha Fridays. ④ Later, tech workers in Silicon Valley were drawn to the idea. ⑤ Eventually, Aloha Fridays became casual Fridays, and the concept spread across the world.

[11-12] 다음 글을 읽고, 물음에 답하시오.

When we hear about hundreds of people being killed in a natural disaster, we're likely to assume it involved a well-known (a) hazard such as a volcano, an earthquake, or a flood. Few people would expect a beautiful lake to be the cause of so many deaths. However, this is what happened at Lake Nyos, a volcanic lake located in Cameroon, West Africa. In 1986, villagers living on the shores of the lakes heard a strange rumbling sound. Running outside to see what had happened, they were shocked to see a tall fountain of water and a cloud of white gas rising up from the surface of the lake. As the gas (b) flowed through the villages, people and livestock began to lose consciousness and fall to the ground. Sadly, the gas was carbon dioxide. Within minutes, the concentration of carbon dioxide in the air had risen to more than 15%. Any living thing that (c) inhales air that has a carbon-dioxide concentration of greater than 15% will die instantly. If the concentration is less than 15%, they will pass out but (d) lose consciousness a short time later. Nearly 1,700 people and 3,000 farm animals lost their lives that day. Scientists believe that carbon dioxide had been dissolving into the lake for years. However, it didn't cause any problems, as it remained at the bottom of the lake, where the water did not (e) circulate. But when the underwater volcano erupted, large amounts of carbon dioxide were released into the air, causing the terrible disaster.

11 윗글의 제목으로 가장 적절한 것은?

① A Silent Killer Hiding in a Lake
② Living Next to a Lake: Is It Safe?
③ Africa's Carbon Dioxide Shortage
④ Why Carbon Dioxide Is So Deadly
⑤ How to Survive a Natural Disaster

12 밑줄 친 (a)~(e) 중에서 문맥상 낱말의 쓰임이 적절하지 않은 것은?

① (a) ② (b) ③ (c) ④ (d) ⑤ (e)

Memo

Supreme

수능·내신 프리미엄 고등 영어 시리즈

정답 및 해설

유형독해

동아출판

수능·내신 프리미엄 고등 영어 시리즈

정답 및 해설

유형독해

01 목적

기출 풀기

» p. 8

정답 ④

지문해석

Blake 씨께,

2018년 5월 3일 당신이 Four Hills Plaza에 있는 저희 레스토랑에 고객으로 오셨을 때, 당신의 코트에 음료를 엎지르게 된 안타까운 실수를 경험하셨던 것을 알게 되었습니다. 진심 어린 사과를 받아 주시기 바랍니다. 안타깝게도, 그때 근무 중이었던 직원들이 저희의 고객 서비스 정책을 잘 반영하지 못했습니다. 저는 그 상황에 대해 자세히 알아보고 직원들을 대상으로 한 추가적인 고객 서비스 교육을 계획하였습니다. 저희는 당신을 다시 고객으로 맞이하기를 바라며 New Parkland의 다섯 지점 중 어느 곳에서든 사용할 수 있는 주요리 2개 무료 쿠폰을 보내 드립니다. 다시 한번, 그 일에 대해 사과드립니다. 저희가 이 일을 바로잡을 수 있는 기회를 주시기를 바랍니다.

마음을 담아,

Barbara Smith

구문해설

2행 I understand / [**that** on May 3, 2018 {**when** you were a guest at our restaurant in the Four Hills Plaza}, / you experienced an unfortunate incident / {**that** resulted in a beverage being spilled on your coat}].

(understand의 목적어(명사절) / <시간>의 부사절 / 주격 관계대명사절 / 동명사의 의미상 주어 / 전치사 in의 목적어(동명사))

알게 되었습니다 / 2018년 5월 3일 당신이 Four Hills Plaza에 있는 저희 레스토랑에 고객으로 오셨을 때 / 안타까운 실수를 경험하셨던 것을 / 당신의 코트에 음료를 엎지르게 된

7행 We'd like to have you back as a customer / so I'm sending you a coupon for two free entrées / [**that** can be used at any of our five locations in New Parkland].

(수여동사(send)+간접목적어+직접목적어 / 주격 관계대명사절)

저희는 당신을 다시 고객으로 맞이하기를 바라며 / 주요리 2개 무료 쿠폰을 보내 드립니다 / New Parkland의 다섯 지점 중 어느 곳에서든 사용할 수 있는

9행 I hope / [(that) you give us the opportunity / to make this right].

(hope의 목적어(명사절) / 수여동사(give)+간접목적어+직접목적어 / to부정사 형용사적 용법 / 사역동사(make)+목적어+목적격보어(형용사))

저희는 바랍니다 / 기회를 주시기를 / 이 일을 바로잡을 수 있는

유형 연습

» pp. 10-13

1 ② 2 ⑤ 3 ④ 4 ③

내신·서술형 대비

1 1. 아이스크림에서 투명 플라스틱 조각이 나온 것 2. if I had not noticed it

2 1. It has been more than two years since we met. 2. ②

3 1. (1) cover → covers (2) subject → subjects 2. (1) 평일 저녁 5시~8시 (2) 1학년부터 12학년까지의 학생 (3) 무료 (4) (새로운) 스터디 센터

4 1. ⓐ that → which ⓑ is it → it is 2. account

1 ②

지문해석

담당자께,

저는 귀사의 제품 중 하나에 관해 글을 쓰고 있습니다. 저희 가족은 수년 동안 귀사의 아이스크림을 애용해 왔습니다. 그런데, 어제 제가 아이스크림을 그릇으로 옮기는데, 이상한 것을 보았습니다. 더 자세히 보고, 저는 그것이 길이 5센티미터의 투명 플라스틱 조각이라는 것을 알았습니다. 제가 그것을 알아차리지 못했다면 이 사건이 얼마나 비극적일 수 있었는지 당신은 이해할 것이라고 확신합니다. 아무도 다치지 않았지만, 귀사의 제품 안전성에 대한 저의 신뢰가 심각하게 흔들렸습니다. 저는 이러한 일이 어떻게 일어났는지와 다시는 이런 일이 일어나지 않도록 하기 위해 귀사에서 무엇을 할 것인지에 대한 설명을 해 주시면 감사하겠습니다.

진심을 담아,

Patricia Reddington

구문해설

2행 My family / has been enjoying / your ice cream / for years.

(have been+v-ing: 현재완료진행(과거부터 현재까지 계속되는 동작이나 상태))

저희 가족은 / 애용해 왔습니다 / 귀사의 아이스크림을 / 수년 동안

6행 I'm sure / [(that) you understand / {**how** tragic this incident **could have been**} / {**had I not noticed** it}].

(understand의 목적어(의문사절) / 「주어+조동사의 과거형+have+p.p. if+주어+had (not)+p.p.」의 가정법 과거완료 구문에서 if가 생략되면서 주어(I)와 동사(had)가 도치됨)

저는 확신합니다 / 당신은 이해할 것이라고 / 이 사건이 얼마나 비극적일 수 있었는지 / 제가 그것을 알아차리지 못했다면

9행 I would appreciate / [**receiving** an explanation / as to {**how** something like this happened} and {**what** you will be doing / to ensure (it doesn't occur again)}].

(appreciate의 목적어(동명사구) / ~에 관하여 / 전치사구 as to의 목적어(의문사절이 and로 병렬 연결됨) / to부정사 부사적 용법(목적) / ensure의 목적어(명사절))

저는 감사하겠습니다 / 설명을 해 주시면 / 이러한 일이 어떻게 일어났는지와 귀사에서 무엇을 할 것인지에 대한 / 다시는 이런 일이 일어나지 않도록 하기 위해

문제해설

아이스크림에서 플라스틱 조각을 발견한 소비자가 제조 회사에 이런 사건이 발생하게 된 경위와 재발 방지 대책에 관한 설명을 요구하는 내용이므

로, 글의 목적으로 가장 적절한 것은 ②이다.

내신·서술형 대비

1. 아이스크림에서 투명 플라스틱 조각이 나온 것
바로 앞에 나온 내용을 가리키는 말로, 아이스크림을 옮겨 담다가 투명 플라스틱 조각이 나온 일을 가리킨다.
2. if I had not noticed it
「if+주어+had (not)+p.p.,주어+조동사의 과거형+have+p.p.」의 가정법 과거완료에서 접속사 if가 생략되면서 주어(I)와 동사(had)가 도치된 문장이다.

2 ⑤

지문해석

Young 교수님께,

State 대학을 졸업한 지 1년이 넘었지만, 저는 아직도 교수님의 저널리즘 수업이 마치 어제였던 것처럼 기억납니다. 교수님의 수업에서 좋은 기자가 되는 데 필요한 것뿐만 아니라 글을 쓰는 것에 관해서도 많이 배웠습니다. 이제 교수님께서 가르쳐 주신 모든 것을 실행에 옮길 수 있는 기회가 생겼습니다. 한 지역 신문의 비즈니스 뉴스 부서의 기자 자리가 하나 생겼습니다. 그쪽에서는 제 이력서를 마음에 들어 하지만, 제 능력과 학업 경험에 대해 더 많은 정보를 제공할 수 있는 추천인들을 요청했습니다. 허락해 주신다면, 교수님을 그 목록에 포함시키고 싶습니다. 학과 과정으로 분주하신 것을 알지만, 저를 위해 이를 허락해 주신다면 정말 감사드리겠습니다. 배려에 감사드립니다!

진심을 담아,

Jonathan Hawes 올림

구문해설

2행 It has been more than a year / [since I graduated from State University], / but I still remember your journalism class / like it was yesterday.
(has been: 현재완료(계속) / since: <시간>의 부사절, since+시점 / like: 접속사(마치 ~인 것처럼))
1년이 넘었습니다 / State 대학을 졸업한 지 / 하지만 저는 아직도 교수님의 저널리즘 수업을 기억합니다 / 마치 어제였던 것처럼

3행 I learned a lot / about **writing** in your class, / as well as [**what** it takes to be a good reporter].
(writing: 전치사 about의 목적어 1(동명사) / as well as: B as well as A: A뿐 아니라 B도 / what ~: 전치사 about의 목적어 2(관계대명사절))
많이 배웠습니다 / 교수님의 수업에서 글을 쓰는 것에 관해서도 / 좋은 기자가 되는 데 필요한 것뿐만 아니라

5행 Now / I have a chance / to put everything [(that) you taught me] into practice.
(to put: to부정사 형용사적 용법 / (that) you taught me: 목적격 관계대명사절)
이제 / 기회가 생겼습니다 / 교수님께서 가르쳐 주신 모든 것을 실행에 옮길 수 있는

문제해설

비즈니스 뉴스 부서에 공석이 생긴 지역 신문사에 취업 지원서를 낸 상태에서 모교 교수님에게 추천인이 되어줄 것을 부탁하는 내용이므로, 글의 목적으로 가장 적절한 것은 ⑤이다.

내신·서술형 대비

1. It has been more than two years since we met.
주절은 현재완료(have p.p.) 시제로, since 뒤에는 과거 시제로 쓴다.
2. ②
본문의 opening은 ② '가능한 일자리'의 의미로 쓰였다.
① 어떤 것의 시작
③ 책, 연극, 콘서트 등의 첫 부분
④ 사물이나 사람이 지나갈 수 있는 구멍
⑤ 나무가 없는 숲속의 작은 지역

3 ④

지문해석

Greenville 공공 도서관은 항상 Greenville 주민들에게 공부하고 독서하기에 아늑한 장소를 제공해 왔습니다. 이제, 학생들은 과제에 대한 도움도 받을 수 있습니다. 2월부터, 매일 평일 저녁 5시부터 8시까지 과제 도우미 프로그램을 이용하실 수 있습니다. 프로그램은 3층에 있는 저희 새로운 스터디 센터에서 열리게 되며, 자격을 갖춘 교사들이 직원으로 배치될 것입니다. 지난가을 문을 연 스터디 센터는 또한 여러 대의 컴퓨터와 모든 사람들을 위한 무료 와이파이를 갖추고 있어, 이곳을 여러분들이 온라인으로 조사를 하기에 훌륭한 장소로 만들어 줍니다. 과제 도우미 프로그램은 1학년부터 12학년까지의 학생들이 이용할 수 있으며, 모든 학교 과목들을 다루고 있습니다. 이 서비스를 위한 요금은 없지만, 교사를 예약하기 위해서는 최소한 24시간 전에 미리 등록하셔야 합니다. 더 많은 정보를 원하시면, 프로그램 관리자에게 donna_stafford@gpl.org로 이메일을 보내 주세요.

구문해설

5행 The program will be held / in our new study center on the third floor / and will be staffed by qualified tutors.
(will be+p.p.: 미래시제 수동태(접속사 and로 병렬 연결됨))
프로그램은 열리게 됩니다 / 3층에 있는 저희 새로운 스터디 센터에서 / 그리고 자격을 갖춘 교사들이 직원으로 배치될 것입니다

6행 The study center, [**which** opened last fall], / also has several computers and free Wi-Fi for all, / [**making** it a great place / to do your online research].
(The study center: S / which ~: 주격 관계대명사절 / has: V / making ~: 분사구문(= and it makes it...) / to do: to부정사 형용사적 용법)
지난가을 문을 연 스터디 센터는 / 또한 여러 대의 컴퓨터와 모든 사람들을 위한 무료 와이파이를 갖추고 있어 / 이곳을 훌륭한 장소로 만들어 줍니다 / 여러분들이 온라인으로 조사를 하기에

문제해설

도서관에서 새롭게 시작될 과제 도우미 프로그램의 내용을 안내하고 홍보하는 내용이므로, 글의 목적으로 가장 적절한 것은 ④이다.

내신·서술형 대비

1. (1) cover → covers (2) subject → subjects
주어 The Homework Helpers program이 3인칭 단수이므로 동사는 covers로 고치고, subject 앞에는 all이 있으므로 복수형으로 고친다.
2. (1) 평일 저녁 5시~8시 (2) 1학년부터 12학년까지의 학생 (3) 무료 (4) (새로운) 스터디 센터
해석 참고

4 ③

지문해석

Harry Sutherland 씨께,
플로리다 은행의 단골 고객으로 계속 남아주셔서 감사합니다. 당사의 인기 휴대폰 앱 사용자로서, 귀하는 귀하의 모든 계좌를 빠르고 쉽게 관리하고 보호할 능력을 갖추고 있습니다. 그러나, 4월 1일부터 저희는 이 앱의 이전 버전을 더 이상 지원하지 않을 것입니다. 그러므로, 당사 웹사이트에서 무료로 이용 가능한 최신 버전을 반드시 다운로드하여 설치해 주십시오. 그것은 또한 모든 주요 앱 스토어에서 '플로리다 은행 휴대폰 관리자'를 검색하기만 하면 찾으실 수 있습니다. 당사의 최신 버전의 앱을 사용하고 계시지 않았다면, 이전 버전보다 훨씬 빠르고 더 편리하다는 것에 기분 좋게 놀라실 것입니다. 앱 설치에 문제가 있으시거나 단순히 의문 사항이 있으시면, 고객 서비스 센터 800-988-9989로 언제든지 연락 주세요. 귀하의 이해와 양해에 다시 한 번 감사드립니다.
진심을 담아,
플로리다 은행 고객 서비스 드림

구문해설

4행 [**Starting** April 1], / however, / we will no longer be supporting / older versions of this app.
분사구문(부대상황) / will be+v-ing: 미래진행(예정)
4월 1일부터 / 그러나 / 저희는 더 이상 지원하지 않을 것입니다 / 이 앱의 이전 버전을

6행 Therefore, / please make sure / (that) [you have downloaded and installed the most recent version], / [**which** is available at no charge on our website].
동사구 make sure의 목적어(명사절) / 선행사 / 계속적 용법의 주격 관계대명사절
그러므로 / 반드시 ~해 주십시오 / 최신 버전을 다운로드하여 설치를 / 저희 웹사이트에서 무료로 이용 가능한

11행 [**Should** you have any problems / installing the app], / or [**if** you simply have a question], / **feel** free to call / our customer service center at 800-988-9989.
「if+주어+should+동사원형, 명령문」의 가정법 미래 구문에서 if가 생략되면서 주어(I)와 동사(should)가 도치됨 / <조건>의 부사절 / 마음대로 ~하다
문제가 있으시거나 / 앱 설치에 / 단순히 의문 사항이 있으시면 / 언제든지 연락 주세요 / 고객 서비스 센터 800-988-9989로

문제해설

현재 사용되고 있는 은행 앱이 4월 1일부터는 더 이상 서비스되지 않으니 최신 버전을 다운로드하라는 내용이므로, 글의 목적으로 가장 적절한 것은 ③이다.

내신·서술형 대비

1. ⓐ that → which ⓑ is it → it is
ⓐ 선행사 the most recent version을 보충 설명하는 계속적 용법의 관계대명사가 와야 하므로 which를 써야 한다. 관계대명사 that은 계속적 용법으로 쓸 수 없다. ⓑ 전치사 at의 목적어 역할을 하는 의문사절로 「how+형용사+주어+동사」의 간접의문문의 어순이 되어야 한다.
2. account
명사. 은행에 돈을 맡기고 필요할 때 꺼낼 수 있게 마련된 것: account(계좌)

02 주제

기출 풀기

» p. 14

정답 ⑤

지문해석

쓰기의 발달은 수다쟁이, 이야기꾼, 시인에 의해서가 아니라 회계사에 의해 개척되었다. 가장 초기의 쓰기 체계는 인간이 처음으로 수렵과 채집에서 농업에 기초한 정착 생활로 옮겨가기 시작한 신석기 시대에 뿌리를 두고 있다. 이러한 변화는 기원전 9500년경 현대의 이집트에서부터 터키 남동부까지, 아래로는 이라크와 이란 사이의 국경 지대까지 뻗어 있는 '비옥한 초승달' 지대라고 알려진 지역에서 시작되었다. 쓰기는 이 지역에서 곡물, 양, 소와 같은 농산물들을 포함하는 거래(내역)를 설명하기 위해 작은 점토 조각을 사용하는 관습으로부터 발달한 것처럼 보인다. 메소포타미아 도시 우루크에서 발견된 기원전 3400년경으로 거슬러 올라가는 최초의 쓰인 문서는 빵의 양, 세금의 지불, 다른 거래들을 간단한 부호와 표시를 사용하여 점토판에 기록하고 있다.

구문해설

1행 The development of writing / was pioneered / **not** [by gossips, storytellers, or poets], / **but** [by accountants].
수동태 / 상관접속사 not A but B(A가 아니라 B)에 의해 「by+목적어」가 병렬 연결됨
쓰기의 발달은 / 개척되었다 / 수다쟁이, 이야기꾼, 시인에 의해서가 아니라 / 회계사에 의해

2행 The earliest writing system / has its roots in the Neolithic period, / [**when** humans first began to **switch from** hunting and gathering **to** a settled lifestyle / {**based** on agriculture}].
선행사 / 계속적 용법의 관계부사절 / switch from A to B: A에서 B로 바꾸다[전환하다] / 과거분사구
가장 초기의 쓰기 체계는 / 신석기 시대에 뿌리를 두고 있다 / 인간이 처음으로 수렵과 채집에서 정착 생활로 옮겨가기 시작한 / 농업에 기초한

4행 This shift began / around 9500 B.C. / in a region [**known** as the Fertile Crescent, / {**which stretches from** modern day Egypt, **up to** southeastern Turkey, and down again **to** the border **between** Iraq **and** Iran}].
과거분사구 / 선행사 / 계속적 용법의 주격 관계대명사절 / stretch from A (up) to B: A에서 B까지 뻗어 있다 / between A and B: A와 B사이에
이러한 변화는 시작되었다 / 기원전 9500년경 / '비옥한 초승달' 지대라고 알려진 지역에서 / 현대의 이집트에서부터 터키 남동부까지, 아래로는 이라크와 이란 사이의 국경 지대까지 뻗어 있는

6행 Writing seems to have evolved / in this region / from
「to have+p.p.」는 완료부정사로 문장의 동사 seems보다 앞선 일을 나타냄
(= It seems that writing evolved ~)
the custom of using small clay pieces / to account for
동격 / to부정사 부사적 용법(목적)
transactions / [**involving** agricultural goods such as
현재분사구
grain, sheep, and cattle].
agricultural goods의 예시

쓰기는 발달한 것처럼 보인다 / 이 지역에서 / 작은 점토 조각을 사용하는 관습으로부터 / 거래(내역)를 설명하기 위해 / 곡물, 양, 소와 같은 농산물들을 포함하는

유형 연습

» pp. 16-19

1 ② 2 ④ 3 ⑤ 4 ③

내신·서술형 대비

1 1. (A) where (B) poaching 2. ③
2 1. ⓒ itself → it 2. His speaking skills are not as good as those of Jinsu.
3 1. becomes → becoming 2. (1) 고대 그리스에서 무대 위 연극 배우들이 썼던 가면 (2) 사회적 상황에 따라 세상에 보여 주는 모습
4 1. (A) that (B) to understand 2. ⑤

1 ②

지문해석

정상적인 환경에서, 대부분의 코끼리는 2에서 6퍼센트를 제외하고 엄니를 가지고 태어난다. 하지만, 이 수치는 모잠비크에 있는 Gorongosa 국립공원에 있는 코끼리들에게는 더 이상 적용되지 않는데, 그곳에서는 16년간의 내전 기간 동안 공원 내의 코끼리 개체 수의 90퍼센트가 도살되었다. 그들이 죽임을 당한 것은 그들의 엄니는 무기를 위한 돈을 마련하기 위해 팔 수 있었기 때문이었다. 소수의 코끼리만 살아남았고, 그들의 개체 수는 1992년 전쟁이 끝난 이후로 증가해 왔다. 하지만 과학자들은 공원에서 태어난 암컷 코끼리 중에서 33퍼센트는 엄니가 없다는 것을 알게 되었다. 그들은 내전 동안 엄니 없는 코끼리는 목표물이 아니었기 때문에 밀렵을 피할 수 있었고, 이 특성을 많은 새끼들에게 물려주었다고 설명했다. 이것은 더 많은 비율의 엄니 없는 코끼리가 계속해서 태어날 것이라는 것을 의미한다. 우리는 아마도 인간에 의해 야기된 한 종의 부자연스러운 진화를 목격하고 있을지도 모른다.

구문해설

5행 They were killed / [**so** (that) their tusks could be sold / to raise money for weapons].
so (that)+주어+동사: ~하기 위해(목적) / to부정사 부사적 용법(목적)

그들이 죽임을 당했다 / 그들의 엄니는 팔 수 있었기 때문이었다 / 무기를 위한 돈을 마련하기 위해

6행 A small number of elephants survived, / and their population has been growing / [**since** the war ended in 1992].
소수의 / 현재완료진행 / <시간>의 부사절

소수의 코끼리만 살아남았고 / 그들의 개체 수는 증가해 왔다 / 1992년 전쟁이 끝난 이후로

9행 They explained / [**that** tuskless elephants could avoid poaching during the civil war / {**because** they weren't targets}] / and [**that** they passed this trait on / to many of their young].
explained의 목적어 1(명사절) / avoid는 목적어로 동명사를 취함 / <이유>의 부사절 / explained의 목적어 2(명사절) / 엄니가 없는 것

그들은 설명했다 / 내전 동안 엄니 없는 코끼리는 밀렵을 피할 수 있었고 / 목표물이 아니었기 때문에 / 그리고 이 특성을 물려주었다고 / 많은 새끼들에게

문제해설

정상적인 환경에서는 엄니 없는 코끼리가 극소수에 불과한데, 인간의 필요에 의해 엄니가 있는 코끼리를 도살하자 엄니 없는 코끼리만 생존하게 되고 이러한 특성을 물려주어 엄니 없는 코끼리가 많이 태어나게 되었다는 내용이므로, ② '코끼리의 강제 진화의 원인'이 주제로 가장 적절하다.
① 코끼리 밀렵 문제를 해결하는 방법
③ 대부분의 코끼리가 엄니를 가지고 태어나는 진짜 이유
④ 암컷 코끼리가 엄니로 자신을 보호하는 방법
⑤ 과도한 코끼리 밀렵이 낳은 예상치 못한 긍정적인 결과

내신·서술형 대비

1. (A) where (B) poaching
(A) 선행사 Gorongosa National Park를 보충 설명하고 관계사절에서 부사 역할을 하는 계속적 용법의 관계부사가 쓰이는 것이 알맞다.
(B) avoid는 목적어로 동명사를 취하므로 poaching이 쓰이는 것이 알맞다.

2. ③
'한 종의 부자연스러운 진화'는 엄니가 없이 태어나는 코끼리가 늘어나는 것을 의미한다.

2 ④

지문해석

요즘, 모든 사람들은 인터넷 상에 가짜 뉴스가 많다는 것을 알고 있다. 그런데 왜 아직도 그것이 그렇게 많은 사람들을 속이는 걸까? 신경과학의 관점에서, 답은 우리가 뇌에서 정보를 처리하는 방식과 관련이 있다. 뇌는 장기 기억이나 단기 기억 중 하나에 새로운 정보를 저장하기 위해 계속해서 신경망을 만들고 있다. 이 모든 유입되는 정보를 위한 공간을 만들기 위해서, 뇌는 약간의 집안일도 해야 한다. 그것은 그것이 시대에 뒤떨어지거나 쓸모없다고 생각하는 오래된 정보를 식별한 후 그것을 삭제한다. 하지만, 어떤 사람들의 뇌는 다른 사람들의 뇌처럼 잡동사니를 치우는 데 능숙하지 못하다. 결과적으로, 더 많은 정신적 잡동사니를 가진 사람들은 심지어 그것들이 거짓으로 판명된 후에도 거짓 믿음이나 가짜 뉴스를 고수할 가능성이 더 많다.

구문해설

4행 The brain / is continually creating nerve networks / in order to store new information / in **either** its long-term **or** short-term memory.
to부정사 부사적 용법(목적) / either A or B: A 또는 B

뇌는 / 계속해서 신경망을 만들고 있다 / 새로운 정보를 저장하기 위해 / 장기 기억이나 단기 기억 중 하나에

7행 It / identifies old information / [**that** it deems to be outdated or useless], / and then it deletes it.
= The brain / 목적격 관계대명사절 / deem+목적어(old information)+목적격보어(to부정사) / = old information

그것은 / 오래된 정보를 식별한다 / 그것이 시대에 뒤떨어지거나 쓸모없다고 생각하는 / 그런 후 그것을 삭제한다

9행 As a result, / those [**with** more mental clutter] / may be more likely to hold on to / false beliefs — and fake news — / [**even after** they have been proven false].
= people / S / 전치사구 / ~할 가능성이 더 많다 / <시간>의 부사절 / 현재완료수동

결과적으로 / 더 많은 정신적 잡동사니를 가진 사람들은 / 고수할 가능성이 더 많다 / 거짓 믿음이나 가짜 뉴스를 / 심지어 그것들이 거짓으로 판명된 후에도

문제해설

가짜 뉴스가 많다는 것을 알고 있으면서도 사람들이 그것을 믿는 이유를 과학적으로 분석한 글이므로, ④ '우리가 거짓 정보를 받아들이는 것 이면의 과학'이 주제로 가장 적절하다.

① 장단기 기억의 차이점
② 쓸모없는 정보를 식별하기 위해 뇌를 훈련시키는 방법
③ 진짜 뉴스가 가짜 뉴스보다 기억하기 훨씬 더 쉬운 이유
⑤ 오해의 소지가 있는 뉴스에 대한 인간 두뇌의 자연적인 방어력

내신·서술형 대비

1. ⓒ itself → it
주어 it은 the brain이고 목적어는 old information이므로, 동작의 주체인 주어를 대신하는 재귀대명사는 적절하지 않다.

2. His speaking skills are not as good as those of Jinsu.
'~만큼 …한'의 「as+원급+as」의 비교 구문을 이용한다. 두 가지 비교 대상이 문법적으로 동일한 위상이어야 하므로 앞에 나온 복수명사 speaking skills를 받는 대명사 those가 와야 한다.

3 ⑤

지문해석

당신은 친구들과 함께 있을 때처럼 부모님과 함께 있을 때 똑같이 행동하는가? 혼자 있을 때는 어떠한가? 우리 모두는 일상생활을 하면서 다양한 사회적 역할을 맡아야 한다. 때로는 우리가 끊임없이 가면을 쓰고 다른 사람이 되는 것처럼 보일 수도 있다. 사실, 'person'이라는 단어는 라틴어 *persona*에서 왔는데, 이는 고대 그리스에서 무대 위의 배우들이 썼던 가면을 가리키는 말이었다. 오늘날, 'persona'는 사람들이 사회적인 상황에서 본성을 숨기면서 사회적으로 바람직한 인상을 주기 위해서 세상에 보여 주는 모습이라고 정의된다. 우리가 이왕 사회적으로 기능하려면 여러 가지 가면을 쓰는 것은 피할 수가 없고, 사람들이 스스로가 하루에 수십 개의 다른 페르소나 사이를 오가는 것을 발견하는 것은 특별한 일이 아니다.

구문해설

4행 **It** may sometimes **seem** / **as though** we are constantly putting on masks / and becoming a different person.
It seems as though[if] ~: 마치 ~인 것 같다 / 동사 are putting과 (are)becoming이 and로 병렬 연결됨 / (are)

때로는 보일 수도 있다 / 우리가 끊임없이 가면을 쓰고 / 다른 사람이 되는 것처럼

5행 In fact, / the word "person" / is derived from the Latin word *persona*, / [**which** referred to the masks / {**that** were worn by stage actors / in ancient Greece}].
be derived from: ~에서 유래되다 / 선행사 / 계속적 용법의 주격 관계대명사절 / 주격 관계대명사절

사실 / 'person'이라는 단어는 / 라틴어 *persona*에서 왔는데 / 이는 가면을 가리키는 말이었다 / 무대 위의 배우들이 썼던 / 고대 그리스에서

9행 The wearing of different masks / is unavoidable / [**if** we are to function socially at all], / and **it** is not unusual / for people [**to find** themselves switching / between dozens of different personas in a single day].
<조건>의 부사절 / be+to-v: ~하고자 하다(의도) / 가주어 / to부정사 의미상의 주어 / 진주어(to부정사구) / find+목적어+목적격보어(현재분사) / 수십의

여러 가지 가면을 쓰는 것은 / 피할 수가 없다 / 우리가 사회적으로 기능하려면 / 그리고 특별한 일이 아니다 / 사람들이 스스로가 오가는 것을 발견하는 것은 / 하루에 수십 개의 다른 페르소나 사이를

문제해설

우리는 사람들과 함께 있을 때 상황에 따라 다른 행동을 취하는데 이는 사회적으로 기능하기 위해서 당연한 것이라는 내용이므로, ⑤ '다양한 정체성을 가지는 것의 불가피성'이 주제로 가장 적절하다.

① 단어 'mask'의 기원
② 스스로에게 솔직해지는 것의 효과
③ 진짜 모습을 숨기는 것의 장점
④ 무대에서 역할을 빨리 바꾸는 방법

내신·서술형 대비

1. becomes → becoming
앞에 나온 putting과 접속사 and로 병렬 연결되어 있으므로 becoming이 적절하다.

2. (1) 고대 그리스에서 무대 위 연극 배우들이 썼던 가면 (2) 사회적 상황에 따라 세상에 보여 주는 모습
persona의 고대에서의 의미와 오늘날의 의미가 다른 내용을 언급하고 있다.

4 ③

지문해석

고대 그리스인들은 지식 자체를 위해 지식을 추구하는 행위를 가리키는 데 '철학'이라는 용어를 사용했다. 이는 예술, 과학, 종교를 포함하여 모든 분야의 지식을 망라했다. 이런 용법은 철학적 질문이 과학적 질문과 어떻게 다른지를 설명해 준다. 그것들은 대개 본질적으로 근본적이며 추상적이다.

그래서 철학은 실험보다는 숙고를 통해 이루어진다. 이는 종종 철학은 실용적이지 않고, 결론이 없으며, 비생산적이라는 오해를 낳는다. 하지만, 철학은 역사상 가장 중요한 사상 중 일부를 만들어 냈으며, 정치학, 사회학, 수학, 과학, 문학과 거의 모든 다른 분야에 기여해 왔다. 철학이 우주의 기원이나 삶의 의미에 대한 우리의 질문에 직접적으로 답을 해 주진 않을지도 모르지만, 우리는 계속해서 그런 철학적 질문을 던지고 그 답을 찾아야만 한다. 그렇게 하는 것이 우리가 더 나은 사고를 할 수 있는 사람이 되도록 가르침을 주고 우리가 삶의 다른 영역의 다양한 상황을 이해하기 더 쉽게 해 줄 수 있다.

구문해설

10행 It may not directly answer our questions / [**about** the origins of the universe or the meaning of life], / but **it is essential** / [**that** we (should) continue to ask such philosophical questions / and (to) seek their answers].

전치사구
당위성을 나타내는 형용사 essential이 쓰였을 때, that절의 동사는 「should+동사원형」으로 쓰며, should는 생략할 수 있음
ask와 seek은 and로 병렬 연결됨

철학이 우리의 질문에 직접적으로 답을 해 주진 않을지도 모른다 / 우주의 기원이나 삶의 의미에 대한 / 하지만 해야 한다 / 우리는 계속해서 그런 철학적 질문을 던지고 / 그 답을 찾는 것을

13행 [**Doing** so] / can teach us to become better thinkers / and make **it** easier for us [**to understand** / a variety of situations in other areas of life].

S(동명사구) / teach+목적어+목적격보어(to부정사) / 가목적어 / to부정사 의미상의 주어 / 진목적어(to부정사구)

그렇게 하는 것이 / 우리가 더 나은 사고를 할 수 있는 사람이 되도록 가르침을 주고 / 우리가 이해하기 더 쉽게 해 줄 수 있다 / 삶의 다른 영역의 다양한 상황을

문제해설

철학은 거의 모든 분야에 기여해 왔으며, 우리가 더 나은 생각을 할 수 있고 삶의 다양한 상황을 이해하기 쉽게 해 준다는 내용이므로, ③ '철학의 진정한 의미와 중요성'이 주제로 가장 적절하다.

① 철학적 질문의 여러 가지 종류
② 철학과 과학의 차이
④ 철학의 기원과 그것이 어떻게 변화했는가
⑤ 철학자들이 한 가지 주제에 집중하는 이유

내신·서술형 대비

1. (A) that (B) to understand

(A) 뒤의 절이 완전한 형태이므로, 관계사 which는 올 수 없다. the misunderstanding을 설명하는 동격절을 이끄는 that이 와야 한다.
(B) 가목적어 it과 「for+목적격」 형태의 to부정사의 의미상 주어가 있으므로 진목적어인 to부정사가 와야 한다.

2. ⑤

⑤ experimental(실험적인)은 과학의 특성이다.
① 개념적인 ② 근본적인 ③ 탐구적인 ④ 생각이 깊은

03 제목

기출 풀기

» p. 20

정답 ④

지문해석

많은 부모들은 그들의 십 대 자녀들이 때때로 비합리적이거나 위험한 방식으로 행동하는 이유를 이해하지 못한다. 가끔씩, 십 대들은 충분히 생각하지 않거나 그들의 행동의 결과를 충분히 고려하지 않는 것처럼 보인다. 청소년들은 그들이 행동하고 문제를 해결하고 의사를 결정하는 방식에서 어른과 다르다. 이러한 차이에 대한 생물학적 설명이 있다. 연구는 두뇌가 청소년기 내내 그리고 성인기 초기까지 계속해서 성숙하고 발달한다는 것을 보여 준다. 과학자들은 두려움과 공격적인 행동을 포함하는 즉각적인 반응을 관장하는 뇌의 특정 영역을 확인했다. 이 영역은 일찍 발달한다. 그러나, 이성을 통제하고 우리가 행동하기 전에 생각하는 것을 도와주는 뇌의 영역인 전두엽은 나중에 발달한다. 뇌의 이 영역은 성인기까지 계속 변화하고 성숙한다.

구문해설

3행 Adolescents / differ from adults / in the way / [they behave, solve problems, and make decisions].

~와 다르다 / 선행사 / 관계부사절(방법)

청소년들은 / 어른과 다르다 / 방식에서 / 그들이 행동하고 문제를 해결하고 의사를 결정하는

7행 Scientists / have identified a specific region of the brain / [**that** is responsible for immediate reactions / including fear and aggressive behavior].

현재완료 / 주격 관계대명사절 / 전치사(~을 포함하여)

과학자들은 / 뇌의 특정 영역을 확인했다 / 즉각적인 반응을 관장하는 / 두려움과 공격적인 행동을 포함하는

9행 However, / the frontal cortex, [the area of the brain / {**that** controls reasoning and helps us think / (**before** we act)}], / develops later.

S / 동격 / 주격 관계대명사절 / 준사역동사(help)+목적어+목적격보어(동사원형) / <시간>의 부사절 / V

그러나 / 뇌의 영역인 전두엽은 / 이성을 통제하고 생각하는 것을 도와주는 / 우리가 행동하기 전에 / 나중에 발달한다

유형 연습

» pp. 22-25

1 ② 2 ④ 3 ④ 4 ④

내신·서술형 대비

1 1. adopting → to adopt 2. ③
2 1. a hamburger 2. (A) disappointed (B) does (C) make

3 1. try → trying 2. ③
4 1. I was able to focus on studying 2. 당시 광활한 사하라 사막을 건너서 이집트를 공격할 능력이 있는 군대가 없었기 때문에

1 ②

지문해석

패스트패션은 빠르고 저렴하게 제작할 수 있는 최신 유행을 반영하는 의류를 말한다. 이는 누구라도 최신 패션 트렌드를 즉시 받아들이게 해 준다. 하지만, 급변하는 유행과 적당한 가격은 충동구매를 일으킬 수 있고, 이것들 중 많은 것이 한두 번 입고는 버려지기 쉽다. 그 결과, 매년 210억 파운드의 섬유가 결국 미국 쓰레기 매립지로 가게 된다. 한편, 제조업자들은 폴리에스테르와 같은 싼 옷감을 선택해서 가격을 낮게 유지한다. 폴리에스테르는 화석 연료를 사용하여 만들어지는데, 이는 기후 변화라는 심각한 문제의 원인이 된다. 게다가, 가격을 낮게 유지하기 위해서, 패스트패션 업자들은 개발도상국에 공장을 짓는데, 이들 대부분의 나라에서는 노동법이 느슨하거나 전혀 없다. 아이들을 포함한 현지 사람들은 아주 적은 임금을 받고 열악한 환경에서 장시간 노동을 강요받는다. 패스트패션의 열풍으로 인한 해로운 영향에 대해 생각해 봐야 할 시간이다.

구문해설

2행 It allows anyone to adopt / the latest fashion trends / instantly.
allow+목적어+목적격보어(to부정사): ~가 …하도록 하다

이는 누구라도 받아들이게 해 준다 / 최신 패션 트렌드를 / 즉시

3행 However, / the rapid changes in style and the reasonable prices / can lead to impulse purchases, / [**many of which** are likely to be worn once or twice / and then (to be) thrown away].
S / V / 선행사
계속적 용법의 주격 관계대명사절로 「부분대명사+of+관계대명사」의 형태로 쓰임
worn과 thrown이 and로 병렬 연결됨

하지만 / 급변하는 유행과 적당한 가격은 / 충동구매를 일으킬 수 있고 / 이것들 중 많은 것이 한두 번 입고는 / 버려지기 쉽다

7행 Polyester is made using fossil fuels, / [**which** contributes to the serious problem of climate change].
선행사 / 계속적 용법의 주격 관계대명사절 / 동격

폴리에스테르는 화석 연료를 사용하여 만들어지는데 / 이는 기후 변화라는 심각한 문제의 원인이 된다

문제해설

패스트패션의 의미와 장점을 글 도입 부분에서 잠깐 언급하고 있지만, 주로 쓰레기 문제, 기후 변화 문제, 개발도상국에서의 노동력 착취 문제를 야기한다는 문제점을 지적하는 내용이므로, 제목으로는 ② '저렴한 패션의 어두운 면'이 가장 적절하다.
① 돈을 적게 쓰며 패션 감각을 유지하라!
③ 낡은 옷 재활용을 위한 유용한 조언
④ 의류 산업의 생존 투쟁
⑤ 패스트패션과 공장 노동자의 삶

내신·서술형 대비

1. adopting → to adopt
allow는 to부정사를 목적격보어로 취하는 동사이다.
2. ③
급변하는 유행과 적당한 가격은 충동구매를 일으킨다고 했다.

2 ④

지문해석

여러분은 군침이 도는 패스트푸드 광고를 보고 육즙이 많은 햄버거와 바삭한 감자튀김을 갈망한다. 광고 속 햄버거는 육즙이 많고 맛있어 보인다. 하지만 여러분이 식당에 가서 햄버거 포장을 벗기면, 여러분은 극도로 실망한다. 햄버거는 불쾌하게 축축하고, 토마토는 그다지 붉지 않으며, 치즈는 완전히 녹지 않았다. 이것은 광고에서 보는 음식이 실제로는 먹을 수 있는 음식이 아니기 때문이다. 음식이 화면에 보이는 것처럼 보이게 하려면 실제로는 많은 작업이 필요하다. 예를 들어, 푸드 스타일리스트들은 완전히 익힌 햄버거보다 더 두껍고 육즙이 많아 보이게 하기 위해서 햄버거를 설익힌다. 그리고 상추와 토마토를 제자리에 고정시키고 햄버거가 실제보다 훨씬 더 커 보이게 하는 데 핀이 자주 사용된다. 음식 광고에서 아이스크림을 보면, 그것은 사실 으깬 감자일 수도 있다!

구문해설

5행 This is because / the food [(which) you see in ads] / isn't really edible.
목적격 관계대명사절

이것은 ~ 때문이다 / 광고에서 보는 음식이 / 실제로는 먹을 수 있는 음식이 아니다

6행 It actually takes a lot of work / to make that food look / the way [it does on screen].
사역동사(make)+목적어+목적격보어(동사원형)
It takes+시간/노력+to부정사: ~하는 데 … 시간/노력이 들다
관계부사절(방법)

실제로는 많은 작업이 필요하다 / 음식을 보이게 하려면 / 화면에 보이는 것처럼

9행 And / pins are often used / to keep the lettuce and tomatoes in place / and (to) make the burger look much taller / than it actually is.
to부정사 부사적 용법(목적)
앞의 to부정사와 and로 병렬 연결됨 / 비교급 강조
= the burger

그리고 / 핀이 자주 사용된다 / 상추와 토마토를 제자리에 고정시키고 / 햄버거가 훨씬 더 커 보이게 하는 데 / 실제보다

문제해설

햄버거를 예로 들어 음식 광고에 등장하는 음식들이 맛있어 보이기 위해 설익히고 더 커 보이도록 고정시키기 위해 핀을 사용하는 등 실제로는 먹을 수 없는 음식이라는 내용이므로, 제목으로는 ④ '음식 광고 뒤에 숨은 비밀들'이 가장 적절하다.
① 패스트푸드 광고의 기원
② 패스트푸드는 왜 건강에 좋지 않은가
③ 더 맛있는 햄버거를 만드는 비법
⑤ 음식은 매력적으로 보일 때 더 맛있다

내신·서술형 대비

1. a hamburger
   one은 앞에 나온 명사와 종류가 같은 불특정한 대상을 가리키므로 a hamburger가 적절하다.
2. (A) disappointed (B) does (C) make
   (A) 주어인 you가 '실망한' 것이므로 disappointed가 적절하다.
   (B) 앞에 나온 일반동사 look을 대신하므로 does가 적절하다.
   (C) to keep과 접속사 and로 병렬 연결되어 있으므로 (to) make가 적절하다.

3 ④

지문해석

파리의 한 미술관은 디지털 기술을 이용하여 Gustav Klimt의 그림을 완전히 새로운 방식으로 전시했다. 수십 개의 스피커에서 음악이 흘러 나오는 동안 3D 버전의 그림들이 확대되어 건물 외벽에 투사되었다. 미술관 책임자에 따르면, 이런 종류의 전시가 '미래의 예술'이 될 수 있다고 한다. 전세계의 미술관들은 이제 새로운 기술을 융합하고 예술이 무엇인지에 대한 개념을 확장시키려고 노력함으로써 예술에 대한 다양한 접근법을 취하고 있다. 좀 더 몰입감 있고 상호 작용적인 방식으로 예술을 선보이는 것과 동시에, 가상 안내 투어나 '미술관 탐험'과 같은 기능으로 사람들이 예술에 대해 배울 수 있게 해 주는 자체 앱도 출시하고 있다. 이는 점점 더 많은 콘텐츠가 모바일 장치를 통해 전달되어 역동성과 쌍방향성의 증가로 이어진다는 사실을 인식한 것이다. 세계가 빠르게 움직이고 끊임없이 변화하는 정보 사회에 계속해서 적응함에 따라, 미술관들 또한 계속 진화하고 있다.

구문해설

5행 Museums around the world / are now taking different approaches to art / by incorporating new technologies / and trying to extend the notion of [**what** art is].
(Museums around the world: S, are now taking: V)
「by+v-ing(~함으로써)」 구문으로 동명사 incorporating과 trying이 and로 병렬 연결됨
전치사 of의 목적어(의문사절)
전 세계의 미술관들은 / 이제 예술에 대한 다양한 접근법을 취하고 있다 / 새로운 기술을 융합하고 / 예술이 무엇인지에 대한 개념을 확장시키려고 노력함으로써

7행 Along with [**presenting** art in a more immersive or interactive way], / they are also launching their own apps / [**that** allow people to learn about art / with guided virtual tours and "explore museum" features].
전치사구 Along with의 목적어(동명사구)
주격 관계대명사절
allow+목적어+목적격보어(to부정사)
좀 더 몰입감 있고 상호 작용적인 방식으로 예술을 선보이는 것과 동시에 / 자체 앱도 출시하고 있다 / 사람들이 예술에 대해 배울 수 있게 해 주는 / 가상 안내 투어나 '미술관 탐험'과 같은 기능으로

10행 This is in recognition of the fact / [**that** more and more content is mediated through mobile devices, / {**leading** to greater dynamism and interactivity}].
in recognition of: ~을 인식하여 / 동격
비교급+and+비교급: 점점 더 ~한 / 수동태
분사구문(부대상황)
이는 사실을 인식한 것이다 / 점점 더 많은 컨텐츠가 모바일 장치를 통해 전달되어 / 역동성과 쌍방향성의 증가로 이어진다는

문제해설

역동성과 쌍방향성을 중요시하는 오늘날의 정보 사회와 발맞추어 미술관들도 디지털 기술을 이용하는 등의 다양한 접근 방식을 취하고 있다는 내용이므로, 제목으로는 ④ '기술: 새로운 미술 경험의 창조'가 가장 적절하다.
① 스마트폰이 미술관을 대체하고 있다
② 미술관 책임자의 역할 변화
③ 완전 새로운 미술 장르의 출현
⑤ 미술 작품은 구기술과 신기술을 연결할 수 있다

내신·서술형 대비

1. try → trying
   전치사 by의 목적어로 동명사 incorporating과 trying이 병렬 연결된다.
2. ③
   접속사 as가 쓰여 앞의 절과 대응을 이루고 있으므로 adapt(적응하다)와 관련 있는 단어로 ③ evolve(진화하다)가 적절하다.
   ① 무시하다 ② 반대하다 ④ 쇠퇴하다 ⑤ 동의하지 않다

4 ④

지문해석

문명이 발전하는 방식은 그것이 위치한 자연 환경과 밀접한 관계가 있다. 예를 들어, 고대 이집트 문명의 업적은 나일강과 사하라 사막을 포함한 지리적 환경을 먼저 고려하지 않고는 완전히 이해할 수 없다. 사하라 사막은 고대 이집트인들에게 엄청난 방어적 이점을 주었는데, 그 당시 어떤 군대도 이집트를 공격하기 위해 그렇게 광활한 사막을 건널 수 있는 능력을 가지고 있지 않았다. 외부 침략자들에 대한 걱정에서 벗어나, 고대 이집트인들은 그들의 농경 기술을 향상시키는 데 집중할 수 있었다. 이는 나일강이 도움을 주었던 부분이다. 강둑을 따라 있는 땅은 유난히 비옥했고, 계절에 따른 홍수는 이집트인의 작물에 물을 대는 데 도움이 되었다. 꾸준한 식량원이 보장되면서, 이집트인들은 문명을 창조하는 데 필요한 몇 가지 기본 사항인 예술, 건축, 철학, 정부를 포함한 다른 분야에서 급속도로 발전하기 시작했다. 결국, 피라미드, 미라, 클레오파트라, 기자의 스핑크스는 이 번성한 문화의 시금석이 되었다.

구문해설

1행 **How** a civilization develops / is closely related to / the natural setting [**in which** it is located].
S(의문사절) / V / = the civilization
「전치사+목적격 관계대명사」절
문명이 발전하는 방식은 / 밀접한 관계가 있다 / 그것이 위치한 자연 환경과

7행 [(Being) **Free** from the worry of foreign invaders], / the ancient Egyptians / were able to focus / on improving their farming techniques.
분사구문(부대상황)
be able to: ~할 수 있다 / 전치사 on의 목적어(동명사구)
외부 침략자들에 대한 걱정에서 벗어나 / 고대 이집트인들은 / 집중할 수 있었다 / 그들의 농경 기술을 향상시키는 데

10행 [**With** a steady source of food guaranteed], / the Egyptians / began to rapidly develop / in other fields, including art, architecture, philosophy and government / — some of the basics [**needed** to create a civilization].

「with+목적어+분사」의 분사구문(부대상황): ~한 채로(목적어와 분사가 수동 관계이므로 과거분사가 쓰임) / including: 전치사(~을 포함하여) / needed: 과거분사구 / to create: to부정사 부사적 용법(목적)

꾸준한 식량원이 보장되면서 / 이집트인들은 / 급속도로 발전하기 시작했다 / 예술, 건축, 철학, 정부를 포함한 다른 분야에서 / 문명을 창조하는 데 필요한 몇 가지 기본 사항인

문제해설

고대 이집트 문명이 나일강과 사하라 사막이 제공하는 환경적 이점을 토대로 발전했다는 내용이므로, 제목으로는 ④ '나일강과 사하라 사막: 문명의 토대'가 가장 적절하다.

① 이집트: 위대한 고대 문명의 융성과 몰락
② 어떻게 황폐한 땅이 비옥한 들판으로 바뀌었는가
③ 왜 고대 이집트인들은 그들의 환경을 두려워했는가?
⑤ 어떻게 고대 이집트는 지리적 약점을 극복했는가

내신·서술형 대비

1. I was able to focus on studying
본문에 나온 구문 be able to(~할 수 있다)와 focus on(~에 집중하다)을 이용한다.

2. **당시 광활한 사하라 사막을 건너서 이집트를 공격할 능력이 있는 군대가 없었기 때문에**
바로 앞 문장에서 그 이유를 찾을 수 있다.

04 주장·요지

기출 풀기

» p. 26

정답 ⑤

지문해석

나는 여러분이 "만약 충분히 오랫동안 열심히 노력하기만 한다면, 여러분이 원하는 것은 무엇이든 할 수 있다."와 같은 말을 들어 본 적이 있을 거라고 확신한다. 아마도 여러분은 심지어 누군가를 더 열심히 노력하도록 자극하려고 비슷한 주장을 했을지도 모른다. 물론, 이러한 말들은 훌륭하게 들리지만, 확실히 그것들은 사실일 리가 없다. 우리가 되고 싶어 하는 프로 운동선수, 예능인, 또는 영화배우가 될 수 있는 사람은 우리 중에 거의 없다. 환경적, 신체적, 심리적 요인들이 우리의 잠재력을 제한하고 우리가 살아가면서 할 수 있는 것들의 범위를 한정한다. '더 열심히 노력하는 것'이 재능, 장비, 방법을 대체할 수는 없지만, 이것이 절망을 초래해서는 안 된다. 오히려, 우리는 우리의 한계 내에서 우리가 될 수 있는 최고가 되려고 시도 해야 한다. 우리는 우리의 적소(適所)를 찾으려고 노력한다. 우리가 취업 연령에 도달할 때쯤이면, 우리가 효과적으로 수행할 수 있는 한정된 범위의 직업이 있다.

구문해설

1행 I am sure / you have heard something like, / "You can do anything [(that) you want], / if you just persist long and hard enough."

have heard: 현재완료(경험) / (that) you want: 목적격 관계대명사절 / enough는 부사를 뒤에서 수식함

나는 확신한다 / 여러분이 ~와 같은 말을 들어 본 적이 있을 거라고 / "여러분이 원하는 것은 무엇이든 할 수 있다 / 만약 충분히 오랫동안 열심히 노력하기만 한다면"

2행 Perhaps / you have even made a similar assertion / to **motivate someone to try** harder.

to motivate: to부정사 부사적 용법(목적) / motivate+목적어+목적격보어(to부정사): ~가 …하도록 자극하다

아마도 / 여러분은 심지어 비슷한 주장을 했을지도 모른다 / 누군가를 더 열심히 노력하도록 자극하려고

5행 Environmental, physical, and psychological factors / limit our potential / and narrow the range of things [(that) we can do with our lives].

Environmental, physical, and psychological factors: S / limit: V1 / narrow: V2 / (that) we can do with our lives: 목적격 관계대명사절

환경적, 신체적, 심리적 요인들이 / 우리의 잠재력을 제한하고 / 우리가 살아가면서 할 수 있는 것들의 범위를 한정한다

9행 [**By the time** we reach employment age], / there is a finite range of jobs / [(that) we can perform effectively].

By the time: <시간>의 부사절(~할 때쯤) / (that) we can perform effectively: 목적격 관계대명사절

우리가 취업 연령에 도달할 때쯤이면 / 한정된 범위의 직업이 있다 / 우리가 효과적으로 수행할 수 있는

유형 연습

» pp. 28-33

1 ⑤ 2 ⑤ 3 ① 4 ② 5 ③ 6 ⑤

내신·서술형 대비

1 1. ⓐ involved ⓑ efficiently 2. ④
2 1. ⓒ encourage → encouraging 2. (1) 정부에 대한 반감을 키울 수 있다. (2) 선거 결과가 그 나라의 사회를 대표하는 견해가 아닐 수 있다.
3 1. making → made 2. 아시아인들은 수학을 잘한다.
4 1. thrown 2. Not only is Janis a great singer, she is also an excellent composer.
5 1. ⓐ ~ 때문에, ~이므로 ⓑ ~로서 2. (1) 정보 처리 능력을 향상시킨다. (2) 집중 시간이 길어진다. (3) 끈기를 길러 준다.
6 1. ⓐ what ⓑ associated 2. ③

1 ⑤

지문해석

문제가 발생했을 때, 특히 그 문제가 다른 사람의 잘못임이 분명할 때 사람들은 그들을 비난하는 경향이 있다. 하지만, 당신의 비난이 정당할지라도, 그것은 아마도 그 사람이 방어적이며 비협조적이게 만들 것이다. 이는 당신이 그 사람과 그 문제를 연결시키고 있기 때문이다. 이런 실수를 피하기 위해서는, 그 문제와 관련된 사람과 문제를 분리할 것이 권장된다. 당신이 어떤 프로젝트의 리더이고, 당신의 팀이 일정에 뒤처져 있다고 가정해 보자. 마감일이 얼마 남지 않았는데, 아무도 일을 충분히 빨리 하고 있지 않다. 이런 상황이라면, 당신은 "우리는 시간에 맞춰 완료하지 못할지도 모르겠네요. 그건 여러분이 일을 너무 천천히 하기 때문이에요."라고 말하려는 유혹을 느낄 수도 있다. 하지만, "우리는 시간에 맞춰 완료하지 못할지도 모르겠네요. 일을 더 효율적으로 할 수 있는 방법을 찾아보도록 노력합시다."라고 말하는 것이 더 현명한 일이 될 것이다. 이런 식으로 이야기하는 것은 긍정적인 분위기와 협력적 태도를 만들어 내며, 더 나은 결과를 가져온다.

구문해설

2행 However, / [**even if** your blaming is justified], / it will likely cause the person / to become defensive and uncooperative.
<양보>의 부사절
cause+목적어+목적격보어(to부정사): ~가 …하도록 하다

하지만 / 당신의 비난이 정당할지라도 / 그것은 아마도 그 사람이 ~하게 만들 것이다 / 방어적이며 비협조적이게

5행 To avoid this mistake, / it **is recommended** (that) / you (should) **separate** the problem / **from** the person [**involved** with it].
to부정사 부사적 용법(목적)
당위성을 나타내는 동사(recommend)가 주절에 왔을 때, that절의 동사는 「should+동사원형」으로 쓰며, should는 생략할 수 있음
separate A from B: A를 B로부터 분리하다
과거분사구

이런 실수를 피하기 위해서는 / 권장된다 / 문제를 분리할 것이 / 그 문제와 관련된 사람과

11행 [**Talking** in this way] / brings a better outcome, / [**creating** a positive atmosphere and a collaborative attitude].
S(동명사구) V
분사구문(부대상황)

이런 식으로 이야기하는 것은 / 더 나은 결과를 가져온다 / 긍정적인 분위기와 협력적 태도를 만들어 내며

문제해설

문제가 발생했을 때, 잘못을 저지른 사람을 비난하기보다는 문제 상황에 집중하여 대응하는 편이 더 좋은 결과를 이끌 수 있다는 내용이므로, 글의 요지로 가장 적절한 것은 ⑤이다.

내신·서술형 대비

1. ⓐ involved ⓑ efficiently
ⓐ 그 사람(the person)이 문제(it)와 '관련된' 것이므로 과거분사 involved가 적절하다. ⓑ 동사 work를 수식하는 부사가 오는 것이 적절하다.

2. ④
around the corner는 본문에서 '(시간이) 임박한'이라는 뜻으로 ④ at hand(가까운, 머지않아)로 바꿔 쓸 수 있다.
① 구식인 ② 넘치는 ③ 미리 ⑤ 우연히 마주친

2 ⑤

지문해석

많은 나라들에서, 개인들은 투표를 하고 싶은지 아닌지를 선택할 수 있다. 그러나, 호주, 벨기에, 싱가포르를 포함한 일부 나라에서는 사람들이 법적으로 투표하도록 요구 받는다. 문제는 이러한 의무 투표가 반드시 사람들의 정치에 대한 관심을 증가시키는 것은 아니라는 점이다. 사실, 그것은 정부에 대한 반감을 키울 수도 있다. 게다가, 강제적인 참여가 있는 선거의 결과는 그 나라의 사회를 대표하는 견해가 아닐 수도 있다. 그러므로, 정부는 사람들을 참여시키고 투표하도록 설득할 다른 방법들을 찾을 필요가 있다. 예를 들어, 학교에서 민주주의의 역사를 가르치고 정치적인 토론을 장려하는 것이 정치 참여로 이어질 수 있다. 또한, 선거 과정의 중요성과 선거가 교육 및 주택 문제를 위해 얼마나 많은 예산이 책정되어 있는지 결정하는 것과 같이 그들의 일상생활에 어떻게 영향을 미치는지에 대해 시민들을 교육하는 것도 사람들이 자발적인 투표자가 되도록 동기를 부여할 수 있다.

구문해설

3행 The problem is / [**that** this mandatory voting / does not necessarily increase / people's interest in politics];
주격보어(명사절)
부분부정(반드시 ~한 것은 아닌)

문제는 ~이다 / 이러한 의무 투표가 / 반드시 증가시키는 것은 아니라는 점 / 사람들의 정치에 대한 관심을

8행 For example, / [teaching the history of democracy / and encouraging political discussion / in schools] / can lead to political participation.
S (동명사 teaching과 encouraging이 접속사 and로 병렬 연결됨)
V

예를 들어 / 민주주의의 역사를 가르치고 / 정치적인 토론을 장려하는 것이 / 학교에서 / 정치 참여로 이어질 수 있다

10행 Also, / educating citizens / [about the importance of the electoral process / and {how elections can affect their daily lives / — such as by deciding how much money is budgeted / for education and housing problems}] — / can motivate them to become voluntary votes.
S
전치사구
about의 목적어1(명사구)
about의 목적어2(의문사절)
~ 같은
V motivate+목적어+목적격보어(to부정사): ~가 …하도록 동기를 부여하다

또한 / 시민들을 교육하는 것도 / 선거 과정의 중요성과 / 선거가 그들의 일상생활에 어떻게 영향을 미치는지에 대해 / 얼마나 많은 예산이 책정되어 있는지 결정하는 것과 같이 / 교육 및 주택 문제를 위해 / 사람들이 자발적인 투표자가 되도록 동기를 부여할 수 있다

문제해설

시민들에게 법률을 통해 강제적으로 투표하도록 할 경우 반감을 일으키거나 올바른 견해를 얻을 수 없으므로, 학교 교육을 강화하거나 선거 참여의 중요성을 시민들에게 교육하여 자발적으로 투표하도록 하는 것이 바람직하다는 내용의 글이므로, 글의 요지로 가장 적절한 것은 ⑤이다.

내신·서술형 대비

1. ⓒ encourage → encouraging

   ⓒ 주어 역할을 하는 동명사 teaching과 접속사 and로 병렬 연결되어 있으므로 동명사 encouraging으로 써야 한다.

2. (1) 정부에 대한 반감을 키울 수 있다. (2) 선거 결과가 그 나라의 사회를 대표하는 견해가 아닐 수 있다.

   본문 5~7행 참고

3 ①

지문해석

우리가 고정 관념에 대해 생각할 때, 우리는 부정적인 것에 집중하는 경향이 있다. 하지만, 어떤 집단에 대한 긍정적인 고정 관념도 있다. 만약 부정적인 고정 관념이 사람들을 화나게 한다면, 긍정적인 고정 관념은 어떤가? 어느 한 연구에서, 아시아계 미국인 참가자들은 백인 참가자와 함께 작업하라는 요청을 받았는데, 그 백인 참가자는 사실 연구원 중 한 명이었다. 그러고는 참가자 한 명은 수학 문제를 풀게 되고, 다른 한 명은 언어 문제를 풀게 될 것이라고 발표했다. 조작된 동전 던지기 후에, 백인 참가자는 누가 어떤 작업을 할 것인지를 선택하도록 뽑혔다. 한 경우에, 백인 참가자는 아시아계 미국인 참가자에게 수학 문제를 건네며 "당신이 이 문제를 푸시고, 제가 이 문제를 풀게요."라고 말했다. 다른 경우에는, 백인 참가자가 "아시아 사람들은 수학을 잘하니까 이 문제를 푸세요. 제가 다른 것을 풀게요."라고 말했다. 나중에, 아시아계 미국인 참가자에게 파트너에 대한 의견을 물었다. 결과는 고정 관념의 사용은 비록 그것이 긍정적인 내용이라고 하더라도, 참가자를 화나게 하고 자신의 개성이 없어지는 느낌을 받게 한다는 것을 보여 주었다.

구문해설

3행 In a study, / Asian-American participants were asked / to work with a white participant, / [**who** actually was one of the researchers].
(were asked: 수동태 / a white participant: 선행사 / who ~: 계속적 용법의 주격 관계대명사절)

어느 한 연구에서 / 아시아계 미국인 참가자들은 요청을 받았는데 / 백인 참가자와 함께 작업하라는 / 그 백인 참가자는 사실 연구원 중 한 명이었다

5행 **It** was then announced / [**that** one participant would work on math problems / and the other would work on verbal problems].
(It: 가주어 / They then announced that ~의 수동태 / that절: 진주어(that절) / one ~ the other ...: (둘 중) 하나는 ~, 다른 하나는 …)

그러고는 발표했다 / 참가자 한 명은 수학 문제를 풀게 되고 / 다른 한 명은 언어 문제를 풀게 될 것이라고

13행 The results showed / [**that** the use of a stereotype, / {**even though** it was positive}, / made participants feel angry and depersonalized].
(that ~: showed의 목적어(명사절) / the use of a stereotype: S / even though ~: <양보>의 부사절(삽입절) / made: V / make+목적어+목적격보어(형용사/과거분사))

결과는 보여 주었다 / 고정 관념의 사용은 / 비록 그것이 긍정적인 내용이라고 하더라도 / 참가자를 화나게 하고 자신의 개성이 없어지는 느낌을 받게 한다는 것을

문제해설

칭찬처럼 들리는 긍정적인 고정 관념을 말했을 경우에도 듣는 사람이 화가 나거나 본인의 개성이 없어지는 것과 같은 느낌을 받았다라는 실험 결과를 설명하는 글이므로, 글의 요지로 가장 적절한 것은 ①이다.

내신·서술형 대비

1. making → made

   that절 안에서 주어는 the use of a stereotype이고 동사가 필요하므로 주절의 showed와 시제를 일치시켜 made로 써야 한다.

2. 아시아인들은 수학을 잘한다.

   본문 8~11행 참고

4 ②

지문해석

10월은 호박을 재배하는 농부들에게는 기분 좋은 달이다. 핼러윈이 다가오면서, 수천 명의 가족들이 완벽한 호박을 고르기 위해 농장으로 향한다. 불행히도, 대부분의 호박은 장식으로만 사용되고 바로 버려진다. 영국에서만 매년 약 8백만 개의 호박이 쓰레기 매립지로 보내진다. 이것을 합치면 이 나라의 모든 사람들에게 호박 파이를 만들어 주기에도 충분한 18,000톤의 먹을 수 있는 호박이 된다. 이것은 음식의 낭비일 뿐만 아니라 환경에도 좋지 않다. 이렇게 버려진 호박이 썩으면서, 너무나 많은 양의 온실가스를 대기 중으로 배출한다. 식물이나 쓰레기를 바이오 연료로 전환시킬 수 있는 시설 개발을 위해 많은 노력이 이루어졌지만, 아직 실용화 단계에 이르지는 못하고 있다. 그때까지, 우리는 호박등 안에 있는 것을 버리기보다는 먹으려고 노력해야 한다.

구문해설

3행 Unfortunately, / most of these pumpkins are used only as decorations / and then (are) thrown away.
(are used와 thrown: 수동형 동사가 and로 병렬 연결됨)

불행히도 / 대부분의 호박은 장식으로만 사용되고 / 바로 버려진다

6행 **Not only** is this a waste of food, / it is **also** bad for the environment.
(Not only: 부정어 / is: V / this: S(부정어가 문두에 오면서 주어와 동사가 도치됨) / not only A (but) also B: A뿐만 아니라 B도)

이것은 음식의 낭비일 뿐만 아니라 / 환경에도 좋지 않다

8행 Many efforts have been made / to develop facilities / [**that** can convert plant and waste material to biofuels], / but they are not yet in a practical stage.
(have been made: 현재완료수동태(계속) / that ~: 주격 관계대명사절 / they = facilities)

많은 노력이 이루어졌다 / 시설 개발을 위해 / 식물이나 쓰레기를 바이오 연료로 전환시킬 수 있는 / 하지만 아직 실용화 단계에 이르지는 못하고 있다

문제해설

매년 핼러윈 때마다 너무나도 많은 양의 먹을 수 있는 호박이 버려져서 음식을 낭비할 뿐만 아니라 온실가스 배출 문제도 야기하고 있어서 호박을 버리지 말고 먹어야 한다는 내용이므로, 필자의 주장으로 가장 적절한 것은 ②이다.

내신·서술형 대비

1. thrown

used와 접속사 and로 병렬되고 주어인 호박이 버려지는 것이므로 수동태의 과거분사 thrown이 적절하다.

2. Not only is Janis a great singer, she is also an excellent composer.

「not only A, (but) also B(A뿐만 아니라 B도 역시)」 구문이 필요하며, 부정어구인 not only가 문두에 쓰였으므로 주어와 동사를 도치시킨다.

5 ③

지문해석

만약 당신의 아이들이 공룡을 '지나치게 많이' 좋아하는 것을 걱정하고 있다면, 당신은 그렇게 하지 말아야 한다. 연구에 따르면 어린 아이들 중 대략 세 명 중 한 명 정도가 어느 시점에 어떤 주제가 되었든 이에 대해 열렬한 관심을 키워 나가게 될 것이라고 한다. 이렇게 매료된 것이 공룡과 같은 '개념적' 주제를 포함할 때, 이는 정보 처리 능력을 향상시킬 수 있고, 더 긴 시간 집중할 수 있게 해 주며, 아이들이 더 끈기 있도록 가르칠 수 있다. 이는 만약 그들이 수동적인 상태를 유지하게 되면, 그 주제에 대한 그들의 정보 욕구를 만족시킬 수 없기 때문이다. 그러므로, 그들은 질문하고, 책을 읽고, 적극적으로 더 알아낼 방법을 찾도록 내몰린다. 어떤 주제를 추구하여 숙달하는 능력은 성인으로서 경력을 쌓는 데 활용될 수 있기 때문에 중요한 것이다. 그러므로 당신의 아이들이 무언가에 대해 강렬한 관심을 갖는 것에 대해 불안을 느끼는 대신에, 참여하여 아이들이 더욱 탐구해 가도록 격려하라.

구문해설

1행 If you're worried / [**that** your kids love dinosaurs "too much]," / you shouldn't be (worried).
were worried의 목적어(명사절)

만약 걱정하고 있다면 / 당신의 아이들이 공룡을 '지나치게 많이' 좋아하는 것을 / 당신은 그렇게 하지 말아야 한다

3행 [**When** this fascination / involves a "conceptual" topic like dinosaurs], / it can improve information-processing skills, / lead to a longer attention span, / and teach kids to be more persistent.
<시간>의 부사절 / 동사 improve, lead, teach가 접속사 and로 병렬 연결됨 / teach+목적어+목적격보어(to부정사): ~에게 …을 가르치다

이렇게 매료된 것이 / 공룡과 같은 '개념적' 주제를 포함할 때 / 이는 정보 처리 능력을 향상시킬 수 있고 / 더 긴 시간 집중할 수 있게 해 주며 / 아이들이 더 끈기 있도록 가르칠 수 있다

9행 The ability to pursue and (to) master a topic / is an important one, / [**as** it can be used / to form a career as an adult].
S / to부정사 형용사적 용법 / V / <이유>의 부사절 / to부정사 부사적 용법(목적) / 전치사(~로서)

어떤 주제를 추구하여 숙달하는 능력은 / 중요한 것이다 / 활용될 수 있기 때문에 / 성인으로서 경력을 쌓는 데

문제해설

아이가 한 가지 주제에 강한 관심을 갖는 것은 아이가 여러 가지 측면에서 성장하는 데 도움이 될 수 있기 때문에 이를 장려해야 한다는 내용이므로, 필자의 주장으로 가장 적절한 것은 ③이다.

내신·서술형 대비

1. ⓐ ~ 때문에, ~ 이므로 ⓑ ~로서

ⓐ는 뒤에 절이 오고, 문맥상 '이유'를 나타내는 접속사로 쓰였고, ⓑ는 뒤에 명사구가 오고, 문맥상 '자격'을 나타내는 전치사로 쓰였다.

2. (1) 정보 처리 능력을 향상시킨다. (2) 집중 시간이 길어진다. (3) 끈기를 길러 준다.

본문 4~6행 참고

6 ⑤

지문해석

보디 캠은 일부 국가들에서 경찰에 의해 착용되는 작은 전자 장치이다. 보디 캠은 선글라스, 모자 또는 옷깃에 부착될 수 있다. 사람들과의 상호작용을 기록함으로써, 경찰은 그들의 행동에 대한 불만 건수를 줄일 수 있다. 불만이 제기되면, 이 보디 캠들은 실제로 일어났던 것에 대한 명확한 기록을 제공한다. 그 결과, 경찰들과 시민들 모두 공권력의 남용과 잘못된 비난에서 보호받을 수 있다. 경찰과 관련된 심각한 사건들의 경우, 보디 캠의 녹화 장면은 법정에서 증거로 사용될 수 있다. 이것은 상황에 대한 논란의 여지가 없는 증거를 제시함으로써 법정 소송의 속도를 높일 수 있고, 소송 비용도 줄일 수 있는 가능성을 갖고 있다. 사생활 침해와 관련된 우려도 있지만, 그것들은 이러한 카메라가 언제 어디서 사용 가능한지와 어떤 상황에서 꺼야 하는지에 대한 것과 같은 문제와 관련하여 명확한 법 집행 정책들을 통해서 해결될 수 있다. 지속적인 보디 캠 사용의 이점이 부정적인 면보다 더 크다는 것은 분명하다.

구문해설

1행 Body cameras / are tiny electronic devices / [**worn** by police officers / in some countries].
과거분사구

보디 캠은 / 작은 전자 장치이다 / 경찰에 의해 착용되는 / 일부 국가들에서

4행 [**When** complaints are made], / these body cameras / provide a clear record / of [**what** really happened].
<시간>의 부사절 / 전치사 of의 목적어(관계사절)

불만이 제기되면 / 이 보디 캠들은 / 명확한 기록을 제공한다 / 실제로 일어났던 것에 대한

8행 This has the potential / [to speed up court cases / by providing indisputable proof of situations / and to reduce court expenses].
to부정사 형용사적 용법 / by+v-ing: ~함으로써(수단) / to speed와 and로 병렬 연결됨

이것은 가능성을 갖고 있다 / 법정 소송의 속도를 높일 수 있고 / 상황에 대한 논란의 여지가 없는 증거를 제시함으로써 / 소송 비용도 줄일 수 있는

13행 **It** is clear / [**that** the benefits {of the continued use of body cameras} / outweigh the negatives].
가주어 / 진주어(명사절) / S / 전치사구 / V

분명하다 / 지속적인 보디 캠 사용의 이점이 / 부정적인 면보다 더 크다는 것은

문제해설

마지막 문장이 주제문으로, 경찰이 보디 캠을 사용함으로써 경찰에 대한 불만도 줄일 수 있고 상황에 대한 증거가 되어 소송 기간이나 비용도 줄일 수 있는 있는 등 부정적인 면보다는 이점이 많으므로 지속적으로 사용해야 한다는 내용이므로, 필자의 주장으로 가장 적절한 것은 ⑤이다.

내신·서술형 대비

1. ⓐ what ⓑ associated

ⓐ 선행사도 없고 이어지는 절에서 주어도 없으므로 선행사를 포함한 관계대명사 what이 와야 한다. ⓑ 사생활 침해와 '관련된'이라는 의미이므로 과거분사 형태인 associated로 써야 한다.

2. ③

③ '테니스와 같은 경기를 하는 구역'은 '테니스 코트'를 뜻하는데, 본문의 court는 '법정'을 뜻한다.

① 장치: 특정 목적을 위해 만들어진 물건
② 녹화 장면: 사건을 보여주는 영상
④ 가능성: 발전할 수 있거나 실제가 될 수 있는 것
⑤ 손실: 무언가를 가지고 있지 않거나 덜 가지고 있는 상태

05 요약문

기출 풀기

» p. 34

정답 ②

지문해석

1995년에 Columbia 대학의 경영학과 교수인 Sheena Iyengar에 의해 실시된 실험이 있었다. 캘리포니아의 고급 식료품 상점에서 Iyengar 교수와 그녀의 연구 조교들은 잼 샘플 부스를 설치했다. 몇 시간마다 그들은 24병의 잼 모음에서 6병의 잼 모음만을 제공하는 것으로 바꾸었다. 평균적으로, 고객들은 모음의 크기에 상관없이 두 가지 잼을 시식했고, 각자 잼 한 병당 1달러 할인 쿠폰을 받았다. 여기에 흥미로운 부분이 있다. 60퍼센트의 고객이 많은 모음에 이끌린 반면, 단지 40퍼센트의 고객이 적은 모음에 들렀다. 하지만 적은 모음을 시식했던 사람들 중 30퍼센트가 잼을 사기로 결정한 반면, 24개의 잼 모음을 마주했던 사람들 중 단지 3퍼센트가 잼을 구입했다. 실질적으로, 모음의 크기가 24개일 때보다 6개일 때 더 많은 수의 사람들이 잼을 구매했다.

→ 비록 실험에 참가했던 고객들이 더 많은 잼의 선택권을 매력적이라고 생각했지만, 그들에게 더 많은 선택권을 부여하는 것은 그들이 잼을 구매할 가능성을 낮추었다.

구문해설

1행 There was an experiment / [**conducted** in 1995 / by Sheena Iyengar, a professor of business at Columbia University].
(과거분사구; 동격)

실험이 있었다 / 1995년에 실시된 / Columbia 대학의 경영학과 교수인 Sheena Iyengar에 의해

7행 Sixty percent of customers were drawn to the large assortment, / [**while** only 40 percent stopped by the small **one**].
(S: Sixty percent of customers, V: were drawn; 「부분을 나타내는 말+of+명사」에서 수는 of 뒤의 명사의 수에 일치시킴; <대조>의 부사절; one = assortment)

60퍼센트의 고객이 많은 모음에 이끌렸다 / 반면 단지 40퍼센트의 고객이 적은 모음에 들렀다

9행 But / [30 percent of the people /{**who** had sampled from the small assortment}] / decided to buy jam, / while [only three percent of those / {**confronted** with the two dozen jams}] / purchased a jar.
(과거 완료; 주격 관계대명사절; 과거분사구; S, V)

하지만 / 사람들 중 30퍼센트가 / 적은 모음을 시식했던 / 잼을 사기로 결정했다 / 반면, 사람들 중 단지 3퍼센트가 / 24개의 잼 모음을 마주했던 / 잼을 구입했다

11행 Effectively, / a greater number of people / bought jam / [**when** the assortment size was 6] / than [**when** it was 24].
(a number of+복수명사: 많은(복수 취급); <시간>의 부사절이 than으로 병렬 연결됨)

실질적으로 / 더 많은 수의 사람들이 / 잼을 구매했다 / 모음의 크기가 6개일 때 / 24개일 때보다

유형 연습

» pp. 36-39

1 ③ 2 ③ 3 ① 4 ②

내신·서술형 대비

1 1. was considered 2. (1) 부유한 집에서 태어났다 (2) (은 숟가락으로 음식을 먹어서) 더 건강하다
2 1. (1) receive it → receive (2) reaching at → reaching 2. ①
3 1. 소수의 견해를 고려하는 것 2. ④
4 1. ⓐ 접속사로 앞의 명사와 동격 관계인 절을 이끈다. ⓑ 주격 관계대명사로 앞의 명사(선행사)를 수식하는 관계사절을 이끈다.
2. logic

1 ③

지문해석

은은 수 세기 동안 통화의 한 형태로 사용되어 왔다. 중세에는 사실 은이 동양과 서양의 문명을 연결하는 데 도움을 주었다. 그 당시 중국에서는 은이 흔하지 않아서, 귀한 형태의 화폐로 여겨졌다. 유럽인들은 중국과 유럽을 잇는 4,000마일의 교역로인 실크로드를 따라 운반되는 중국의 물건들을

사는 데 은을 이용했다. 18세기에는 은이 사람들의 건강 유지를 돕는 역할도 했다. '입에 은 숟가락을 물고 태어난'이라는 어구는 누군가가 부유한 가정에서 태어났다는 의미로 자주 사용된다. 하지만 그 이상의 의미도 있다. 은 숟가락으로 음식을 받아먹은 아기들이 나무 숟가락으로 음식을 받아먹은 아기들보다 더 건강하다고 여겨졌다. 현대 의학이 발달하기 전에, 사람들은 은이 질병을 유발하는 박테리아와 세균에 대항하는 항균 기능을 가지고 있다는 것을 알았다.
→ 과거에, 은은 거래를 촉진하는 데 사용되었을 뿐만 아니라 박테리아로부터 아기들을 보호해 주는 의학적인 목적으로도 사용되었다.

구문해설

3행 At that time / silver was not common in China, / [**so** it was considered a valuable form of currency].
<결과>의 등위절 / 5형식 동사(consider)의 수동태 구문

그 당시 / 중국에서는 은이 흔하지 않아서 / 귀한 형태의 화폐로 여겨졌다

7행 The phrase "born [**with** a silver spoon in your mouth]" / is often used to mean / {(that) someone was born into a wealthy family}.
「with+목적어+전치사구」의 형태로 동시 상황을 나타내는 분사구 / S / 동격 / to부정사 부사적 용법(목적) / mean의 목적어(명사절)

'입에 은 숟가락을 물고 태어난'이라는 어구는 / 의미로 자주 사용된다 / 누군가가 부유한 가정에서 태어났다는

9행 Babies [**who** were fed with silver spoons] / were thought to be healthier / than those [**who** were fed with wooden spoons].
주격 관계대명사절 / 5형식의 수동태 / 비교급+than: ~보다 더 …한 / = babies / 주격 관계대명사절

은 숟가락으로 음식을 받아먹은 아기들이 / 더 건강하다고 여겨졌다 / 나무 숟가락으로 음식을 받아먹은 아기들보다

문제해설

은이 중세에는 동서양의 문명을 연결하고 거래에 중요한 역할을 했고, 18세기에는 항균 기능을 갖고 있어 건강 유지에 도움을 주었다는 내용이므로, 각 빈칸에 들어갈 말로는 ③ '거래 — 의학적인'이 가장 적절하다.

① 침략 — 의학적인 ② 건설 — 의학적인
④ 관광 — 정치적인 ⑤ 생산 — 정치적인

내신·서술형 대비

1. was considered
주어 it은 silver이고 귀한 화폐 형태로 '여겨진' 것이므로 수동태인 was considered가 적절하다.
2. (1) 부유한 집에서 태어났다 (2) (은 숟가락으로 음식을 먹어서) 더 건강하다
본문 7-11행 참고

2 ③

지문해석

목표를 세울 때 사람들이 묻는 가장 흔한 질문은 "나는 무엇을 성취하고 싶은가?"이다. 하지만, 당신이 목표를 세우고 이에 도달하는 것에 대해 진지하다면, 당신은 스스로에게 다른 질문을 해야 한다. "나의 목표를 이루기 위해 나는 어떤 종류의 고통을 기꺼이 견뎌낼 것인가?" 단순히 목표를 갖는 것은 쉬운 일이다. 누가 최고의 대학에 들어가거나, 살을 빼거나, 백만장자가 되길 원치 않겠는가? 모두가 이런 목표들을 이루고 싶어 한다. 진정한 도전은 당신이 원하는 것을 선택하는 것이 아니라 그것을 얻기 위해 필요한 희생을 할 준비가 되어 있는지를 결정하는 것이다. 목표에 도달함으로써 받게 될 보상에 대해 생각하지 말라. 거기에 이르는 과정, 이를테면 힘든 일, 원치 않는 생활 방식의 변화, 끝없는 지루한 연습에 대해 생각해 보라. 모든 운동 선수가 챔피언이 되고 싶어 한다. 하지만, 챔피언이 될 만큼 충분히 열심히 하려는 선수들은 거의 없다.
→ 목표를 세울 때, 성공적인 결과에 집중하기보다는, 당신이 그 과정에서 마주하게 될 고생을 고려해야 한다.

구문해설

1행 [The most common question / {(that) people ask / (when they set goals)}] / is "What do I want to achieve?"
S / 목적격 관계대명사절 / <시간>의 부사절 / V

가장 흔한 질문은 / 사람들이 묻는 / 목표를 세울 때 / "나는 무엇을 성취하고 싶은가?"이다

6행 The real challenge / is not [**choosing** {**what** you want}]; / it is [**deciding** / {**if** you are ready to make the necessary sacrifices to get it}].
S / 주격보어(동명사구) / choosing의 목적어(관계사절) / 주격보어(동명사구) / deciding의 목적어(명사절) / to부정사 부사적 용법(목적)

진정한 도전은 / 당신이 원하는 것을 선택하는 것이 아니라 / 결정하는 것이다 / 그것을 얻기 위해 필요한 희생을 할 준비가 되어 있는지를

12행 Few, / however, / are willing to work hard enough / to become one.
'거의 없는 사람/것'을 의미하는 부정어 / = a champion / 부사+enough+to-v: ~할 만큼 충분히 …하다

사람들은 거의 없다 / 하지만 / 충분히 열심히 하려는 / 챔피언이 될 만큼

문제해설

목표를 세울 때에는 단순히 성공적인 결과만 생각하지 말고, 이를 이루기 위해 필요한 희생과 어려움을 생각해야 한다는 내용이므로, 각 빈칸에 들어갈 말로는 ③ '고충 — 결과'가 가장 적절하다.

① 결과 — 수단 ② 좌절 — 방법
④ 보상 — 방법 ⑤ 경쟁자 — 결과

내신·서술형 대비

1. (1) receive it → receive (2) reaching at → reaching
receive의 목적어는 선행사인 the rewards이므로 목적어 it은 필요 없다. reach가 '~에 이르다'의 의미로 쓰일 때는 타동사이므로 전치사 at이 없어야 한다.
2. ①
목표를 세울 때에는 단순히 성공적인 결과만 생각하지 말고, 이를 이루기 위해 필요한 희생과 어려움을 생각해야 한다는 내용의 글이므로 ① '고통 없이는 얻는 것도 없다.'가 가장 적절하다.
② 뛰기 전에 먼저 보라. (돌다리도 두드려 보고 건너라.)
③ 늦더라도 안 하는 것보다 낫다.
④ 시간은 사람을 기다려 주지 않는다.

⑤ 거지는 선택자가 될 수 없다. (궁한 마당에 고를 처지가 아니다.)

3 ①

지문해석

다수의 영향력은 집단 내 소수의 사람들이 다른 시각을 가지고 있더라도, 집단 구성원들에게 그 규범에 따르도록 강요한다. 대부분의 집단 구성원들이 소수의 관점을 받아들일 가능성은 낮지만, 그 관점이 특이하거나 새로운 것이라면 일부 구성원들은 그것을 고려하는 것을 선택할 수도 있다. 그들은 그것이 집단의 규범에 맞는지 여부보다는 장점들에 근거하여 이렇게 하는데, 이는 그들로 하여금 기존의 시각에 의문을 갖게 할 수도 있다. 결과적으로, 소수의 시각은 이런 집단 구성원들에 의해 내재화될 수 있다. 이것의 좋은 예가 영국에서 일어났는데, 참정권 운동이 투표권을 남성 시민으로 제한했던 현상에 도전했던 때인 1910년대이다. 소수 집단은 이것이 부당하다고 주장했으며, 다수에게 여성의 권리에 관한 관점을 받아들일 것을 설득하려고 노력했다. 결국, 여성들은 1918년에 투표권을 부여받았다.

→ 소수의 영향력이 대중의 의견과 집단의 규범에 도전하는 것을 포함하고 있지만, 때때로 그들의 관점은 장기적으로 다수에 의해 받아들여진다.

구문해설

5행 They do this / based on its merits, / rather than whether or not it complies with the group's norms, / [**which** may cause them to question their existing views].

(based on: ~에 기초하여 / its: 선행사 / A rather than B: B보다는 차라리 A / whether or not: ~인지 아닌지 / which: 계속적 용법의 주격 관계대명사절 / cause+목적어+목적격보어(to부정사): ~가 …하도록 하다)

그들은 이렇게 하는데 / 장점들에 근거하여 / 그것이 집단의 규범에 맞는지 여부보다는 / 이는 그들로 하여금 기존의 시각에 의문을 갖게 할 수도 있다

8행 A good example of this / took place in the UK / during the 1910s, / [**when** the suffragette movement challenged the status quo], / {**which** restricted the right to vote to male citizens}.

(the 1910s: 선행사 / when: 계속적 용법의 관계부사절 / the status quo: 선행사 / which: 계속적 용법의 주격 관계대명사절 / to vote: to부정사 형용사적 용법)

이것의 좋은 예가 / 영국에서 일어났는데 / 1910년대이다 / 참정권 운동이 현상에 도전했던 때인 / 투표권을 남성 시민으로 제한했던

11행 The minority group **insisted** / that this **was** unfair / and tried to persuade the majority to accept its views / regarding women's rights.

(주장을 나타내는 동사 insist가 쓰였지만 종속절 내용이 당위성(~해야 한다)의 내용이 아니므로 (should) be로 쓰지 않음 / persuade+목적어+목적격보어(to부정사): ~가 …하도록 설득하다 / regarding: 전치사(~에 관한))

소수 집단은 주장했다 / 이것이 부당하다고 / 그리고 다수에게 관점을 받아들일 것을 설득하려고 노력했다 / 여성의 권리에 관한

문제해설

소수의 관점은 대개 다수에게 받아들여지지 않지만, 그 관점이 다수가 장점에 근거하여 기존의 관점에 의문을 품을 경우 결국 받아들여지기도 한다는 내용이므로, 각 빈칸에 들어갈 말로는 ① '도전하는 것 — 받아들여지다'가 가장 적절하다.

② 촉진하는 것 — 변화되다 ③ 분석하는 것 — 개정되다

④ 도전하는 것 — 거부되다 ⑤ 촉진하는 것 — 개발되다

내신·서술형 대비

1. 소수의 견해를 고려하는 것

바로 앞 문장의 consider it(= the minority's point of view)을 가리킨다.

2. ④

take place는 ④ '일어나다'라는 뜻으로 쓰였다.

① spread(퍼지다) ② locate(찾아내다)

③ replace(대체하다) ⑤ trade(교역하다)

4 ②

지문해석

직관은 어떤 것이 사실이라는 증명이나 증거가 없어도 사실인 것처럼 느껴지는 설명할 수 없는 느낌이다. 철학과 과학에 관한 한, 직관은 복잡한 역할을 수행한다. 직관만으로는 신뢰할 수 있는 정보의 원천이 될 수 없다. 단지 우리가 어떤 것이 사실이라 느낀다고 해서 그것이 사실이라는 것을 의미하는 것은 아니다. 그래서 직관은 철학자들, 특히나 과학자들에게 종종 의심을 받는다. 그럼에도 불구하고, 직관은 과학자와 철학자 둘 다에게 중요한 영감의 원천이 될 수 있다. 이것은 과학자가 새로운 아이디어를 떠올리고 진실의 발견으로 이어질 새로운 실험을 고안하는 데 영감을 줄 수 있다. 마찬가지로, 직관은 철학에서도 중요한 역할을 하는데, 왜냐하면 대부분의 훌륭한 철학적 논쟁은 직관과 논리가 혼재되어 있기 때문이다. 논리는 생각을 분석하고 평가하는 강력한 기계와도 같다. 하지만 이 기계를 사용하기 전에, 기계에 넣을 '원자재'를 가지고 있어야 하는데, 종종 그것이 직관이 들어맞는 부분이다.

→ 직관은 너무 신뢰할 수 없어서 먼저 검증되지 않고는 믿을 수 없지만, 새로운 통찰력과 지식을 발전시키는 데 필수적이다.

구문해설

1행 Intuition is an inexplicable feeling / [**that** something is true / {**even though** we have no proof or evidence / (**that** it really is (true))}].

(feeling — that절: 동격 / even though: <양보>의 부사절 / proof or evidence — that절: 동격)

직관은 설명할 수 없는 느낌이다 / 어떤 것이 사실인 것처럼 느껴지는 / 증명이나 증거가 없으면서 / 사실이라는

4행 [Just because we feel {(that) something is true}] / doesn't mean / [(that) it is].

(S / feel의 목적어(명사절) / mean의 목적어(명사절))

단지 우리가 어떤 것이 사실이라 느낀다고 해서 / 의미하는 것은 아니다 / 그것이 사실이라는 것을

9행 Similarly, / intuition plays an important role in philosophy as well, / [**for** most good philosophical arguments / contain a mixture of intuition and logic].

(plays an important role in: ~에서 중요한 역할을 하다 / as well: 또한, 역시 / for: <이유>의 등위절)

마찬가지로 / 직관은 철학에서도 중요한 역할을 하는데 / 왜냐하면 대부분의 훌륭한 철학적 논쟁은 / 직관과 논리가 혼재되어 있기 때문이다

문제해설

직관은 믿기에는 근거가 부족한 느낌에 불과할 수 있지만, 새로운 아이디어의 영감의 원천이 되고 사실의 발견에 도달하는 데 중요한 원자재 역할을 한다는 내용이므로, 각 빈칸에 들어갈 말로는 ② '신뢰할 수 없는 — 필수적인'이 가장 적절하다.

① 복잡한 — 받아들일 수 없는 ③ 논리적인 — 기본적인
④ 부분적인 — 받아들일 수 없는 ⑤ 영감을 주는 — 필수적인

내신·서술형 대비

1. ⓐ 접속사로 앞의 명사와 동격 관계인 절을 이끈다. ⓑ 주격 관계대명사로 앞의 명사(선행사)를 수식하는 관계사절을 이끈다.
2. logic
글의 마지막 문장에서 logic은 a powerful machine에, intuition은 raw material에 비유하고 있다.

06 심경·분위기 추론

기출 풀기

» p. 40

정답 ①

지문해석

코스타리카를 배낭여행하던 중, Masami는 자신이 불운한 상황에 놓여 있는 것을 발견했다. 그녀는 모든 소지품을 잃어버렸고, 단지 현금 5달러만을 갖고 있었다. 설상가상으로, 최근의 열대 폭풍우 때문에, 모든 전화와 인터넷 서비스가 중지되었다. 그녀는 돈을 구할 방법이 없었고, 그래서 그녀가 일본에 있는 그녀의 가족들이 그녀에게 돈을 보내도록 다시 연락을 취할 수 있을 때까지 머무를 장소가 필요하다는 설명을 하면서, 이 집 저 집 문을 두드려보기로 결심했다. 모두들 그녀에게 그들은 공간과 여분의 음식이 없다고 말했고, 옆집 방향을 가리켰다. 그녀가 길가의 작은 식당에 도착했을 때는 이미 어두워져 있었다. 식당의 주인은 그녀의 이야기를 듣고 진정으로 공감해 주었다. 너무 기쁘게도, Masami는 안으로 초대받았다. 주인은 그녀에게 약간의 음식을 주었고, 그녀가 자신의 부모에게 연락을 취할 수 있을 때까지 그곳에 머무를 수 있도록 해 주었다.

구문해설

1행 [**While** (she was) backpacking through Costa Rica], / Masami found **herself** / in a bad situation.
(<시간>의 부사절 / found의 목적어(재귀용법))
코스타리카를 배낭여행하던 중 / Masami는 자신을 발견했다 / 불운한 상황에 놓여 있는

2행 [To make matters worse], / because of a recent tropical storm, / all telephone and Internet services were down.
(독립부정사(설상가상으로) / 전치사(~ 때문에) / go down: 중단되다)
설상가상으로 / 최근의 열대 폭풍우 때문에 / 모든 전화와 인터넷 서비스가 중지되었다

4행 She had no way to get money, / so decided to go knocking door to door, / [**explaining** {**that** she needed a place to stay / (**until** she could contact her family back in Japan / to send her some money)}].
(to부정사 형용사적 용법 / 분사구문(부대상황) / explaining의 목적어(명사절) / to부정사 형용사적 용법 / <시간>의 부사절)
그녀는 돈을 구할 방법이 없었다 / 그래서 이 집 저 집 문을 두드려 보기로 결심했다 / 머무를 장소가 필요하다는 설명을 하면서 / 그녀가 일본에 있는 그녀의 가족들이 다시 연락을 취할 수 있을 때까지 / 그녀에게 돈을 보내도록

9행 The owner gave her some food, / and allowed her to stay there / [**until** she could contact her parents].
(수여동사(give)+간접목적어+직접목적어(= gave some food to her) / allow+목적어+목적격보어(to부정사) / <시간>의 부사절)
주인은 그녀에게 약간의 음식을 주었다 / 그리고 그녀가 그곳에 머무를 수 있게 해 주었다 / 그녀가 그녀의 부모에게 연락을 취할 수 있을 때까지

유형 연습

» pp. 42-47

1 ⑤ 2 ② 3 ② 4 ⑤ 5 ① 6 ③

내신·서술형 대비

1 1. ⓒ an animal → an animal's (teeth) 2. It took me an hour to get to the concert hall.
2 1. ⓐ packing ⓑ to experience 2. ④
3 1. (A) Signing (B) stunned 2. 연극부에서도 그림을 그릴 수 있다는 것을 알게 되어서
4 1. The patient breathed as slowly as she could. 2. ②
5 1. ⓔ shaken → shaking 2. faint
6 1. (A) where (B) smile 2. He behaved as if he had forgotten my name.

1 ⑤

지문해석

Ryan은 무엇이 그를 깨웠는지 확실히 알지 못한 채로 갑자기 깼다. 그는 등을 대고 누워 있었고, 자신이 어디에 있는지 깨닫는 데 몇 분이 걸렸다. 왼쪽 편에서 움직임을 감지했고, 천천히 머리를 돌려서 누군가가 침실 창문으로 안쪽을 쳐다보고 있다는 것을 알게 되었다. 창문 반대쪽에 있는 얼굴이 너무 흉측해서 Ryan은 침대 밖으로 굴러 나와 벌떡 일어섰다. 처음에는 핼러윈 가면을 3월에 왜 쓰고 있는지 의아해했지만, 바로 그것은 가면이 아니라는 것을 깨달았다. 그것은 머리카락이 없고 큰 귀와 노란 이가 가득한 입을 가진 노인의 얼굴이었다. Ryan은 확신할 수는 없었지만, 치아가 동물의 이빨처럼 날카롭게 보였다. 고개를 돌리려고 했지만 그럴 수가 없

었다. 부모님을 불러 보려고 입을 열었지만, 아무 소리도 나오지 않았다.

구문해설

1행 Ryan awoke suddenly, / (being) [**unsure** of {**what** had awakened him}].
분사구문(부대상황) of의 목적어(의문사절)

Ryan은 갑자기 깼다 / 무엇이 그를 깨웠는지 확실히 모른 채로

1행 He lay on his back, / and it took him a few minutes / to realize [**where** he was].
it takes+사람+시간+to부정사: (사람)이 ~하는 데 시간이 걸리다
realize의 목적어(의문사절)

그는 등을 대고 누워 있었고 / 몇 분이 걸렸다 / 자신이 어디에 있는지 깨닫는 데

2행 [**Sensing** movement to his left], / he slowly turned his head and saw / [**that** someone was looking through his bedroom window].
분사구문(부대상황)
saw의 목적어(명사절)

왼쪽 편에서 움직임을 감지했고 / 천천히 머리를 돌려서 알게 되었다 / 누군가가 침실 창문으로 안쪽을 쳐다보고 있다는 것을

4행 The face [on the other side of the glass] / was **so** ugly / [**that** Ryan rolled out of bed / and jumped to his feet].
S 전치사구 V
so ~ that ...: 매우 ~해서 …하다

창문 반대쪽에 있는 얼굴이 / 너무 흉측해서 / Ryan은 침대 밖으로 굴러 나왔다 / 그리고 벌떡 일어섰다

8행 Ryan wasn't sure, / but the teeth seemed to be **as** sharp **as** an animal's.
seem+to-v: ~인 것 같다
as+원급+as: ~만큼 …한

Ryan은 확신할 수 없었다 / 하지만 치아가 동물의 이빨처럼 날카롭게 보였다

문제해설

눈을 뜨자마자 흉측한 얼굴을 보고 너무 놀라서 목소리조차 나오지 않는 상황이므로, Ryan의 심경으로는 ⑤ '충격을 받고 두려워하는'이 가장 적절하다.

① 흥분하고 열성적인
② 침착하고 안심하는
③ 화나고 절망한
④ 무관심하고 지루해하는

내신•서술형 대비

1. ⓒ an animal → an animal's (teeth)
비교하는 대상이 노인의 '치아'와 동물의 '이빨'이므로 an animal's (teeth)가 알맞다.

2. It took me an hour to get to the concert hall.
「It takes A+시간+to-v」는 'A가 ~하는 데 …가 걸리다'라는 뜻으로 본문의 it took him a few minutes to ~를 이용하여 문장을 완성한다.

2 ②

지문해석

오늘은 나의 여름 교환 학생 프로그램의 마지막 날이다. 4주 전에 이번 여행을 위해 짐을 싸던 것이 마치 어제처럼 기억이 난다. 그때, 나는 내 평생 가장 힘든 달을 겪게 될 것이라고 확신했었다. 물론, 나는 완벽하게 틀렸다. 프로그램을 시작할 때, 나는 나와 함께 갈 우리 학교의 다른 학생들을 잘 알지 못했었다. 이제 그들 모두가 형제자매처럼 느껴진다. 그리고 우리가 머무르는 마을은 내가 예상했던 것보다 훨씬 더 좋다. 공기는 맑고, 지역 사람들은 친절하다. 내가 공부해 오고 있는 학교에서도 새로운 친구들을 많이 사귀었다. 내가 이야기할 수 있는 것보다 지난 4주간 훌륭한 경험을 더 많이 했다. 시간은 너무나 빠르게 지나갔지만, 나는 이곳에서의 시간과 내가 만났던 사람들을 늘 기억할 것이다.

구문해설

1행 I remember packing for this trip / four weeks ago / like it was yesterday.
remember+v-ing: (과거에) ~했던 것을 기억하다
접속사(~처럼)

나는 이번 여행을 위해 짐을 싸던 것이 기억이 난다 / 4주 전에 / 마치 그것이 어제처럼

2행 At that time, / I was sure / [**that** I was about to experience / the hardest month of my entire life].
주격 보어(명사절)
be about+to-v: 막 ~하려고 하다

그때 / 나는 확신했었다 / 겪게 될 것이라고 / 내 평생 가장 힘든 달을

6행 And the town [(which) we're staying in] / is much better / than I expected.
S 목적격 관계대명사절 비교급 강조(훨씬)

그리고 우리가 머무르는 마을은 / 훨씬 더 좋다 / 내가 예상했던 것보다

7행 I also made lots of new friends / at the school / [(that) I've been studying at].
목적격 관계대명사절
현재완료진행형

나는 새로운 친구들을 많이 사귀었다 / 학교에서 / 내가 공부해 오고 있는

8행 I've had **more** great experiences / in the past four weeks / **than I can even mention**.
more ~ than I can even mention: 언급할 수 있는 것보다 더 많이

나는 훌륭한 경험을 더 많이 했다 / 지난 4주간 / 내가 이야기할 수 있는 것보다

문제해설

교환 학생 프로그램을 준비할 때는 힘들 거라고 예상했지만, 함께 온 학생들, 머무른 마을, 새로운 친구들 등에 대해 매우 좋았으며 좋은 경험을 많이 했다는 내용이므로, I의 심경으로는 ② '행복하고 만족스러운'이 가장 적절하다.

① 불안하고 걱정스러운
③ 들뜨고 긴장한
④ 외롭고 슬픈
⑤ 두렵고 당황한

내신•서술형 대비

1. ⓐ packing ⓑ to experience
ⓐ remember 뒤에 동명사가 오면 과거에 한 일을 기억한다는 뜻이고, to부정사가 오면 미래에 할 일을 기억한다는 뜻이다. 4주 전의 일을 기억한다고 했으므로 동명사를 쓰는 것이 적절하다. ⓑ be about+to-v

는 '막 ~하려고 하다'라는 뜻이므로 to부정사를 쓰는 것이 적절하다.

2 ④

지역 주민들이 친절했다는 언급은 있으나 교육 프로그램에 참여했는지 여부는 알 수 없다.

3 ②

지문해석

우리 학교에서 동아리를 신청하는 것은 마치 생존을 위한 싸움과 같다. 내가 체육관에 도착했을 때, 전교생의 절반은 벌써 내 앞에 와 있었다. 동아리마다 테이블이 있었는데, 벌써 많은 동아리에서 '모집 완료'라는 표지판을 세워 두었다. 나는 곧장 미술부 테이블로 갔지만, 너무 늦었다. 나는 망연자실한 채로 거기에 그냥 서 있었다. 그림 그리기는 내가 유일하게 즐겨 하는 일이었다. 갑자기 누군가가 내 팔을 잡았다. 내 친구 Liz였다. "얼른 와." Liz가 소리쳤다. "연극부가 아직 안 찼어." 나는 팔을 빼면서 Liz에게 연기에는 관심이 없다고 말했다. "알아." Liz가 대답했다. "하지만 연극부는 무대 세트를 그려줄 사람이 필요해." 내 입이 떡 벌어졌다. 그거라면 미술부만큼 좋을 것이었다! Liz와 나는 손을 잡고 함께 신청하기 위해 연극부 테이블로 뛰어갔다.

구문해설

1행 [**Signing up** for clubs at my school] / is like a fight for survival.
(S(동명사구); like: ~와 같은)
우리 학교에서 동아리를 신청하는 것은 / 마치 생존을 위한 싸움과 같다

2행 [**When** I arrived at the gym], / half the school had gotten there / before me.
(When ~: <시간>의 부사절; had gotten: 과거완료(대과거))
내가 체육관에 도착했을 때 / 전교생의 절반은 벌써 와 있었다 / 내 앞에

2행 Each club had a table, / and many of them had already put up "FILLED" signs.
(Each club: each+단수명사; them: = clubs; had already put up: 과거완료(완료))
동아리마다 테이블이 있었다 / 그리고 벌써 많은 동아리에서 '모집 완료'라는 표지판을 세워 두었다

문제해설

② 미술부가 마감되었음을 알고 절망(frustrated)했지만 연극부에서도 그림을 그릴 수 있다는 말을 듣고 기뻐(delighted)하고 있다.

① 지루해하는 → 실망한
③ 침착한 → 짜증이 난
④ 안심하는 → 깜짝 놀란
⑤ 절망한 → 화난

내신·서술형 대비

1. (A) Signing (B) stunned
   (A) 문장의 주어가 되어야 하므로 동명사인 Signing이 적절하다.
   (B) 부대상황을 나타내는 분사구문으로 생략된 주어 I가 놀란 것이므로 과거분사 stunned가 적절하다. stunning은 '놀라운'이라는 뜻이다.
2. 연극부에서도 그림을 그릴 수 있다는 것을 알게 되어서
   바로 앞 문장에서 그 이유를 찾을 수 있다.

4 ⑤

지문해석

모든 불이 꺼졌고, 창문 하나 없었다. 아무것도 보이지 않았기 때문에, 나는 난간을 붙잡고 가능한 한 빠르게 계단을 뛰어내려 왔다. 다리엔 힘이 없었고, 숨도 잘 쉴 수 없었지만, 그 건물을 빠져나가야 했다. 마침내 맨 아래층에 다다랐을 때, 나는 쓰러졌다. 나는 어둠 속에서 바닥에 누워 있었고, 심장이 쿵쾅거리는 소리 말고는 아무것도 들리지 않았다. 하지만 그때 익숙한 목소리가 내 이름을 부르는 것을 들었다. 엄마였다! 나는 대답하려 애썼지만, 숨을 고를 수도, 근육 하나 움직일 수도 없었다. 바로 그때 로비로 향하는 문이 열렸고 햇빛이 계단을 가득 채웠다. 엄마가 아래로 손을 뻗어 내가 일어서도록 도와줬을 때, 내가 볼 수 있는 것은 엄마의 얼굴뿐이었다.

구문해설

1행 [**Unable** to see a thing], / I ran down the stairs / as quickly as I could, / [**holding** onto the rail].
((Being) = Because I was unable to see a thing; 분사구문(이유); as quickly as I could: as+부사+as I can:가능한 한 ~하게; holding ~: 분사구문(부대상황))
아무것도 보이지 않았기 때문에 / 나는 계단을 뛰어내려 왔다 / 가능한 한 빠르게 / 난간을 붙잡고

4행 [**Lying** on the floor in the darkness], / I couldn't hear anything / but the pounding of my heart.
(분사구문(= As I was lying); but: 전치사(~을 제외하고))
나는 어둠 속에서 바닥에 누워 있었고 / 아무것도 들리지 않았다 / 심장이 쿵쾅거리는 소리 말고는

6행 But then I heard a familiar voice / **calling** my name.
(지각동사+목적어+목적격보어(현재분사))
하지만 그때 나는 익숙한 목소리를 들었다 / 내 이름을 부르는 것을

8행 All [(that) I could see] / was my mother's face / [**as** she reached down / and helped me to my feet].
(All: S; (that) I could see: 목적격 관계대명사절; was: V; as ~: <시간>의 부사절)
내가 볼 수 있는 것은 / 엄마의 얼굴뿐이었다 / 엄마가 아래로 손을 뻗어 / 내가 일어서도록 도와줬을 때

문제해설

⑤ 어둠 속에서 쓰러져 몸을 움직이지 못하고 있던 I가 두려움(panicked)에 떨다가 엄마의 얼굴을 보고 안도(relieved)했을 것이다.

① 불만족스러운 → 고마워하는
② 겁이 난 → 놀란
③ 흥분한 → 무서워하는
④ 화난 → 당황한

내신·서술형 대비

1. The patient breathed as slowly as she could.
   「as+형용사/부사+as+주어+can」은 '가능한 한 ~한/하게'라는 뜻으로 본문의 I ran down the stairs as quickly as I could를 이용하여 문장을 완성한다.
2. ②
   여기서 flood는 '~에 가득차다'라는 뜻으로 쓰였으므로 ② fill(채우다)로 바꿔 쓸 수 있다.
   ① rush(돌진하다) ③ swamp(넘쳐나다) ④ choke(숨이 막히다) ⑤ overwhelm(압도하다)

5 ①

지문해석

한 노인이 해변 근처의 벤치에 앉아 있었다. 그는 거의 움직이지 않고 그곳에 오랫동안 앉아 있었다. 아마도 그는 거기에 하루 종일 있었을지도 모른다. 날이 어두워지고 있었고, 따뜻했던 날씨는 추워졌다. 그 남자는 알아차리지 못하는 것 같았다. 그가 신경 쓰는 것처럼 보이는 유일한 것은 갈매기들뿐이었다. 그는 갈매기가 이리저리 날아다닐 때 갈매기들을 보기 위해 머리를 천천히 돌렸다. 멀리서, 해변의 반대쪽 끝에 있는 놀이공원에서 희미한 음악 소리가 들렸다. 이따금씩, 자동차가 지나쳤다. 그러나 그 남자는 눈은 빨갛고 손을 떨며, 해가 질 때까지 새들만 바라보고 있었다. 가로등이 켜졌을 때, 그는 일어나서 천천히 집으로 걸어갔다.

구문해설

1행 He had been there / for a long time, / [**barely** **moving**].
(had been: 과거완료 / = and he barely moved / 분사구문(부대상황))

그는 그곳에 앉아 있었다 / 오랫동안 / 거의 움직이지 않고

4행 [The only thing / (that) {he seemed to care about}] / was the seagulls.
(S / 목적격 관계대명사절 / V)

유일한 것은 / 그가 신경 쓰는 것처럼 보이는 것은 / 갈매기들뿐이었다

4행 He slowly turned his head / to watch them / [**as** they flew / back and forth].
(to부정사 부사적 용법(목적) / <시간>의 부사절)

그는 머리를 천천히 돌렸다 / 갈매기들을 보기 위해 / 갈매기가 날아다닐 때 / 이리저리

7행 But / the man / just kept watching the birds, / [his eyes (being) red / and his hands shaking], / [**until** the sun went down].
(keep v-ing: 계속 ~하다 / 분사구문(부대상황) / <시간>의 부사절)

그러나 / 그 사람은 / 새들만 바라보고 있었다 / 눈은 빨갛고 / 손을 떨며 / 해가 질 때까지

문제해설

한 노인이 해변 근처에서 하루 종일 갈매기만 바라보며 어두워질 때까지 혼자 앉아 있었다는 내용이므로, 글의 분위기로는 ① '지루하고 단조로운'이 가장 적절하다.

② 낯설고 무서운
③ 긴박하고 긴장한
④ 활기차고 재미있는
⑤ 충격적이고 슬픈

내신·서술형 대비

1. ⓔ shaken → shaking
ⓔ 손이 '떨리는' 것이므로 과거분사가 아니라 현재분사로 써야 한다.

2. faint
형용사. 명확함이나 밝기, 큰 소리가 부족한
그가 물방울이 떨어지는 부드럽고 약한 소리를 알아차리게 되었다.
형용사. 세기나 강도가 적은
희미한 미소가 주교님의 얼굴에 번지더니 이내 자취를 감추었다.

6 ③

지문해석

나는 화분에 심은 화초들과 내가 달콤한 아이스티를 마시면서 여름날의 오후를 보내곤 했던 낡은 흔들의자를 바라보며, 할머니 댁 현관 앞에 서 있었다. 할머니는 내가 그 후로 먹어 본 어느 것보다도 더 맛있는 아이스티를 만들어 주셨다. 때때로 나는 소설들을 읽거나 나무에서 지저귀는 새소리와 부엌에서 요리를 하며 옛 노래를 흥얼거리시는 할머니의 소리를 들으며 그냥 앉아 있었다. 나는 여러 해 동안 돌아오지 못했었지만, 단지 거기에 서 있는 것만으로도 마치 어제 일어났던 일인 것처럼 모든 기억들이 밀려 들어왔다. 내가 집에 들어섰을 때 나는 미소를 짓지 않을 수 없었다. 어떤 가구도 바뀌지 않았다. 조금 더 낡았고 좀 더 먼지가 묻기는 했을지 모르지만, 내가 어린 시절로부터 기억했던 정확히 그대로였다. 나는 내 옛 침실을 확인하기 위해 계단 위로 향했다.

구문해설

1행 I stood / on my grandmother's front porch, / [**looking** at the potted plants / and the old rocking chair / {**where** I used to spend summer afternoons / (**sipping** sweet iced tea)}].
(분사구문(부대상황) / 선행사 / 관계부사절 / used to-v: (과거에) ~하곤 했다 / 분사구문(부대상황))

나는 서 있었다 / 할머니 댁 현관 앞에 / 화분에 심은 화초들을 바라보며 / 그리고 낡은 흔들의자를 / 내가 여름날의 오후를 보내곤 했던 / 달콤한 아이스티를 마시면서

6행 I hadn't been back / in years, / but just standing there / made all the memories come rushing back / [**as if** they had happened yesterday].
(사역동사(make)+목적어+목적격보어(동사원형) / as if+가정법 과거완료)

나는 돌아오지 못했었지만 / 여러 해 동안 / 단지 거기에 서 있는 것만으로도 / 모든 기억들이 밀려 들어왔다 / 마치 어제 일어났던 일인 것처럼

8행 I couldn't help but smile / [**as** I stepped into the house].
(cannot help but+동사원형: ~하지 않을 수 없다 / <시간>의 부사절)

나는 미소를 짓지 않을 수 없었다 / 내가 집에 들어섰을 때

문제해설

오랜만에 할머니 댁을 방문한 주인공이 어렸을 때 할머니와의 추억을 떠올렸고, 집안에 들어서서 어렸을 때 기억 그대로 가구가 있는 것을 보고 미소를 짓지 않을 수 없었다고 했으므로, 글의 분위기로는 ③ '따뜻하고 향수를 불러 일으키는'이 가장 적절하다.

① 어둡고 불길한
② 생기 있고 즐거운
④ 충격적이고 비극적인
⑤ 우울하고 불가사의한

내신·서술형 대비

1. (A) where (B) smile
(A) 앞에 나온 선행사가 the old rocking chair이므로 장소를 나타내는 where이 적절하다.
(B) 「cannot help but+동사원형(~하지 않을 수 없다)」 구문이므로 동사원형인 smile이 적절하다.

2. He behaved as if he had forgotten my name.
「as if+가정법 과거완료」는 '마치 ~이었던 것처럼'라는 뜻으로 주절보다 앞선 시제의 일을 가정할 때 쓴다. 본문의 as if they had happened yesterday를 이용하여 문장을 완성한다.

07 지칭 추론

:: 기출 풀기

» p. 48

정답 ③

지문해석

Jesse의 가장 친한 친구이자 세 아이의 어머니인 Monica가 희귀병 진단을 받았다. 불행히도, 그녀는 자신의 치료를 시작하고 병과 관련된 다른 비용들을 지불하는 데 필요한 돈이 없었다. 그래서 Jesse가 그녀를 돕기 위해 나섰다. 그녀는 친구들과 가족에게 연락해서 그들이 100달러를 내어 줄 수 있는지를 물었다. 만약 그럴 수 있다면, 그들은 시내의 한 식당으로 정해진 시각에 기부금을 가져오기로 했다. 그녀의 목표는 100명이 100달러를 내도록 하는 것이었다. 거짓말로 핑계를 대고, Jesse는 Monica를 그 식당으로 데려가서 그녀의 병에 대해 다른 사람들과 공유할 수 있도록 몇 가지 질문에 그녀가 대답하는 것을 동영상으로 촬영해도 되는지 물었다. 그녀는 동의했다. 촬영이 시작되고 머지않아 식당 밖에 사람들이 줄을 섰다. 각자 100달러 지폐를 전달하려는 사람들 숫자가 수백 명으로 늘어났다. 친구들과 낯선 사람들 모두가 보여 준 친절함과 너그러움이 Monica와 그녀의 가족에게 큰 변화를 불러일으켰다.

구문해설

2행 Unfortunately, / she didn't have the money / [**necessary** to start her treatment and (to) pay for all the other expenses / {**related** to her disease}].
(necessary: 형용사구 / start ~ and pay: and로 병렬 연결 / related: 과거분사구)

불행히도 / 그녀는 돈이 없었다 / 자신의 치료를 시작하고 다른 비용들을 지불하는 데 필요한 / 병과 관련된

5행 If so, / they were to bring their contribution / to a restaurant downtown / at a designated time.
(If so = If they could spare $100 / were to bring: be동사+to-v: ~할 것이다, ~하기로 하다(to부정사 형용사적 용법))

만약 그럴 수 있다면 / 그들은 기부금을 가져오기로 했다 / 시내의 한 식당으로 / 정해진 시각에

6행 Under false pretenses, / Jesse took Monica to the restaurant and asked / [**if** she minded answering a few questions on video / to share with others / about her sickness].
(minded answering: mind+v-ing: ~하는 것을 꺼리다 / if ~: asked의 목적어(명사절) / to share: to부정사 부사적 용법(목적))

거짓말로 핑계를 대고 / Jesse는 Monica를 그 식당으로 데려가서 물었다 / 몇 가지 질문에 그녀가 대답하는 것을 동영상으로 촬영해도 되는지 / 다른 사람들과 공유할 수 있도록 / 그녀의 병에 대해

10행 The number / grew to hundreds of people, / [each delivering a $100 bill].
(hundreds of: 수백의 / each delivering ~: 독립분사구문 = as each delivered a $100 bill)

숫자가 / 수백 명의 사람들로 늘어났다 / 각자 100달러 지폐를 전달하려는

유형 연습

» pp. 50-53

1 ③ 2 ④ 3 ④ 4 ④

내신·서술형 대비

1 1. how she should dive 2. (1) lap (2) edge
2 1. sadly → sad 2. ④
3 1. finding → (to) find 2. (1) flake (2) force
4 1. whether 2. The English test was easier than I had expected.

1 ③

지문해석

내가 12살이었을 때, 6살 난 여동생에게 다이빙하는 방법을 가르쳐 주기로 결심했다. 그녀는 수영장 모서리에서 점프하는 것은 완전히 괜찮았지만, 사다리를 타고 높은 다이빙 판에 올라가는 것은 그녀를 겁나게 했다. 그날, 난 가까스로 그녀를 다이빙 판까지는 데리고 갈 수 있었지만, 그녀는 긴장을 했다. 가까이에 우리가 모르는 약 75세 정도 되는 할머니 한 분이 계셨다. 그녀는 수영장을 몇 바퀴씩 수영을 하고 있었는데, 가끔씩 멈춰서 우리를 쳐다보곤 했다. 나는 그녀가 다이빙을 하도록 노력하면서 계속 여동생을 재촉했지만, 그녀는 "너무 무서워!"라고 계속 말했다. 결국, 그 할머니가 여동생에게 소리쳤다. "얘야! 무섭니?" 그녀가 소리쳤고, "네, 정말 무서워요!"라고 여동생이 대답했다. "좋아!" 그 할머니가 말했다. "그럼 무서워해! 그리고 그래도 해보는 거야!" 잠시 생각해 보고 그녀는 마침내 뛰어들어갔다.

구문해설

1행 [**When** I was 12], / I decided [to teach my six-year-old sister / {how to dive}].
(to부정사 명사적 용법(목적어) / <시간>의 부사절 / to부정사를 목적어로 취하는 동사 / teach의 직접목적어(의문사+to부정사))
12살이었을 때 / 6살 난 여동생에게 가르쳐 주기로 결심했다 / 다이빙하는 방법을

2행 She was perfectly fine / jumping in from pool's edge, / but [**climbing up** the ladder to the tall diving board] / terrified her.
(S(동명사구) / V)
그녀는 완전히 괜찮았다 / 수영장 모서리에서 점프하는 것은 / 하지만 사다리를 타고 높은 다이빙 판에 올라가는 것은 / 그녀를 겁나게 했다

4행 Nearby, / there was a woman, / about 75 years old, / [**who** we didn't know].
(동격 / 선행사 / 계속적 용법의 목적격 관계대명사절)
가까이에 / 할머니 한 분이 계셨다 / 약 75세 정도 되는 / 우리가 모르는

6행 I was urging my sister on, / [trying to get her to dive], / but she kept saying / "I'm too afraid!"
(분사구문(부대상황) / try to-v: ~하려고 노력하다 / get+목적어+목적격보어(to부정사) / keep v-ing: 계속 ~하다)
나는 계속 여동생을 재촉했다 / 그녀가 다이빙을 하도록 노력하면서 / 하지만 그녀는 계속 말했다 / "너무 무서워!"라고

문제해설

③은 할머니를 가리키며, 나머지는 필자의 여동생을 가리킨다.

내신·서술형 대비

1. how she should dive
「의문사+to부정사」는 「의문사+주어+should+동사원형」의 의미이다.

2. (1) lap (2) edge
(1) 명사. 수영장의 한쪽 끝에서 다른 쪽 끝까지의 한 번의 여정: lap(한 바퀴)
(2) 명사. 물체의 중심에서 가장 멀리 떨어져 있는 부분: edge(모서리)

2 ④

지문해석

Mallard는 7살 난 아들 Austin과 판다에 관한 자연 프로그램을 시청하고 있었다. 프로그램의 일부분 중에서 어떤 아기 판다들이 '집을 잃게' 되었다. Austin은 이 말이 무슨 의미인지 몰랐지만, 그는 슬프다고 말했다. 이것을 가르칠 수 있는 기회로 여겨서, Mallard는 그를 노숙인들에게 주거와 음식을 제공하는 지역 쉼터로 데려갔다. 그들이 건물에 더 가까이 갔을 때, 그들은 모퉁이에 무리를 지어 서 있는 몇몇 노숙인들을 보았다. "아빠, 그들이 슬퍼 보여요." Austin이 말했다. "그들에게 음식을 가져다 주어 그들을 웃게 할 수 있을까요?" 그날 Austin은 자신의 한 달 용돈을 샌드위치를 사는 데 사용했고, 그와 그의 아빠는 함께 그것을 그들에게 나눠 주었다. 그들의 친절함이 사람들에게 얼마나 의미 있는지 보고서, Mallard와 그의 아들은 다음 달에 다시 돌아왔다. 다시 한 번, 아들은 노숙인들을 위해 용돈을 양보하고, 그와 아빠가 기쁘게 그들에게 준 샌드위치를 샀다.

구문해설

3행 [**Although** Austin didn't understand / {**what** this word meant}], / he said [he felt sad].
(<양보>의 부사절 / understand의 목적어(의문사절) / (that) / said의 목적어(명사절))
Austin은 몰랐지만 / 이 말이 무슨 의미인지 / 그는 슬프다고 말했다

4행 [**Seeing** this / as a teachable moment], / Mallard took him / to the local shelter / [**that** provides housing and food for the homeless men].
(분사구문(부대상황) / ~로써(수단) / 주격 관계대명사절 / provide A for B: B에게 A를 제공하다)
이것을 여겨서 / 가르칠 수 있는 기회로 / Mallard는 그를 데려갔다 / 지역 쉼터로 / 노숙인들에게 주거와 음식을 제공하는

8행 That day, / Austin used his monthly allowance / to buy some sandwiches, /[**which** he and his father / handed out to them together].
(to부정사 부사적 용법(목적) / 선행사 / 계속적 용법의 목적격 관계대명사절)
그날 / Austin은 자신의 한 달 용돈을 사용했다 / 샌드위치를 사는 데 / 그와 그의 아빠는 그것을 / 함께 그들에게 나눠 주었다

11행 Once again, / the son gave up his allowance / for the homeless men, / [happily **paying** for the sandwiches / {**that** he and his father gave to them}].
(분사구문(부대상황) / 목적격 관계대명사절)
다시 한 번 / 아들은 용돈을 양보했다 / 노숙인들을 위해 / 기쁘게 샌드위치를 샀다 / 그와 아빠가 그들에게 준

문제해설

④는 Mallard와 그의 아들 Austin을 가리키며, 나머지는 homeless men을 가리킨다.

내신·서술형 대비

1. sadly → sad
감각동사(feel, smell, tasty, look, sound) 뒤에는 반드시 형용사를 써야 한다.

2. ④
자연 프로그램을 보고 난 후 아들을 지역 쉼터에 데려가 노숙인들을 행복하게 만드는 선행을 하게 했으므로 일치하는 것은 ④이다.
① 아들과 판다가 나오는 자연 프로그램에 참가한 것이 아니라 시청했다.
② 집을 잃은 새끼 판다를 도와준 적은 없다.
③ 지역 쉼터에서 교사로 일하는지는 알 수 없다.
⑤ 아들의 용돈으로 샌드위치를 사서 나누어 준 것이지 직접 만든 것은 아니다.

3 ④

지문해석

어느 늦은 밤, 한 소년과 그의 엄마가 도시의 거리를 지나 집으로 걸어가고 있었다. 몹시 추웠고, 그 계절의 첫눈이 내리기 시작했다. 떨어지는 눈송이를 바라보다가, 소년은 누군가가 가까운 건물 벽을 타고 올라가는 것을 보았다. 그는 검은 옷을 입고 있었고, 얼굴을 가린 마스크를 쓰고 있었다. 그가 가장 가까운 창문에 이르자, 억지로 창문을 열기 시작했다. 소년의 엄마

가 경찰에 전화를 할 때, 소년은 그가 창문을 통해 올라가는 것을 지켜보았다. 몇 분 후에, 경찰관이 도착했다. 그들에게 몇 가지 질문을 한 후, 그는 손에 총을 쥔 채 건물에 들어갔다. 소년은 기다려서 그 도둑에게 무슨 일이 일어날지 보고 싶어 했지만, 엄마는 그의 손을 잡고 재빠르게 길 아래로 끌고 내려갔다.

구문해설

3행 [**Looking** up at the falling flakes], / the boy saw somebody climbing up / the wall of a nearby building.
분사구문(부대상황)
지각동사(see)+목적어+목적격보어(현재분사)
떨어지는 눈송이를 바라보다가 / 소년은 누군가가 타고 올라가는 것을 보았다 / 가까운 건물 벽을

5행 [**When** he reached the nearest window], / he began to force it open.
<시간>의 부사절
5형식 동사(force)+목적어+목적격보어(형용사)
그가 가장 가까운 창문에 이르자 / 억지로 창문을 열기 시작했다

6행 [**As** the boy's mother called the police], / the boy watched him climb / through the window.
<시간>의 부사절
지각동사(watch)+목적어+목적격보어(동사원형)
소년의 엄마가 경찰에 전화를 할 때 / 소년은 그가 올라가는 것을 지켜보았다 / 창문을 통해

8행 [**After** asking them a few questions], / he entered the building / **with** his gun in his hand.
「주어+동사」가 생략된 분사구문
with+목적어+전치사구: ~한 상태로
그는 그들에게 몇 가지 질문을 한 후 / 건물에 들어갔다 / 손에 총을 쥔 채

문제해설

④는 경찰관을 가리키며, 나머지는 도둑을 가리킨다.

내신·서술형 대비

1. finding → (to) find
want는 to부정사를 목적어로 취하고 to wait와 접속사 and로 병렬 연결되고 있으므로 finding은 (to) find가 되어야 한다.
2. (1) flake (2) force
(1) 명사. 특히 더 큰 조각을 잘라낸 작은 얇은 조각: flake(조각)
(2) 동사. 어떤 것을 움직이게 하기 위해 많은 힘을 사용하다: force(억지로 ~하게 하다)

4 ④

지문해석

발코니로 이어지는 유리문을 밀어 열고서, Angela는 그해 처음으로 봄이 다가옴을 느낄 수 있었다. 계절의 변화는 항상 그녀로 하여금 걱정스럽고 흥분되게 했다. 조용한 비가 내리고 있었지만, Angela는 신경 쓰지 않았다. 그녀는 그녀의 아파트 창문을 모두 열고 빗소리를 듣고 싶었다. 그러나, 그녀는 그 소리가 자신이 지난주에 구입한 작은 새를 놀라게 할까 봐 걱정했기 때문에 그렇게 하지는 않았다. Angela는 애완동물 가게에서 그녀를 보았고, 그 새의 밝은 파란색 깃털에 매료되었다. 지금 그 새는 방 저쪽에서 그녀를 바라보며 새장에 조용히 앉아 있었다. 새는 Angela가 예상했던 것보다 더 조용했다. 노래를 하는 대신에, 그 새는 새로운 어떤 것을 볼 때마다 머리를 기울이면서, 조용히 새로운 주변 환경들을 관찰했다. Angela는 그 새도 봄이 오고 있다는 것을 느낄 수 있는지 궁금했다.

구문해설

1행 [**Sliding** open the glass door / to her balcony], / Angela could feel / the approach of spring / for the first time / that year.
분사구문(부대상황)
처음으로
유리문을 밀어 열고서 / 발코니로 이어지는 / Angela는 느낄 수 있었다 / 봄이 다가옴을 / 처음으로 / 그해

2행 The changing of seasons / always made her feel / **both** anxious **and** excited.
사역동사(make)+목적어+목적격보어(동사원형)
both A and B: A와 B 둘 다
계절의 변화는 / 항상 그녀로 하여금 느끼게 한다 / 걱정스럽고 흥분되게

5행 She didn't, / however, / **because** she was worried / [(that) the noise would upset the little bird / {(that) she had purchased last week}].
목적격 관계대명사절
그렇게 하지는 않았다 / 그러나 / 그녀는 걱정했기 때문에 / 그 소리가 작은 새를 놀라게 할까 봐 / 자신이 지난주에 구입한

9행 Instead of singing, / she quietly observed / her new surroundings, / [**tilting** her little head / {**every time** she saw something new}].
~ 대신에
분사구문(부대상황)
<시간>의 부사절
형용사 후치 수식
노래를 하는 대신에 / 그 새는 조용히 관찰했다 / 새로운 주변 환경들을 / 머리를 기울이면서 / 새로운 어떤 것을 볼 때마다

11행 Angela wondered / [**if** the bird could sense / {**that** spring was coming too}].
wondered의 목적어(명사절)
sense의 목적어(명사절)
Angela는 궁금했다 / 그 새도 느낄 수 있는지 / 봄이 오고 있다는 것을

문제해설

④는 Angela가 구입한 새를 가리키며, 나머지는 Angela를 가리킨다.

내신·서술형 대비

1. whether
여기서 if는 명사절을 이끄는 접속사로 '~인지 아닌지'의 뜻이므로 접속사 whether(~인지 아닌지)와 바꿔 쓸 수 있다.
2. The English test was easier than I had expected.
「비교급+than+주어+과거완료」는 '~했었던 것보다 더 …하다'라는 뜻으로 본문의 The bird was quieter than Angela had expected. 구문을 이용하여 문장을 완성한다.

08 함의 추론

기출 풀기

» p. 54

정답 ⑤

지문해석

신체는 문제를 축적하는 경향이 있으며, 그것은 흔히 하나의 작고 사소해 보이는 불균형에서 시작한다. 이 문제는 또 다른 미묘한 불균형을 유발하고, 그것이 또 다른 불균형을, 그리고 그 다음에 몇 개의 더 많은 불균형을 유발한다. 결국, 여러분은 어떤 증상을 갖게 된다. 그것은 마치 일련의 도미노를 한 줄로 세워 놓는 것과 같다. 여러분이 해야 하는 것은 첫 번째 도미노를 쓰러뜨리는 것뿐인데, 그러면 많은 다른 것들도 쓰러질 것이다. 무엇이 마지막 도미노를 쓰러뜨렸는가? 분명히, 그것은 그것의 바로 앞에 있던 것이나 그것 앞의 앞에 있던 것이 아니라, 첫 번째 도미노이다. 신체도 같은 방식으로 작동한다. 최초의 문제는 흔히 눈에 띄지 않는다. 뒤쪽의 '도미노' 중 몇 개가 쓰러지고 나서야 비로소 좀 더 분명한 단서와 증상이 나타난다. 결국, 여러분은 두통, 피로 또는 우울증, 심지어 질병까지도 얻게 된다. 여러분이 마지막 도미노, 즉 최종 결과인 증상만을 치료하려 한다면, 그 문제의 원인은 해결되지 않는다. 최초의 도미노가 원인, 즉 가장 중요한 문제이다.

구문해설

1행 The body / tends to accumulate problems, / [often **beginning** with one small, seemingly minor imbalance].
분사구문(부대상황)

신체는 / 문제를 축적하는 경향이 있다 / 그것은 하나의 작고 사소해 보이는 불균형에서 시작한다

2행 This problem / causes another subtle imbalance, / [**which** triggers another, / then several more].
선행사 / 계속적 용법의 주격 관계대명사절 / = subtle imbalance / = more subtle imbalances

이 문제는 / 또 다른 미묘한 불균형을 유발하고 / 그것이 또 다른 불균형을 유발한다 / 그 다음에 몇 개의 더 많은 불균형을

5행 Obviously / it was**n't** the one before it, / or the one before that, / **but** the first one.
not A but B: A가 아니라 B / = domino / = the last one / = domino / = the one before it / = domino

분명히 / 그것은 그것의 바로 앞에 있던 것이 아니다 / 또는 그것 앞의 앞에 있던 것 / 첫 번째 도미노이다

7행 **It's not until** / some of the later "dominoes" fall / [**that** more obvious clues and symptoms appear].
until절을 강조하기 위해 「It is ~ that」 강조 구문 사용 / It's not until ~ that ...: ~하고 나서야 비로소 …하다

~할 때까지 아니다 / 뒤쪽의 '도미노' 중 몇 개가 쓰러진다 / 좀 더 분명한 단서와 증상이 나타난다

유형 연습

» pp. 56-59

1 ④ 2 ② 3 ① 4 ②

내신·서술형 대비

1 1. (w)ater, (w)asted 2. (1) which → where[in which] (2) is → are
2 1. ⓐ including ⓑ to identify 2. coin
3 1. this made → did this make 2. used spears to stab their prey at close range
4 1. ⓐ that → where 2. ⑤

1 ④

지문해석

벽장을 열었는데 3,900리터의 물이 쏟아져 나오는 것을 상상해 보라. 그것은 거의 40개의 욕조를 가득 채울 수 있는 양의 많은 낭비되는 물이다! 물론, 이런 일이 실제로 일어나지는 않을 것이다. 하지만 그것이 단 한 벌의 면 티셔츠를 만들어 내는 데 필요한 물의 양이다. 당신은 면이 환경친화적 소재라고 생각할지도 모른다. 하지만 면을 재배해서 표백하고 세척하고 염색하며, 비료, 살충제와 화학 물질들을 사용한 후 그 물을 정화시키려면 그 모든 물이 필요하다. 설상가상으로, 그 물은 환경 보호 정책이 시행되고 있지 않은 물 부족 지역에서 왔을 가능성이 가장 높다. 대신, 물은 가장 높은 가격에 입찰한 쪽, 종종 제조업자나 큰 농장에 팔린다. 결과적으로, 강은 물이 마를 때까지 배수되는데, 이는 전체 생태계에 피해를 준다. 물이 재생 가능한 자원이긴 하지만, 무한한 자원은 아니다. 그러므로, 어떤 구매를 할 때마다 가격표 너머를 보아야만 한다.

구문해설

1행 Imagine / (that) [you opened your closet / and 3,900 liters of water came rushing out].
Imagine의 목적어(명사절)

상상해 보라 / 벽장을 열었는데 / 3,900리터의 물이 쏟아져 나오는 것을

3행 But that's [**how** much water **it** takes / {**to produce** a single cotton T-shirt}].
주격보어(의문사절) / 가주어 / 진주어(to부정사구)

하지만 그것이 필요한 물의 양이다 / 단 한 벌의 면 티셔츠를 만들어 내는 데

5행 But all that water is needed / to grow, bleach, wash, and dye it, / and to purify the water / [**after** using the fertilizers, pesticides, and chemicals].
to부정사가 and로 병렬 연결됨 / to부정사 부사적 용법(목적) / 전치사 / 동명사

하지만 그 모든 물이 필요하다 / 면을 재배해서 표백하고 세척하고 염색하기 위해 / 그 물을 정화시키려면 / 비료, 살충제와 화학 물질들을 사용한 후

7행 Even worse, / the water most likely came from a water-deficient region / [**where** environmental protection policies are not being implemented].
설상가상으로 / 관계부사절 / 현재진행 수동태

설상가상으로 / 그 물은 물 부족 지역에서 왔을 가능성이 가장 높다. / 환경 보호 정책이 시행되고 있지 않은

문제해설

환경친화적으로 보이는 면을 재배, 가공, 제작할 때 생각 이상으로 엄청난 양의 물이 소모되어 환경에 해를 끼친다는 내용의 글이다. 따라서 밑줄 친 부분이 의미하는 바로는 ④ '환경적 대가를 생각하다'가 가장 적절하다.

① 정확한 가격을 확인하다
② 가격표보다 덜 지불하다
③ 천연 소재만 선택하다
⑤ 물 부족 지역에 사는 사람들을 돕다

내신·서술형 대비

1. (w)ater, (w)asted

의류를 제작할 때 생각 이상으로 많은 물이 소모되고 환경에 해를 끼친다는 내용이므로 글의 주제로는 '의류 산업에 의해 낭비되는 물'이 가장 적절하다.

2. (1) which → where[in which] (2) is → are

(1) region을 수식해 주는 관계사절에서 부사구 역할을 해야 하므로 관계부사 where 또는 in which가 적절하다.
(2) 관계부사절의 주어가 policies이므로 복수동사 are가 되어야 한다.

2 ②

지문해석

블랙홀은 아주 작은 면적에 극도로 큰 질량을 포함하고 있는 물체이다. 이 밀도가 높은 질량은 아주 강한 중력을 발생시켜서 빛을 포함하여 어떤 것도 빠져나갈 수 없다. 미국의 물리학자 John Wheeler는 1967년에 '블랙홀'이라는 용어를 만들어 냈다. 그는 또한 '블랙홀은 머리카락이 없다'라고 말하기도 했다. Wheeler는 어떤 사람의 머리카락 색, 길이, 그리고 스타일이 우리에게 그 사람을 식별하고 묘사하는 데 사용될 수 있는 세부적인 사항들을 제공해 준다는 사실을 언급했던 것이다. 지금까지, 과학자들은 개별 블랙홀들의 질량, 전자 전하, 그리고 각운동량만 측정할 수 있었다. 그러나, M87 은하계의 블랙홀 이미지가 최근에 입수되었기 때문에 가까운 미래에 변할지도 모르는데 이것은 처음 있는 일이다. 그것은 곧 과학자들에게 이전에 있었던 것보다 더 많은 블랙홀에 관한 정보를 제공해 줄지도 모른다.

구문해설

2행 This dense mass / creates **such** a strong gravitational pull / **that** nothing, including light, can escape it.
(including light: 삽입구; such a+형용사+명사+that ~ cannot: 너무 ~해서 …할 수 없다)

이 밀도가 높은 질량은 / 아주 강한 중력을 발생시켜서 / 빛을 포함하여 어떤 것도 빠져나갈 수 없다

5행 Wheeler was referring to the fact / [**that** the color, length and style of a person's hair / provide us with details / {**that** can be used / to identify and describe that person}].
(the fact ↔ that절: 동격, 명사절; that can be used: 주격 관계대명사절; to identify and (to) describe: to부정사 부사적 용법(목적))

Wheeler는 사실을 언급했던 것이다 / 어떤 사람의 머리카락 색, 길이, 그리고 스타일이 / 우리에게 세부적인 사항들을 제공해 준다는 / 사용될 수 있는 / 그 사람을 식별하고 묘사하는 데

9행 This may, however, change / in the near future, / [**because** an image (of a black hole / in the M87 galaxy) / was recently obtained, / {**which** is the first of its kind}].
(because: <이유>의 부사절; an image: S; was: V; which: 계속적 용법의 주격 관계대명사절)

그러나 이것은 변할지도 모른다 / 가까운 미래에 / 왜냐하면 블랙홀의 이미지가 / M87 은하계의 / 최근에 입수되었다 / 이것은 처음 있는 일이다

11행 It may soon **provide** scientists / **with** more information about black holes / than they ever had before.
(provide A with B: A에게 B를 제공하다; than: ~보다)

그것은 곧 과학자들에게 제공해 줄지도 모른다 / 더 많은 블랙홀에 관한 정보를 / 이전에 있었던 것보다

문제해설

밑줄 친 문장 바로 뒤에 언급된 바와 같이, 사람의 머리카락이 그 사람을 알아보는 중요한 단서가 되는데 블랙홀에는 그렇게 블랙홀을 서로 구분해 주는 단서가 없다는 의미이다. 따라서 밑줄 친 부분이 의미하는 바로는 ② '블랙홀은 변별적 특징이 없다'가 가장 적절하다.

① 블랙홀의 표면은 매끈하다
③ 블랙홀의 질량이 빠르게 증가한다
④ 중력이 머리카락처럼 블랙홀을 둘러싸고 있다
⑤ 블랙홀은 시간이 지나면 붕괴된다

내신·서술형 대비

1. ⓐ including ⓑ to identify

ⓐ 문맥상 '~을 포함하여'의 의미가 되어야 하므로 전치사 including이 적절하다. ⓑ 문맥상 목적을 나타내는 to부정사의 부사적 용법이 알맞으며, be used to-v는 '~하기 위해 사용되다'라는 의미이다.

2. coin

- 명사. 동전은 돈으로 사용되는 작은 금속 조각이다.
- 동사. 당신이 어떤 단어나 구절을 만들면, 당신은 그것을 가장 먼저 말한 사람이다.

3 ①

지문해석

고고학자들은, 수천 년 전에 살았던 초기 인류인 호모 사피엔스들이 만들어 낸 많은 동굴 예술 작품들을 발견했다. 이는 동물들을 사냥하는 많은 사람들의 현실적인 그림들을 포함한다. 반면에, 우리의 고대 사촌격인 네안데르탈인들은 뛰어난 예술가들은 아니었다. 그림을 그리는 것과 사냥은 둘 다 손과 눈의 협응이 필요하다. 네안데르탈인들은 가까운 범위에 있는 사냥감을 찌르기 위해 창을 사용했는데, 그것은 기술이 거의 필요하지 않았다. 아프리카의 탁 트인 목초지에 살던 초기 인류 역시 창으로 사냥을 했다. 그러나, 그들은 창을 사냥감에 던졌는데, 그것은 높은 수준의 기술이 필요한 행동이었다. 이러한 방식의 사냥은 그들의 시각화 능력을 향상시켰고 두정엽, 즉 시각과 운동 기능과 연관된 뇌 부분이 발달하도록 했다. 이것은

그들이 더 나은 사냥꾼이 되도록 했을 뿐만 아니라, 그들의 사냥 경험들을 묘사하는 예술 작품들을 창조하는 능력도 그들에게 주었다.

구문해설

1행 Archaeologists / have discovered / large amounts of cave art / [(which was) produced by early humans], / Homo sapiens / [who lived thousands of years ago].
현재완료(결과) / 과거분사구 / 동격 / 주격 관계대명사절

고고학자들은 / 발견했다 / 많은 동굴 예술 작품들을 / 초기 인류에 의해 만들어진 / 호모 사피엔스들이 / 수천 년 전에 살았던

5행 Neanderthals used spears / to stab their prey / at close range, / [which required little skill].
to부정사 부사적 용법(목적) / 계속적 용법의 주격 관계대명사(선행사는 앞의 절 전체)

네안데르탈인들은 창을 사용했는데 / 사냥감을 찌르기 위해 / 가까운 범위의 / 그것은 기술이 거의 필요하지 않았다

11행 **Not only** did this make them better hunters, / but it also gave them the ability / to create works of art / [**depicting** their hunting experiences].
부정어 V1 S V2 → 도치 / to부정사 형용사적 용법 / 현재분사구

이것은 그들이 더 나은 사냥꾼이 되도록 했을 뿐만 아니라 / 그들에게 능력도 주었다 / 예술 작품들을 창조하는 / 사냥 경험들을 묘사하는

문제해설

초기 인류가 사냥을 통해 시각화 능력이 향상되었다고 했으므로 미술과 사냥은 둘 다 손과 눈을 동시에 사용하는 것을 의미함을 알 수 있다. 따라서 밑줄 친 부분이 의미하는 바로는 ① '손과 눈을 둘 다 함께 사용하는 것'이 가장 적절하다.

② 도구를 사용하여 사냥감을 사냥하는 법을 알게 되는 것
③ 말과 손짓으로 의사소통하는 것
④ 색깔들 사이의 미묘한 차이를 감지하는 것
⑤ 힘을 기르는 것의 중요성을 아는 것

내신·서술형 대비

1. this made → did this make
부정어구인 Not only가 문두에 왔으므로 뒤에 나오는 주어와 동사가 도치되어야 한다. 일반동사의 도치는 do동사를 주어 앞에 쓰므로 시제를 일치하여 did로 쓴다.

2. used spears to stab their prey at close range
네안데르탈인들이 가까운 거리에 있는 사냥감을 창으로 찔러서 사냥했다는 내용의 문장을 찾아 쓴다.

4 ②

지문해석

대도시에서는, 많은 거대한 고층 건물들은 사람들이 돈을 벌기 위해 일하며 하루를 보내는 장소의 역할을 한다. 대부분의 이런 건물들은 레스토랑이나 음식점의 본거지인데, 그곳에서 이 사무실 직원들은 생존에 필요한 음식과 음료를 얻을 수 있을 뿐만 아니라 사회적 교류를 하거나 문제를 논의하기 위해서 모인다. 그것들은 개미탑이나 새가 지은 둥지만큼 자연적인 것이 명백하다. 그것들은 부인할 수 없는 자연의 일부분인 인간에 의해서 만들어졌고, 그것들은 자연적인 재료로 만들어졌다. 사람들은 흙이 콘크리트에 의해 덮였다고 불평할지도 모르지만, 자연에 흙이 없는 장소가 많이 있다. 세계의 대도시들에서, 한때 존재했었던 생태계는 더 '자연적인' 것으로 여겨지는 것과 같은 역할을 수행하는 도시 생태계로 대체되었을 뿐이다.

구문해설

2행 Most of these buildings are also home to restaurants and eateries, / [**where** these office workers can **not only** obtain the food and drinks / {(that) they need to survive} / **but also** gather together to socialize and (to) discuss their problems].
선행사 / 계속적 용법의 관계부사절 / not only A but also B: A뿐만 아니라 B도 / 목적격 관계대명사절 / to부정사 부사적 용법(목적)

대부분의 이런 건물들은 레스토랑이나 음식점의 본거지인데 / 그곳에서 이 사무실 직원들은 음식과 음료를 얻을 수 있을 뿐만 아니라 / 그들이 생존에 필요한 / 사회적 교류를 하거나 문제를 논의하기 위해서 모인다

5행 It is evident / [**that** they are as natural / as an anthill or a nest {**built** by a bird}].
가주어 / 진주어(명사절) / as+원급+as: ~만큼 …한 / 과거분사구

명백하다 / 그것들이 그만큼 자연적인 것이 / 개미탑이나 새가 지은 둥지만큼

8행 People may complain / [**that** soil has been covered up / by concrete], / but there are plenty of natural places / [**where** there is no soil].
complain의 목적어절(명사절) / 현재완료 수동태 / 선행사 / 관계부사절

사람들은 불평할지도 모른다 / 흙이 덮였다고 / 콘크리트에 의해 / 하지만 자연에 장소가 많이 있다 / 흙이 없는

9행 In the world's big cities, / the ecosystems/ [**that** once existed] / have simply been replaced by urban ecosystems / [**that** serve the same function / as ones {**that** are considered to be more "natural"}]."
주격 관계대명사절 / 현재완료 수동태 / 주격 관계대명사절 / 주격 관계대명사절 / 5형식 수동태

세계의 대도시들에서 / 생태계는 / 한때 존재했었던 / 도시 생태계로 대체되었을 뿐이다 / 같은 역할을 수행하는 / 더 '자연적인' 것으로 여겨지는 것과

문제해설

개미탑이나 새 둥지처럼 '자연적인' 역할을 수행하는 것을 대도시의 고층 건물에 비유하고 있으며, 사람들이 이곳에서 생존에 필요한 음식을 구하기도 하고, 사회적인 관계를 유지하고 문제를 해결하기 때문에 자연과 똑같은 기능을 한다고 했다. 따라서 밑줄 친 부분이 의미하는 바로는 ② '생명을 부양하고 지속시키다'가 가장 적절하다.

① 생태계를 파괴하다
③ 흙을 콘크리트로 바꾸다
④ 회사가 성장하도록 하다
⑤ 자연적인 재료를 재활용하다

내신·서술형 대비

1. ⓐ that → where

ⓐ 뒤에는 완전한 절이 나오고 앞에 장소를 나타내는 명사가 있으므로 계속적 용법의 관계부사 where이 적절하다.

2. ⑤

여기서 serve는 '~한 역할을 하다'의 의미로 쓰였으므로, ⑤ '종종 의도한 기능이 아닌 특정 기능을 수행하다'의 의미가 적절하다.

① 공이나 셔틀콕을 던져서 치기 시작하다

② 특히 군대에서 공무를 수행하다

③ 국가, 단체 또는 사람을 위해 유용한 일을 하다

④ 특히 식당이나 바에서 누군가에게 음식이나 음료를 제공하다

09 빈칸 추론

기출 풀기

» p. 60

정답 ②

지문해석

때때로 누군가는 비교할 근거가 거의 없기 때문에 '가장 위대하다'고 칭송받는다. 예를 들어, 바이올리니스트 Jan Kubelik는 그의 첫 번째 미국 순회공연 기간 동안 '가장 위대하다'고 칭송받았지만, 1923년에 기획자 Sol Hurok가 그를 미국으로 다시 데려왔을 때, 몇몇 사람들은 그가 실력이 약간 떨어졌다고 생각했다. 그러나, 바이올리니스트 Mischa Elman의 아버지인 Sol Elman은 다르게 생각했다. "친애하는 친구들이여, Kubelik는 그가 늘 했던 것만큼 훌륭하게 오늘 밤 Paganini 협주곡을 연주했습니다. 오늘 여러분은 다른 기준을 가지고 있습니다. 여러분에게는 Elman, Heifetz, 그리고 그 밖의 연주자가 있습니다. 여러분 모두 예술성, 기법, 그리고 무엇보다 지식과 감식력에서 발전하고 성장했습니다. 요점은 여러분이 더 많이 알고 있는 것이지, Kubelik가 연주를 전보다 못하는 것이 아닙니다."라고 그는 말했다.

구문해설

2행 For example, / violinist Jan Kubelik was acclaimed (수동태) / as "the greatest" / during (~ 동안) his first tour of the United States, / but [when (<시간>의 부사절) impresario Sol Hurok brought him back / to the United States in 1923], / several people thought / [**that** (thought의 목적어(명사절)) he had slipped a little].

예를 들어 / 바이올리니스트 Jan Kubelik는 칭송받았다 / '가장 위대하다'고 / 그의 첫 번째 미국 순회공연 기간 동안 / 하지만 기획자 Sol Hurok가 그를 다시 데려왔을 때 / 1923년에 미국으로 / 몇몇 사람들은 생각했다 / 그가 실력이 약간 떨어졌다고

5행 My dear friends, / Kubelik played the Paganini concerto tonight / as splendidly as ever he did (as+부사+as: ~만큼 …하게; did = played).

친애하는 친구들이여 / Kubelik는 오늘 밤 Paganini 협주곡을 연주했습니다 / 그가 늘 했던 것만큼 훌륭하게

8행 All of you / have developed (현재완료) and (have) grown in artistry, technique, / and, above all (무엇보다도), in knowledge and appreciation.

여러분 모두 / 예술성, 기법에서 발전하고 성장했습니다 / 그리고 무엇보다 지식과 감식력에서

유형 연습

» pp. 62-67

1 ③ 2 ② 3 ① 4 ② 5 ④ 6 ④

내신·서술형 대비

1 1. ⓐ taking ⓑ to manipulate 2. ④

2 1. unwanting → unwanted 2. ⑤

3 1. ⓐ causing ⓑ more 2. 태양 광선 중 파장이 더 긴 붉은색과 주황색이 지구를 거쳐서 달에 전달되기 때문에

4 1. ② 2. seeking → (to) seek

5 1. (A) performing (B) scanned (C) to get up 2. Early Risers: 11 p.m., connectivity / Night Owls: 10:15 a.m., perform

6 1. What would happen if the earth stopped rotating?
2. analogy

1 ③

지문해석

사진 보도는 기자들이 전쟁 지역에 쉽게 휴대할 수 있는 카메라의 발명 이후 처음 시작됐다. 이것은 많은 사람들이 처음으로 전쟁의 참상을 보게 해 주었다. 그러나, 사진 보도는 단순히 전쟁 사진을 촬영하는 것 이상이다. '증거 제시하기'라는 구절은 사진 기자들이 하는 일을 설명하기 위해 자주 사용된다. 그들은 나머지 세상 사람들이 잠깐 동안 그들의 눈을 통해 볼 수 있도록 해 준다. 훌륭한 사진 기자는 단 한 장의 사진에 전체 이야기를 담아낼 수 있다. 때때로 오해하기 쉬운 사실이나 개인적 견해를 포함할 수 있는 글로 표현되는 저널리즘과 달리, 사진 보도는 과장이나 편견 없이 진실을 보여 준다. 정확성은 아마도 전통적인 사진 보도의 가장 중요한 특징일 것이다. 사진에서 당신이 보는 것은 정확히 일어났던 일이다. 슬프게도, 디지털 사진 촬영이 사진 기자들에 의해 포착된 이미지들의 순수성을 해치기 시작하고 있는데, 그것은 기술이 사진을 조작하는 것을 너무 쉽게 만들었기 때문이다.

구문해설

2행 This allowed many people to see (5형식 동사(allow)+목적어+목적격보어(to부정사)) / the horrors of war / for the very first time.

이것은 많은 사람들이 보게 해 주었다 / 전쟁의 참상을 / 처음으로

4행 The phrase "bearing witness" / is often used to explain / [what photojournalists do].
to부정사 부사적 용법(목적) / explain의 목적어(관계사절)

'증거 제시하기'라는 구절은 / 설명하기 위해 자주 사용된다 / 사진 기자들이 하는 일을

7행 Unlike written journalism, / [which can sometimes contain / misleading facts and personal opinions], / photojournalism shows the truth / without exaggeration or bias.
~와 달리 / 선행사 / 주격 관계대명사절 / S / V / ~ 없이

글로 표현되는 저널리즘과 달리 / 때때로 포함할 수 있는 / 오해하기 쉬운 사실이나 개인적 견해를 / 사진 보도는 진실을 보여 준다 / 과장이나 편견 없이

11행 [What you see / in a photograph] / is exactly [what happened].
S (관계사절) / V / 주격보어(관계사절)

당신이 보는 것은 / 사진에서 / 정확히 일어났던 일이다

문제해설

전통적인 사진 보도의 가장 중요한 특징이 정확성인데, 디지털 사진 촬영이 사진을 조작하는 것을 너무 쉽게 만들었다는 내용이다. 따라서 빈칸에 들어갈 말로 가장 적절한 것은 ③ '순수성'이다.

① 아름다움 ② 잠재력 ④ 과장 ⑤ 유사점

내신·서술형 대비

1. ⓐ taking ⓑ to manipulate
ⓐ 전치사 than의 목적어 역할을 하는 명사(구)가 와야 하므로 동명사 taking이 적절하다. ⓑ 가목적어 it을 받는 진목적어가 와야 하므로 to부정사인 to manipulate가 적절하다.

2. ④
본문 6-7행 참고

2 ②

지문해석

인간의 신체 세포가 죽으면, 두 가지 중 한 가지 이유 때문이다. 세포는 열이나 독소 또는 물리적 손상과 같은 외부적 요인에 의해 죽거나, 그것들은 의도적으로 자신들을 죽인다. 후자는 신체의 전반적인 건강 유지에 있어서 사실상 필수적인 과정이다. 필요할 때 세포가 죽는 능력은 인간의 게놈에 암호화되어 있고 유기체의 전체 세포의 수가 해로운 세포를 죽여 없애기에 최적의 수준으로 남아 있도록 확실히 하는 데 사용된다. 자신의 생을 끝내기 위해, 세포는 자신의 핵과 DNA를 망가뜨리기 시작하는 전문화된 유전 인자를 활성화시킨다. 그러면 면역 세포는 죽어가는 세포를 둘러싸고 신체가 원하지 않는 물질을 제거한다. 만약 이러한 전체 과정이 성공적으로 수행되지 않으면, 암을 비롯한 심각한 결과들이 생길 수 있다.

구문해설

1행 They are either killed by an external factor, / [such as heat, toxins, or physical damage], / or they purposely kill themselves off.
= cells / either A or B: A 또는 B 둘 중 하나 / ~와 같은 / an external factor의 예시 / = cells / kill의 목적어(재귀 용법)

세포는 외부적 요인에 의해 죽거나 / 열이나 독소 또는 물리적 손상과 같은 / 그것들은 의도적으로 자신들을 죽인다

4행 [The ability of cells to die / when necessary] / is encoded in the human genome / and is used to ensure / [that the total number of cells / {in the organism} / remains at an optimal level / to kill off harmful cells].
S / V1 / V2 / ensure의 목적어(명사절) / to부정사 부사적 용법(목적) / 전치사구 / to부정사 형용사적 용법

세포가 죽는 능력은 / 필요할 때 / 인간의 게놈에 암호화되어 있고 / 확실히 하는 데 사용된다 / 전체 세포의 수가 / 유기체의 / 최적의 수준으로 남아 있도록 / 해로운 세포를 죽여 없애기에

7행 In order to end its life, / a cell will activate specialized genes / [that begin to break down its nucleus and DNA].
to부정사 부사적 용법(목적) / 주격 관계대명사절 / = the cell's

자신의 생을 끝내기 위해 / 세포는 전문화된 유전 인자를 활성화시킨다 / 자신의 핵과 DNA를 망가뜨리기 시작하는

문제해설

세포는 두 가지 이유 중 하나로 죽는다고 했으며, 첫번째 이유로 외부적 요인이 언급되었고, 두 번째 이유로 빈칸이 있는 문장이 제시되었는데, 이어지는 내용에서 세포가 스스로를 죽여 없애는 과정이 소개되어 있다. 그러므로 빈칸에 들어갈 말로 가장 적절한 것은 ② '의도적으로 자신들을 죽이다'이다.

① 영원히 계속해서 존재하다
③ 노화로 천천히 망가지다
④ 전염성 질병으로 죽다
⑤ 새로운 세포를 만들기 위해 반으로 나뉘다

내신·서술형 대비

1. unwanting → unwanted
신체에서 원치 않는 물질을 제거하는 것이므로 unwanting이 아니라 과거분사 unwanted로 써야 한다.

2. ⑤
수명을 다하고 죽은 세포 수에 비례하여 면역 세포가 생긴다는 내용은 없다.

3 ①

지문해석

월식은 지구가 태양과 달 사이에 위치해서 지구의 그림자가 달에 비칠 때 일어난다. 하지만 단순히 컴컴해지는 것이 아니라 달은 불그스름한 색으로 변한다. 이것은 '블러드 문'이라고 불린다. 이 현상은 태양 광선이 달에 닿기 전에 지구 주위에서 휘기 때문에 생긴다. 광선이 지구의 대기를 통과하

면서, 빛의 더 짧은 파장은 흩어지는 반면 더 긴 파장은 계속해서 달로 향한다. 더 짧은 파장은 파란색과 초록색이고 더 긴 파장은 빨간색과 주황색이다. 달이 얼마나 붉게 보이냐는 대기 중에 있는 먼지와 구름의 양에 달려 있다. 예를 들어, 아마도 큰 화산의 폭발로 인해 대기에 평상시보다 더 많은 입자들이 있을 때, 달은 더 검붉은 색조를 띠게 된다.

구문해설

1행 A lunar eclipse occurs / [**when** Earth gets in between the Sun and the Moon, / {**causing** the shadow of Earth to fall across the Moon}].
<시간>의 부사절 / 분사구문(부대상황) / cause+목적어+목적격보어(to부정사): ~가 …하게 하다
월식은 일어난다 / 지구가 태양과 달 사이에 위치해서 / 지구의 그림자가 달에 비칠 때

5행 [**As** they pass through Earth's atmosphere], / the shorter wavelengths of light / are scattered, / [**while** the longer wavelengths / continue on to the Moon].
<시간>의 부사절 / 수동태 / <대조>의 부사절
광선이 지구의 대기를 통과하면서 / 빛의 더 짧은 파장은 / 흩어진다 / 반면 더 긴 파장은 / 계속해서 달로 향한다

8행 [**How** red the Moon appears] / depends on the amount of dust and clouds / (in the atmosphere).
S (의문사절) / V / 전치사구
달이 얼마나 붉게 보이느냐는 / 먼지와 구름의 양에 달려 있다 / 대기에 있는

문제해설

월식 때 달이 붉은색을 띠는 것은 빛이 지구 대기를 통과할 때 더 긴 파장을 가진 붉은색 빛이 달에 가기 때문인데, 지구 대기에 입자들이 많이 있으면 이 빛이 통과하는 데 영향을 끼친다고 했다. 그러므로 빈칸에 들어갈 말로 가장 적절한 것은 ① '대기 중에 있는 먼지와 구름의 양'이다.
② 월식이 일어날 때 지구의 계절
③ 달 표면에서 발견된 물질의 종류
④ 더 긴 파장의 빛이 휘는 각도
⑤ 태양 광선이 달에 닿을 때의 온도

내신·서술형 대비

1. ⓐ causing ⓑ more
ⓐ 앞에 주절이 있고, 동시에 일어나는 일을 설명하고 있으므로 분사구문이 되어야 한다. 따라서 causing이 적절하다. ⓑ 문장에 than이 쓰인 것으로 보아 비교급이므로 more가 적절하다.

2. 태양 광선 중 파장이 더 긴 붉은색과 주황색이 지구를 거쳐서 달에 전달되기 때문에
태양 광선 중 더 짧은 파장은 지구 대기를 통과하면서 흩어지는 반면 더 긴 파장은 달에 도달하는데 더 긴 파장의 색이 붉은색과 주황색이므로 달이 붉게 보인다고 했다.

4 ②

지문해석

휴일과 생일에, 부모들은 종종 아이들에게 그날을 더 특별해 보이도록 만들어 줄 선물을 준다. 하지만, 아이들은 그 선물이 정확하게 그들이 바라던 것이 아니라면 나쁘게 반응할 수도 있다. 그들은 울음을 터뜨리거나 새로운 선물을 받을 수 있는지 물을지도 모른다. 이런 일이 일어났을 때, 부모들은 특별한 날을 망쳤다거나 아이를 실망시켰다고 생각하며 죄책감을 느끼기 쉽다. 하지만, 실망에 대처하는 것은 아주 중요하다. 실망감이 아주 유쾌하게 느껴지는 것은 아니지만, 실제로는 건강한 감정이며 아이들의 감정적, 사회적 발달에 필요한 부분이다. 이는 아이들에게 나쁜 상황의 밝은 면을 찾거나 심지어 상황을 더 좋게 만들 방법을 찾도록 북돋워 줄 수 있다. 지금 실망을 극복하는 것은 그들에게 미래에 맞닥뜨릴지 모를 어떤 어려움으로부터든 금세 회복할 방법을 가르쳐 주게 될 것이다.

구문해설

1행 On holidays and birthdays, / parents often give their children a gift / to make the day seem more special.
give+간접목적어+직접목적어 / = give a gift to their children / to부정사 형용사적 용법
휴일과 생일에 / 부모들은 종종 아이들에게 선물을 준다 / 그날을 더 특별해 보이도록 만들어 줄

4행 [**When** this happens], / **it** is easy **for** parents [**to feel** guilty] / [**thinking** {(that) they have ruined a special day / or let their child down}].
<시간>의 부사절 / 가주어 / to부정사의 의미상 주어 / 진주어 / 분사구문(부대상황) / thinking의 목적어(명사절)
이런 일이 일어났을 때 / 부모들은 죄책감을 느끼기 쉽다 / 특별한 날을 망쳤다고 생각하며 / 혹은 아이를 실망시켰다고

9행 It can **encourage** them / **to find** the bright side of a bad situation / or even **to seek** out ways to make things better.
encourage+목적어+목적격보어(to부정사): ~가 …하도록 북돋워 주다 / to find와 to seek을 병렬 연결 / to부정사 형용사적 용법
이는 아이들에게 복돋워 줄 수 있다 / 나쁜 상황의 밝은 면을 찾거나 / 심지어 상황을 더 좋게 만들 방법을 찾도록

10행 [**Overcoming** disappointment now] / will teach them how to bounce back / from whatever difficulties [(that) they may face in the future].
S(동명사구) / teach의 직접목적어(명사구) / = any / 목적격 관계대명사절
지금 실망을 극복하는 것은 / 그들에게 금세 회복하는 법을 가르쳐 주게 될 것이다 / 그들이 미래에 맞닥뜨릴지 모를 어떤 어려움으로부터든

문제해설

빈칸 이후의 내용은 '실망'이란 감정이 아이들의 발달에 필요하며 실망을 극복함으로써 배울 수 있는 것들의 중요성을 이야기하고 있다. 그러므로 빈칸에 들어갈 말로 가장 적절한 것은 ② '실망에 대처하는 것은 아주 중요하다'이다.
① 아이들은 미래에 선물을 고마워할 수 있다
③ 어른들은 아이들만큼 쉽게 실망한다
④ 부모들은 다음 생일에 다른 선물을 살 것을 선택한다
⑤ 어린 시절의 어떤 경험은 부정적 영향을 줄 수 있다

내신·서술형 대비

1. ②
let ~ down은 '~를 실망시키다'의 의미이므로 ② '그들의 아이를 실망시켰다'가 적절하다

① 그들의 아이를 감동시켰다
③ 그들의 아이를 버릇없이 키웠다
④ 그들의 아이를 옹호했다
⑤ 그들의 아이를 만족시켰다

2. seeking → (to) seek
동사 encourage의 목적격보어로 to find와 접속사 or로 병렬 연결되어 있으므로 (to) seek가 되어야 한다.

5 ④

지문해석

한 연구에서, 과학자들이 참가자들을 두 부문으로 나누었다. 오전 2시 30분경에 잠자리에 들었다가 오전 10시 15분경에 일어나는 야간 올빼미형 사람들과 밤 11시 전에 잠자리에 들었다가 오전 6시 30분경에 일어나는 일찍 일어나는 사람들로. 오전 8시부터 저녁 8시까지 다양한 시간대에 임무를 수행한 후에, 참가자들은 테스트를 받았고, 그들의 뇌가 MRI 기계로 스캔되었다. 일찍 일어나는 사람들은 이른 아침에 가장 덜 졸리다고 느꼈고, 반응 시간이 가장 빨랐다. 반면에, 야간 올빼미형 사람들은 비록 그들의 결과가 일찍 일어나는 사람들보다 두드러지게 더 좋지는 않았지만, 저녁 8시에 기분이 가장 좋고 가장 잘 수행했다. 흥미롭게도, MRI 스캔은 일찍 일어나는 사람들이 야간 올빼미형 사람들보다 하루 종일 더 나은 두뇌 연결성을 갖고 있다는 것을 보여 주었다. 이것은 야간 올빼미형 사람들이 학기 중에 일찍 일어나야 하기 때문일 수 있으며, 그리고 그들은 직업을 얻고 계속해서 일찍 일어나야 하기 때문일 수 있다. 그 결과, 그들은 자신의 생체 리듬과 끊임없이 싸워야만 한다.

구문해설

4행 After performing tasks / at various times, / from 8 a.m. to 8 p.m., / the participants were tested / and had their brains scanned / with an MRI machine.
(수동 관계: brains – scanned / 수동태: were tested / 사역동사(have)+목적어+목적격보어(과거분사))
임무를 수행한 후에 / 다양한 시간대에 / 오전 8시부터 저녁 8시까지 / 참가자들은 테스트를 받았고 / 그들의 뇌가 스캔되었다 / MRI 기계로

7행 Night owls, / on the other hand, / felt and performed best at 8 p.m., / [**although** their results / weren't significantly better / than those of early risers].
(on the other hand: 반면에 / <양보>의 부사절 / than: ~보다 / those = results)
야간 올빼미형 사람들은 / 반면에 / 저녁 8시에 기분이 가장 좋고 가장 잘 수행했다 / 비록 그들의 결과가 / 두드러지게 더 좋지는 않았지만 / 일찍 일어나는 사람들의 결과보다

9행 Interestingly, / the MRI scans showed / [**that** early risers had better brain connectivity / throughout the day / than night owls].
(showed의 목적어(명사절) / throughout the day: 하루 종일 / than: ~보다)
흥미롭게도 / MRI 스캔은 보여 주었다 / 일찍 일어나는 사람들이 더 나은 두뇌 연결성을 가지고 있다는 것을 / 하루 종일 / 야간 올빼미형 사람들보다

문제해설

MRI 스캔 결과 야간 올빼미형 사람들보다 일찍 일어나는 사람들이 하루 종일 더 나은 두뇌 연결성을 갖고 있다고 했는데, 그 이유로 야간 올빼미형 사람들이 학교 생활이나 직장 생활을 위해 어쩔 수 없이 아침 일찍 일어나서 생활해야 하기 때문일 수도 있다고 했다. 그러므로 빈칸에 들어갈 말로 가장 적절한 것은 그들은 ④ '그들은 자신의 생체 리듬과 끊임없이 싸워야만 한다'가 가장 적절하다.
① 그들은 성인이 될수록 점점 더 늦게까지 깨어있는 경향이 있다
② 그들은 한낮에는 좀처럼 심하게 졸리지 않다
③ 그들은 늦은 밤에 쉴 자유시간이 훨씬 더 많고 재미있게 보낸다
⑤ 그들은 하루의 서로 다른 시간 사이의 차이를 전혀 느낄 수 없다

내신·서술형 대비

1 (A) performing (B) scanned (C) to get up
(A) 전치사 after 뒤에 동명사 performing이 와야 한다.
(B) 뇌가 MRI 기계로 스캔되는 것이므로 had의 목적격보어로 과거분사 scanned가 와야 한다.
(C) 「be forced+to-v」는 '~하도록 강요받다'는 의미이므로 to부정사로 써야 한다.

2 Early Risers: 11 p.m., connectivity / Night Owls: 10:15 a.m., perform
일찍 일어나는 사람들은 밤 11시 전에 자고 오전 6시 30분경에 일어났으며, 하루 종일 두뇌 연결성이 더 좋았다. 야간 올빼미형 사람들은 새벽 2시 30분경에 자고 오전 10시 15분경에 일어났으며, 저녁 8시에 기분이 가장 좋고 임무를 가장 잘 수행했다.

6 ④

지문해석

심리학자인 Jonathan Haidt는 한때 행동 변화를 논의할 때 재미있는 비유를 사용했다. 그는 인간의 뇌는 두 가지 측면, 즉 감정적인 측면과 이성적인 측면이 있다고 주장했다. Haidt는 감정적인 측면을 코끼리에 비유했고 이성적인 측면을 (코끼리를) 탄 사람에 비유했다. 탄 사람은 이성적인 사고를 하고, 코끼리는 근육을 제공한다. 만약 탄 사람이 왼쪽으로 가면 목적지에 빠르고 안전하게 도달할 수 있다고 결정했지만 코끼리는 그 대신에 오른쪽으로 가고 싶어 한다면 무슨 일이 일어날지 생각해 보자. 이 둘은 큰 싸움을 하게 될 것이고 결국 아무데도 도달하지 못하게 될 것이다. 이것이 그들이 목적을 달성하기 위해서 협동을 해야 하는 이유이다. 탄 사람은 자기가 가고 싶은 곳을 가기 위해 코끼리가 필요하고, 코끼리는 이를 안내할 탄 사람이 필요하다. 그들이 서로의 행동을 조정하는 것이 쉽지 않지만, 그것이 그들이 그들의 목적지에 확실하게 도달하게 하는 유일한 방법이다.

구문해설

3행 Haidt **compared** the emotional side **to** an elephant / and the rational side **to** a rider.
(compared A to B: A를 B에 비유하다 / (compared))
Haidt는 감정적인 측면을 코끼리에 비유했고 / 이성적인 측면을 (코끼리를) 탄 사람에 비유했다

5행 Think about / [**what would happen** / {**if** the rider **decided** / (**that** going to the left would get them to their destination quickly and safely), / but the elephant wanted to go right instead}].

가정법과거 / about의 목적어(명사절) / 가정법과거의 조건절 / decided의 목적어(명사절) / (if) / to부정사를 목적어로 취하는 동사

생각해 보자 / 무슨 일이 일어날지 / 만약 탄 사람이 결정했다면 / 왼쪽으로 가면 목적지에 빠르고 안전하게 도달할 수 있다고 / 하지만 코끼리는 그 대신에 오른쪽으로 가고 싶어 한다면

9행 The rider needs the elephant / to get [**where** he wants to go], / and the elephant needs the rider / to guide it.

관계부사절 / to부정사 부사적 용법(목적) / to부정사 형용사적 용법

탄 사람은 코끼리가 필요하다 / 자기가 가고 싶은 곳을 가기 위해 / 그리고 코끼리는 탄 사람이 필요하다 / 이를 안내할

11행 [**Getting** them to coordinate their actions] / is not easy, / but it is the only way / to ensure [**that** they reach their destination].

S(동명사구) / V / to부정사 형용사적 용법 / ensure의 목적어(명사절)

그들이 서로의 행동을 조정하는 것이 / 쉽지 않다 / 하지만 그것이 유일한 방법이다 / 그들이 그들의 목적지에 확실하게 도달하게 하는

문제해설

인간 뇌에는 감정적인 측면과 이성적인 측면이 있는데, 이 둘을 잘 조정하지 않으면 어디에도 도달할 수 없다는 내용이다. 그러므로 빈칸에 들어갈 말로 가장 적절한 것은 ④ '그들은 목적을 달성하기 위해서 협동을 해야 한다'이다.

① 그들은 친구가 되기보다는 천천히 적이 된다
② 그들은 먼 목적지로 여행하는 데 시간을 허비한다
③ 그들은 대부분의 시간 동안 독립적으로 행동할 필요가 있다
⑤ 그들은 매우 많은 것을 해낼 수 있다

내신·서술형 대비

1. What would happen if the earth stopped rotating?
'~하면 어떻게 될까?'라는 의미의 가정법 과거 구문 「What would happen if+주어+동사의 과거형 ~?」의 형태로 쓴다.

2. analogy
'종종 가치나 아이디어 설명에 도움을 주는 데 사용되는 두 가지 사이의 비교'에 해당하는 단어는 analogy(비유)이다.

10 내용 일치(단락)

기출 풀기

» p. 68

정답 ⑤

지문해석

1940년에 이스탄불 대학에서 박사 학위를 받은 후, Halet Cambel은 고고학의 발전을 위해 끊임없이 분투했다. 그녀는 Ceyhan 강 근처의 터키에서 가장 중요한 고고학적 유적지들 중 일부를 보존하는 것을 도왔고, Karatepe에 야외 박물관을 건립했다. 그곳에서, 그녀는 페니키아 문자판을 발견함으로써 인류의 알려진 가장 오래된 문명 중 하나에 대한 발굴을 시작했다. 터키의 문화 유산을 보존한 그녀의 업적으로 그녀는 Prince Claus 상을 받았다. 그러나 과거의 비밀들을 밝힌 것뿐만 아니라, 그녀는 또한 동시대의 정치적 분위기에 대해 지대한 관심을 가졌다. 불과 20세의 고고학을 전공하는 학생으로서, Cambel은 1936년 베를린 올림픽에 참가하여 올림픽 경기에 출전한 최초의 무슬림 여성이 되었다. 그녀는 후에 Adolf Hitler를 만나도록 초대를 받았지만 정치적인 이유로 그 제안을 거절했다.

구문해설

4행 There, / she broke ground on / one of humanity's oldest known civilizations / by discovering a Phoenician alphabet tablet.

one of(+the)+최상급+복수명사: 가장 ~한 …들 중 하나 / by+동명사: ~함으로써(수단)

그곳에서 / 그녀는 발굴을 시작했다 / 인류의 알려진 가장 오래된 문명 중 하나에 대한 / 페니키아 문자판을 발견함으로써

6행 Her work / [**preserving** Turkey's cultural heritage] / won her a Prince Claus Award.

현재분사구 / win+간접목적어+직접목적어: ~에게 …을 수상하게 하다

그녀의 업적으로 / 터키의 문화 유산을 보존한 / 그녀는 Prince Claus 상을 받았다

8행 As just a 20-year-old archaeology student, / Cambel went to the 1936 Berlin Olympics, / [**becoming** the first Muslim woman / to compete in the Games].

전치사(~로서) / 분사구문(부대상황) / to부정사 형용사적 용법

불과 20세의 고고학을 전공하는 학생으로서 / Cambel은 1936년 베를린 올림픽에 참가하여 / 최초의 무슬림 여성이 되었다 / 올림픽 경기에 출전한

유형 연습

» pp. 70-73

1 ④ 2 ③ 3 ③ 4 ④

내신·서술형 대비

1 1. ⓐ called ⓑ shining 2. ④
2 1. ① 2. inspire
3 1. (A) to be (B) used 2. 프랑스 대혁명, (2019년) 대형 화재
4 1. 전념하면 무엇이든지 할 수 있다는 신념 2. wouldn't[couldn't] be performed

1 ④

지문해석

Stanley Kubrick은 13살 때 아버지에게 첫 번째 카메라를 받았고 곧 사진에 대한 흥미를 키웠다. 17살 때, 그는 그의 첫 번째 사진을 *Look*이라는 잡지에 팔았고, 후에 사진 기자로 채용되었다. 1년 후인 1947년에, Kubrick은 한 구두닦이 소년의 하루를 따라가는 일련의 사진들을 찍었다. 그는 200장이 넘는 사진을 찍었고, 그것들 대부분은 미공개된 채로 남아 있다. 그 사진들은 9명의 형제자매를 포함한 그의 가족의 부양을 돕기 위해 10센트를 받고 행인들의 구두를 닦으며 생계를 꾸려 나갔던 12살 소년, Mickey의 이야기를 담고 있다. 사진들은 모든 인간이 직면하고 있는 어려움을 다루고 있는데, Kubrick이 영화를 만들기 시작했을 때 계속해서 탐구해 온 주제였다. 나중에, 그는 사진 기자의 시각을 발달시키지 않았었다면 그의 영화가 어땠을지 생각하며, 사진 기자로서의 초기 시절에 대해 자주 이야기했다.

구문해설

5행 He took more than 200 photos, / [**most of which** remain unpublished].
(200 photos: 선행사 / most of which: 계속적 용법의 주격 관계대명사절 (= and most of them) / remain unpublished: remain+형용사: ~한 상태로 남아 있다)
그는 200장이 넘는 사진을 찍었고 / 그것들의 대부분은 미공개된 채로 남아 있다

9행 The photographs / address / the difficulties [**faced** by all humans], / a topic / [(that) Kubrick continued to explore / {**when** he began making films}].
(faced by all humans: 과거분사구 / (that) Kubrick continued to explore: 목적격 관계대명사절 / when ~: <시간>의 부사절 / making: 동명사(began의 목적어))
사진들은 / 다루고 있다 / 모든 인간이 직면하고 있는 어려움을 / 주제였다 / Kubrick이 계속해서 탐구해 온 / 영화를 만들기 시작했을 때

10행 Later, / he often talked / about his early days as a photographer, / [**wondering** what his films **would have been** like / **if** he **hadn't developed** his photographer's eye].
(as: 전치사(~로서) / wondering: 분사구문(부대상황) / what ~ like: 어떠한가 / would have been ~ if he hadn't developed: 가정법 과거완료(과거 사실의 반대를 가정))
나중에 / 그는 자주 이야기했다 / 사진 기자로서의 초기 시절에 대해 / 그의 영화가 어땠을지 생각하며 / 사진 기자의 시각을 발달시키지 않았었다면

문제해설

생계를 책임질 9명의 형제자매들이 있는 사람은 Kubrick이 찍은 사진의 주인공인 Mickey에 대한 내용이므로 ④가 글의 내용과 일치하지 않는다.

내신·서술형 대비

1. ⓐ called ⓑ shining
ⓐ '불리는'의 의미가 되어야 하므로 수동의 의미를 나타내는 과거분사가 적절하다. ⓑ 구두를 '닦으며' 생계를 꾸려간다는 의미가 되어야 하므로 분사구문을 이끄는 현재분사 형태가 적절하다.

2. ④
직면한 어려움을 '다루다'는 뜻으로 쓰였으므로 ④ '문제, 이슈 등을 다루다'가 알맞다.
① 직접 의사소통하다
② 누군가에게 어떤 말을 하다
③ 배송할 곳을 표시하다
⑤ 한 무리의 사람들에게 격식을 차리는 연설을 하다

2 ③

지문해석

Henry Moore는 20세기의 가장 중요한 조각가 중 한 명이었다. 그는 야외에 거대한 조각상을 설치함으로써 사람들이 예술을 보는 방식을 재정립했다. 그는 1898년 영국에서 태어났다. 주일 학교에 다니면서, 그는 미켈란젤로의 작품에 감명을 받아 조각에 관심을 갖게 되었다. 20대에, Leeds 예술 학교에 등록했다. 처음에는 소묘를 공부했으나, 나중에 조각으로 바꾸기를 고집했다. 학교에는 조소과가 없어서, 그를 위해 학과를 시작했다. 대부분의 그의 작품은 사람들, 주로 여성과 가족의 추상적인 형태를 특징으로 한다. 흐르는 듯한 몸에는 곡선, 울퉁불퉁한 부분, 텅 빈 공간, 심지어 구멍도 있었다. 이는 Moore가 자연의 형태에서 영감을 얻었기 때문이다. 그는 종종 숲을 산책하며 바위, 나무 뿌리, 그리고 동물의 뼈를 스케치하곤 했다. Moore의 작품은 초기에 비판을 받았지만, 시간이 흐르면서 점점 인기를 더해 갔다. 오늘날, 그의 작품은 새로운 세대의 조각가들에게 계속해서 영감을 주고 있다.

구문해설

3행 [**While** attending Sunday school], / he was impressed / by the work of Michelangelo / and became interested in sculpture.
(While attending ~: 분사구문(시간) / was impressed: 수동태 / become interested in: ~에 관심을 갖게 되다)
주일 학교에 다니면서 / 그는 감명을 받아 / 미켈란젤로의 작품에 / 조각에 관심을 갖게 되었다

10행 He would often walk through the woods / [**sketching** rocks, tree roots and animal bones].
(would: 과거의 습관(~하곤 했다) / sketching: 분사구문(부대상황))
그는 종종 숲을 산책하며 / 바위, 나무 뿌리, 그리고 동물의 뼈를 스케치하곤 했다

문제해설

Leeds 예술 학교에서 처음에는 소묘를 공부했다고 했으므로 ③이 글의 내용과 일치하지 않는다.

내신·서술형 대비

1. ①
조각가 Henry Moore가 자신의 작품에 바위, 나무, 동물의 뼈 등 자연에서 영감을 얻었다는 내용이므로, 제목으로는 ① '자연에서 영감을 얻

은 뛰어난 조각가'가 적절하다.
② Henry Moore 조각에 나타난 도시 생활
③ 미켈란젤로에게 영향을 준 젊은 조각가
④ 바위, 나무, 동물의 뼈를 사용하는 조각가
⑤ Henry Moore: 현대 회화의 새로운 세대

2. inspire
'어떤 일을 하거나 새로운 생각을 창조하고 싶은 강한 욕망을 주다'에 해당하는 단어는 inspire(영감을 주다)이다.

3 ③

지문해석

종종 간단히 노트르담이라고 불리는 노트르담 드 파리는 프랑스 파리에 위치해 있는 유명한 중세 시대 가톨릭 성당이다. 영어로 그 이름은 '파리의 성모 마리아'를 의미한다. 그 성당은 혁신적인 갈비뼈 모양의 둥근 천장과 거대한 장미꽃 창문, 장식용 조각들로 인해 고딕 양식 건축물의 가장 훌륭한 본보기 중 하나로 간주된다. 성당의 건축은 1160년에 시작되었고, 1620년까지 계속되었다. 프랑스 대혁명 중에, 많은 종교적인 조각상들이 손상을 입었고, 성당은 심지어 창고로 사용되기까지 했다. 하지만, 1804년에 나폴레옹이 그 성당에서 대관식을 거행했고, 사람들은 노트르담의 독특한 아름다움을 다시 인식하기 시작했다. 1831년, 소설 *The Hunchback of Notre-Dame*(노트르담의 꼽추)가 훨씬 더 많은 주목을 받은 후, 대대적인 복원 프로젝트가 시작되었고, 그것은 1844년부터 1864년까지 지속되었다. 불행히도, 2019년에 대형 화재가 발생하여 성당의 상당 부분이 파괴되고, 첨탑과 나무 지붕이 무너졌다.

구문해설

3행 The cathedral / is considered to be one of the most excellent examples / of Gothic architecture / due to its innovative rib vault, huge rose windows, and decorative sculptures.
「consider+목적어+목적격보어(to부정사)」의 수동태 / one of the+최상급+복수명사: 가장 ~한 …들 중 하나 / ~ 때문에 / 「A, B, and C」의 명사구가 전치사구 due to의 목적어로 쓰임

그 성당은 / 가장 훌륭한 본보기 중 하나로 간주된다 / 고딕 양식 건축물의 / 혁신적인 갈비뼈 모양의 둥근 천장과 거대한 장미꽃 창문, 장식용 조각들로 인해

10행 [**After** the novel *The Hunchback of Notre-Dame* brought even more attention / in 1831], / a major restoration project was launched, / [**which** lasted from 1844 to 1864].
<시간>의 부사절 / 비교급 강조 / 선행사 / 계속적 용법의 주격 관계대명사절

소설 *The Hunchback of Notre-Dame*(노트르담의 꼽추)가 훨씬 더 많은 주목을 받은 후 / 1831년 / 대대적인 복원 프로젝트가 시작되었고 / 그것은 1844년부터 1864년까지 지속되었다

문제해설

1160년에 건축이 시작되어 1620년까지 건축이 계속되었다고 했으므로, 건축 기간은 500년 미만이다. 따라서 ③이 글의 내용과 일치하지 않는다.

내신·서술형 대비

1. (A) to be (B) used
(A) consider가 사용된 수동태로, consider는 목적격보어로 to부정사를 취하므로 to be가 적절하다.
(B) 성당이 창고로 '사용된' 것이므로 수동태가 적절하다.

2. 프랑스 대혁명, (2019년) 대형 화재
프랑스 대혁명 때 종교적인 조각상들이 손상되었고, 2019년 대형 화재로 인해 성당의 상당 부분이 훼손되었다.

4 ④

지문해석

심장외과의사인 Christiaan Barnard는 1922년 남아프리카의 Beaufort West에서 태어났다. 그의 가족은 극도로 가난했지만, 그의 어머니는 자녀들에게 전념하면 무엇이든지 할 수 있다는 신념을 심어 주었다. Barnard는 열심히 공부해서 케이프타운에서 의학 학위를 받았다. 그러고나서 그는 한 작은 마을에서 가정의가 되었다. 그러나, 그는 일반외과학을 공부하기 위해 미국으로 이주하기로 결심했다. 후에 그는 심장외과의사로 모국에 돌아왔고 개에게 심장을 이식하는 실험을 시작했다. 1967년, 그는 드디어 세계 최초로 인간 대 인간의 심장 이식술을 시행했다. 뇌사 기증자의 심장을 사용하기로 한 그의 결정 또한 중대한 의학적 돌파구였다. Barnard의 선구적인 업적 덕분에, 오늘날 다양한 장기 이식이 일상적으로 행해진다. Barnard는 그의 가난했던 유년 시절을 돌아보며, "가장 불운한 사람들은 모든 것이 주어져서 바라는 것이 아무것도 없는 사람들이다."라고 말한 적이 있다.

구문해설

2행 His family was extremely poor, / but his mother instilled in her children / the belief [**that** they could do anything {**if** they set their minds to it}].
동격 / <조건>의 부사절

그의 가족은 극도로 가난했지만 / 그의 어머니는 자녀들에게 심어 주었다 / 전념하면 무엇이든지 할 수 있다는 신념을

9행 [His decision / to use the heart of a brain-dead donor] / was also a significant medical breakthrough.
S / to부정사 형용사적 용법 / V

그의 결정은 / 뇌사 기증자의 심장을 사용하기로 한 / 또한 중대한 의학적 돌파구였다

12행 [**Looking** back on his impoverished childhood], / Barnard once said, / "The most unfortunate people / are those / [**who** have been given everything / and have nothing to look forward to]."
분사구문(부대상황) / 현재완료 수동태 / 주격 관계대명사절 / to부정사 형용사적 용법

Barnard는 그의 가난했던 유년 시절을 돌아보며 / 말한 적이 있다 / 가장 불운한 사람들은 / 사람들이다 / 모든 것이 주어져서 / 바라는 것이 아무것도 없는

문제해설

개를 대상으로 심장 이식 실험을 한 것은 사실이나 그 실험의 실패 여부는 글을 통해 알 수 없으므로 ④가 글의 내용과 일치하지 않는다.

내신·서술형 대비

1. 전념하면 무엇이든지 할 수 있다는 신념

the belief는 뒤에 쓰인 that절과 동격이다.

2. wouldn't[couldn't] be performed
의미상 「without+명사, 주어+조동사의 과거형+동사원형」의 혼합 가정법 구문으로 바꿔 쓸 수 있다. 즉, '(과거에) ~이 없었다면, (현재) …하지 않을 것이다'의 의미로, 주절을 가정법 과거완료, if절을 가정법 과거로 쓴다.

8행 Africa had the least amount of damage / [**even though** it ranked third / in the number of natural disasters].
(amount of damage: 피해액 / even though: <양보>의 부사절 / it = Africa)

아프리카가 피해액은 가장 적었다 / 비록 3위를 차지했지만 / 자연재해 횟수에서

11 내용 일치(도표)

기출 풀기

» p. 74

정답 ④

지문해석

2014년 지역별 자연재해

위 두 개의 파이 그래프는 2014년의 지역별 자연재해 횟수와 피해액을 보여 준다. 아시아의 자연재해 횟수가 다섯 지역 중 가장 많았으며, 유럽의 비율의 2배가 넘는 36퍼센트를 차지했다. 아메리카가 23퍼센트를 차지하면서 자연재해 횟수가 두 번째로 많았다. 오세아니아의 자연재해 횟수가 가장 적었으며 아프리카의 자연재해 횟수의 3분의 1도 안 되었다. 아시아의 피해액이 가장 많았으며 아메리카와 유럽이 합쳐진 액수보다 더 많았다. 아프리카가 비록 자연재해 횟수에서는 3위를 차지했지만 피해액은 가장 적었다.

구문해설

2행 The number of natural disasters in Asia / was the largest of all five regions / and accounted for 36 percent, / [**which** was more than twice / the percentage of Europe].
(the number of+복수명사: ~의 수(단수 취급) / the+최상급+of: ~ 중에서 가장 …한 / account for: ~을 차지하다 / 36 percent: 선행사 / which: 계속적 용법의 주격 관계대명사절)

아시아의 자연재해 횟수가 / 다섯 지역 중 가장 많았다 / 그리고 36퍼센트를 차지했다 / 그것은 2배가 넘었다 / 유럽의 비율의

4행 Americas had the second largest number of natural disasters, / [**taking up** 23 percent].
(the+서수+최상급+명사: ~번째로 가장 …한 / taking up: 분사구문(부대상황))

아메리카가 자연재해 횟수가 두 번째로 많았다 / 23퍼센트를 차지하면서

5행 The number of natural disasters / in Oceania / was the smallest / and less than a third of that / in Africa.
(The number of natural disasters: S / in Oceania: 전치사구 / was: V / a third: 분수: 기수(분자)+서수(분모) / that = the number of natural disasters)

자연재해 횟수가 / 오세아니아의 / 가장 적었다 / 그리고 자연재해 횟수의 3분의 1도 안 되었다 / 아프리카의

유형 연습

» pp. 76-79

1 ④ 2 ③ 3 ③ 4 ④

내신·서술형 대비

1 1. emit 2. Russia, Germany, UK
2 1. ⑤ 2. (the) percentage
3 1. ③ 2. ⓐ reading ⓑ combined
4 1. (A) various (B) putting 2. more than twice as many first-language speakers as

1 ④

지문해석

연료 연소로 인한 주요 국가의 이산화탄소 배출량

위 표는 1990년과 2015년에 세계 전체 및 9개 주요 국가의 이산화탄소 배출량과 더불어 각각의 비율 변화를 보여 준다. 전반적으로 전 세계는 이 기간 동안 이산화탄소 배출량이 50퍼센트 이상 증가했다. 포함된 나라들 중 단지 3개 국만이 이산화탄소 배출을 줄이는 데 성공했는데, Russia는 거의 33퍼센트의 감소로 이를 이끌고 있다. 반면에, 중국은 가장 크게 증가했고, 2015년 이산화탄소 배출량이 1990년 배출량의 4배 이상이다. 인도는 1990년에는 일본의 절반정도를 배출했지만, 2015년에는 3배 이상을 배출했다. 표에 있는 모든 나라들 중에서, 브라질과 한국은 1990년에 가장 적은 양의 이산화탄소를 배출했지만, 2015년에는 두 나라 모두 큰 폭으로 증가해서 영국이 그해 가장 적은 양을 배출하는 나라로 남았다.

구문해설

4행 Only three (countries) of the included countries / managed to decrease their CO_2 emissions, / [**with Russia leading** the way / with a drop of almost 33%].
(manage+to-v: 가까스로 ~하다 / with+목적어+to-v: ~가 …한 채(부대상황))

포함된 나라들 중 단지 3개 국만이 / 이산화탄소 배출을 줄이는 데 성공했다 / 러시아가 이를 이끌고 있다 / 거의 33퍼센트의 감소로

6행 China, / on the other hand, / had the largest increase, / with 2015 CO_2 emissions / [**that** were more than four times as great as those in 1990].
(on the other hand: 반면에 / 2015 CO_2 emissions: 선행사 / that: 주격 관계대명사절 / four times as great as: 배수사+as+원급+as / those = CO_2 emissions)

중국은 / 반면에 / 가장 크게 증가했다 / 2015년 이산화탄소 배출량이 / 1990년의 그것보다 4배 이상이다

9행 **Of** all the countries on the table, / Brazil and Korea had **the** two **lowest** CO_2 emissions in 1990, / but both experienced significant increases in 2015, / [**leaving** the UK with the lowest amount for that year].

of ~, 최상급: ~중에서 가장 …한 / both = Brazil, Korea / 분사구문(부대상황) / that year = 2015

표에 있는 모든 나라들 중에서 / 브라질과 한국은 1990년에 가장 적은 양의 이산화탄소를 배출했지만 / 2015년에는 두 나라 모두 큰 폭으로 증가해서 / 영국이 그해 가장 적은 양을 배출하는 나라로 남았다

문제해설

1990년에는 인도가 일본의 절반정도 배출하였고 2015년에는 인도가 일본보다 두 배 조금 안 되는 양을 배출했으므로 ④는 표의 내용과 일치하지 않는다.

내신·서술형 대비

1. emit

동사로 '열, 빛 또는 냄새를 생산하여 물리적 또는 화학적 과정을 통해 그것을 내보내다'에 해당하는 단어는 emit(배출하다)이다.

2. Russia, Germany, UK

표에서 이산화탄소 배출의 변화 비율이 마이너스인 나라는 Russia, Germany, UK이다.

2 ③

지문해석

연령대별 미국인의 TV 시청 방법

위 도표는 미국 성인들이 텔레비전을 시청하는 방식들을 연령별로 구분하여 보여 준다. 미국 성인들의 절반 이상은 케이블이나 위성 방송 가입을 통해 주로 텔레비전을 시청하며, 비율은 가장 어린 연령 집단에서부터 가장 나이 든 집단에 이르기까지 꾸준히 증가한다. 가장 어린 연령 집단의 거의 3분의 2가 텔레비전 시청을 위해 주로 온라인 스트리밍 서비스를 이용하며, 3분의 1미만이 케이블이나 위성 방송 가입을 이용한다. 30세에서 49세 연령 집단에서는, 케이블이나 위성 방송 가입이 52퍼센트 사람들에게 텔레비전을 시청하는 주된 방식인데, 그것은 미국 성인들의 전반적인 비율보다 약간 더 높다. 디지털 안테나를 사용하는 것이 더 나이 든 두 연령 집단에서는 온라인 스트리밍 서비스 이용보다 더 흔하다. 디지털 안테나를 사용하는 50세에서 64세 연령대 성인들의 비율은 65세 이상 미국 성인들의 비율의 2배가 넘었다.

구문해설

5행 Nearly **two-thirds** of the youngest age group / primarily **use** online streaming services / to watch television, / with less than a third / [**using** cable or satellite subscriptions].

two-thirds: 분수: 분자(기수)+분모(서수) / S (분수는 분자의 수에 수를 일치시킴) / use: V / to watch: to부정사 부사적 용법(목적) / a third: 분수(= one-third) / 분사구문(부대상황)

가장 어린 연령 집단의 거의 3분의 2가 / 주로 온라인 스트리밍 서비스를 이용한다 / 텔레비전 시청을 위해 / 3분의 1미만이 / 케이블이나 위성 방송 가입을 이용한다

7행 In the 30-to-49 age group, / [a cable or satellite subscription is the primary way / of watching television / for 52% of the people], / [**which** is slightly less / than the overall percentage of American adults.

선행사 / 전치사구 / 계속적 용법의 주격 관계대명사절 / 비교급+than: ~보다 더 …한

30세에서 49세 연령 집단에서는 / 케이블이나 위성 방송 가입이 주된 방식이다 / 텔레비전을 시청하는 / 52퍼센트 사람들에게 / 그것은 약간 더 낮다 / 미국 성인들의 전반적인 비율보다

11행 The percentage of adults / [**aged** 50 to 64] / [**using** a digital antenna] / was more than twice / that of American adults 65 and older.

S / 과거분사구 / 현재분사구 / V / ~ 이상인 / = percentage

성인들의 비율은 / 50세에서 64세 연령대 / 디지털 안테나를 사용하는 / 2배가 넘었다 / 65세 이상 미국 성인들의 비율의

문제해설

30세에서 49세 연령 집단에서 케이블이나 위성 방송 가입 비율은 52퍼센트이고, 전반적인 미국 성인들의 케이블이나 위성 방송 가입 비율은 59퍼센트이므로 30세에서 49세 연령 집단에서의 케이블이나 위성 방송 가입 비율이 약간 더 낮다. 따라서 ③이 도표의 내용과 일치하지 않는다.

내신·서술형 대비

1. ⑤

steadily는 '꾸준하게, 꾸준히'라는 뜻이므로 constantly(끊임없이)와 바꿔 쓸 수 있다.

① 대략 ② 불가피하게 ③ 현저하게 ④ 유사하게

2. (the) percentage

비교 대상은 서로 같아야 하므로 that은 앞에 나온 (the) percentage를 가리킨다.

3 ③

지문해석

미국 성인들이 책을 읽는 방법 (2011-2018)

위 도표는 2011년부터 2018년까지 다양한 책 형식을 이용한 미국 성인의 비율을 보여 준다. 인쇄된 책을 읽는 성인의 비율은 2011년부터 2012년까지 감소했고, 2018년까지 2011년 수준 아래를 유지했다. 반면, 전자책을 읽는 성인의 비율은 2011년부터 2018년까지 9퍼센트 포인트 상승했다. 같은 기간 동안, 오디오북을 들었던 성인의 비율 또한 매년 꾸준히 상승했다. 2011년과 2012년 사이에, 가장 급격하게 상승했던 것은 전차책을 읽는 성인의 비율이었고, 반면 가장 급격하게 하락했던 것은 인쇄된 책을 읽는 성인들의 비율이었다. 인쇄된 책을 읽는 독자들의 이러한 하락에도 불구하고, 인쇄된 책은 전차책과 오디오북을 합친 것보다 더 높은 비율의 독자들을 가진, 단연코 가장 인기있는 형식으로 남아 있다.

구문해설

1행 The above graph shows / [the percentage of US adults / {**who** used various book formats} / from 2011 to 2018].
shows의 목적어 / 주격 관계대명사절

위 도표는 보여 준다 / 미국 성인의 비율을 / 다양한 책 형식을 이용한 / 2011년부터 2018년까지

2행 The percentage of adults / [**who** read a print book] / decreased from 2011 to 2012 / and then **remained** [below 2011 levels] / until 2018.
주격 관계대명사절 / remained의 보어

성인의 비율은 / 인쇄된 책을 읽는 / 2011년부터 2012년까지 감소했다 / 2011년 수준 아래를 유지했다 / 2018년까지

7행 Between 2011 and 2012, / the sharpest increase / was in the percentage of adults [**reading** an e-book], / [**while** the sharpest decrease / was in the percentage of adults {**reading** a print book}].
between A and B: A와 B 사이에 / 현재분사구 / <대조>의 부사절 / 현재분사구

2011년과 2012년 사이에 / 가장 급격하게 상승했던 것은 / 전자책을 읽는 성인의 비율이었고 / 반면 가장 급격하게 하락했던 것은 / 인쇄된 책을 읽는 성인들의 비율이었다

10행 Despite this drop in print book readers, / print books remain by far the most popular format, / with a higher percentage of readers / than e-books and audiobooks combined.
= In spite of(~에도 불구하고) / 최상급 강조(단연코) / 과거분사

이렇게 인쇄된 책을 읽는 독자들의 하락에도 불구하고 / 인쇄된 책은 단연코 가장 인기있는 형식으로 남아 있다 / 더 높은 비율의 독자들을 가진 / 전자책과 오디오북을 합친 것보다

문제해설

2014년에서 2015년 사이에 오디오북을 들었던 성인의 비율이 감소했으므로 매년 꾸준히 상승했다는 ③은 도표의 내용과 일치하지 않는다.

내신•서술형 대비

1. ③

remain은 '(~한 상태를) 유지하다'라는 뜻으로 stay(머물다)와 바꿔 쓸 수 있다.

① 번성하다(flourish) ② 회복하다(regain)
④ 복원하다(restore) ⑤ 자제하다(refrain)

2. ⓐ reading ⓑ combined

ⓐ adults를 수식하며 '읽는'의 의미이므로 현재분사 reading이 적절하다.

ⓑ e-books와 audiobooks가 '합쳐지는' 것이므로 과거분사 combined가 적절하다.

4 ④

지문해석

두 개의 세계: 실생활과 온라인에서의 언어

• 2018년 전세계 모국어 사용자의 추정 인원(백만 단위)
• 다양한 콘텐츠 언어를 사용하는 웹 사이트의 비율(2019년 2월)

위 두 도표는 다양한 언어들을 사용하는 웹 사이트들의 비율과 더불어, 10개의 주요 언어들의 모국어 사용자의 수를 보여 준다. 비록 중국어가 전 세계에서 가장 많은 모국어 사용자를 갖고 있지만, 단지 1.7퍼센트의 웹 사이트만 중국어를 사용하여, 폴란드와 동점으로 목록의 맨 아래에 위치한다. 영어는 중국어를 모국어로 사용하는 사람 수의 3분의 1이 안 되지만, 모든 웹 사이트의 절반 이상이 영어를 사용해서, 웹상에서는 지배적인 언어이다. 유사하게, 독일어는 웹 사이트에서는 3번째로 가장 흔한 언어지만, 가장 많은 모국어 사용자들이 쓰는 상위 10개 언어 목록에도 들지 않는다. 스페인어는 4억 4천 2백만 명의 모국어 사용자가 있으며, 두 도표에서 2위를 차지하며, 모든 웹 사이트 중 5퍼센트의 언어이다. 마지막으로, 아랍어는 3억 1천 5백만 명의 모국어 사용자가 있으며 웹 사이트에서 사용되는 언어들의 도표에는 나타나지 않는다.

구문해설

3행 [**Although** Chinese has the greatest number of first-language speakers / around the world], / just 1.7 percent of websites use it, / [**putting** it at the bottom of the list / in a tie with Poland].
<양보>의 부사절 / the+최상급: 가장 ~한 / 분사구문(부대상황) / = Chinese / ~와 동점으로

비록 중국어가 가장 많은 모국어 사용자를 갖고 있지만 / 전 세계에서 / 단지 1.7퍼센트의 웹사이트만 중국어를 사용하여 / 목록의 맨 아래에 위치한다 / 폴란드와 동점으로

6행 English has less than a third / of the number of first-language speakers [**that** China does,] / but it is the dominant language / on the web, / [**with** more than half of all websites / **using** it].
분수: 분자(기수)+분모(서수) / 목적격 관계대명사절 / = has / with+목적어+현재분사: ~을 …하며/…한 채로 (목적어와 능동 관계)

영어는 3분의 1이 안 된다 / 중국어를 모국어로 사용하는 사람 수의 / 하지만 지배적인 언어이다 / 웹상에서 / 모든 웹사이트의 절반 이상이 / 영어를 사용해서

12행 Finally, / Arabic has 315 million first-language speakers / and does not appear / on the graph of languages / [**used** by websites].
나타나다(자동사) / 과거분사구

마지막으로 / 아랍어는 3억 1천 5백만 명의 모국어 사용자가 있으며 / 아랍어는 나타나지 않는다 / 언어들의 도표에 / 웹사이트에서 사용되는

문제해설

스페인어는 4억 4천 2백만 명이 모국어로 사용하는 언어로 언어 사용자의 수는 2위이지만 웹사이트 수에서는 4위이므로 ④가 도표의 내용과 일치하지 않는다.

내신·서술형 대비

1. (A) various (B) putting
(A) 두 번째 도표는 '다양한' 언어들을 사용하는 웹사이트의 비율이라는 의미이므로 various가 적절하다.
(B) '스페인어를 2번째 위치에 두면서'의 의미이므로 putting이 적절하다.
2. more than twice as many first-language speakers as
아랍어를 모국어로 사용하는 사람들의 수가 러시아어보다 2배 이상 많으므로 원급을 이용한 배수 비교 표현(배수사+as+원급+as)을 써야 한다.

12 내용 일치(안내문)

기출 풀기

» p. 80

정답 ③

지문해석

Smile 사진관에서 열리는 가족 사진 경연 대회

"나의 아이는 'mini-me'(작은 나)야."라고 생각해 본 적이 있나요? 이번 달에 우리는 '부모-아이' 닮은꼴 경연 대회를 개최할 예정입니다!
• 오직 '어머니-딸' 또는 '아버지-아들' 조합만이 허용됩니다.
• 사진은 최근 6개월 이내에 촬영된 것이어야 합니다.

일정
– 제출: 7월 9일부터 7월 13일까지
(사진을 이메일 contest@smilephoto.com으로 보내 주세요.)
– 투표: 7월 16일부터 7월 20일까지
(투표는 우리 웹 사이트를 통해 이루어집니다.)
– 우승자 발표: 7월 23일

상품
– 1등: 50달러 디지털 사진 인화 쿠폰
– 2등: 30달러 디지털 사진 인화 쿠폰

구문해설

3행 Have you ever thought, / "My kid is a 'mini-me'?"
(Have ~ thought: 현재완료(경험))
생각해 본 적이 있나요 / "나의 아이는 'mini-me'(작은 나)야."라고

3행 This month, / we will be holding / a "parent-child" look-alike contest!
(will be holding: 미래진행형)
이번 달에 / 우리는 개최할 예정입니다 / '부모-아이' 닮은꼴 경연 대회를

6행 Your picture must have been taken / within the last 6 months.
(must have been p.p.: ~되어야만 한다(조동사가 사용된 완료수동태); within: ~ 이내에)
사진은 촬영된 것이어야 합니다 / 최근 6개월 이내에

유형 연습

» pp. 82-85

1 ③ 2 ④ 3 ⑤ 4 ⑤

내신·서술형 대비

1 셰익스피어 희곡에 나오는 최대 2분 길이의 짧은 독백
2 ⓐ to charge ⓑ using
3 maintenance
4 (A) live (B) transportation (C) purchased

1 ③

지문해석

춘계 연극 오디션

Chelmsford 고등학교의 Drama Society에서 윌리엄 셰익스피어의 '한 여름 밤의 꿈' 공연에 참가할 학생들을 찾고 있습니다.

• 시간 및 장소:
주연 배역들에 대한 단체 오디션은 중앙 홀에서 3월 3일 오후 5시에 열립니다. 결과는 그날 발표될 것입니다.
※ 조연 배역 오디션은 다음 날 열립니다.

• 참가 방법:
3월 2일 정오까지 드라마 사무실에서 등록해야 하며 어떤 역할의 오디션에 참가할지 표시해야 합니다.

• 준비할 것:
오디션을 보기 위해, 셰익스피어 희곡 중 하나에 나오는 짧은 독백(길이는 최대 2분)을 준비하세요.

연극은 7월 첫 3주 동안의 주말에 공연될 것입니다. 리허설은 4월 1일에 시작해서 매주 화요일과 목요일 오후 6시에 열립니다. 더 많은 정보는 cshim@rchs.edu로 Ms. Shim에게 연락 주세요.

구문해설

2행 The Chelmsford High School Drama Society / is looking for students / to take part in its performance / [of *A Midsummer Night's Dream*] / by William Shakespeare.
(to take part ~: to부정사 형용사적 용법; [of ~]: 전치사구)
Chelmsford 고등학교의 Drama Society에서 / 학생들을 찾고 있습니다 / 공연에 참가할 / '한 여름 밤의 꿈' / 윌리엄 셰익스피어의

10행 You must sign up / in the drama office / by noon on March 2 / and indicate / [**what** role you are auditioning for].

V1 (must) V2 indicate의 목적어(의문사절)

등록해야 합니다 / 드라마 사무실에서 / 3월 2일 정오까지 / 그리고 표시해야 합니다 / 어떤 역할의 오디션에 참가할지

16행 Rehearsals will start April 1 / and be held / every Tuesday and Thursday / at 6 p.m.

S V1 (will) V2

리허설은 4월 1일에 시작합니다 / 그리고 열립니다 / 매주 화요일과 목요일 / 오후 6시에

문제해설

주연 배역들의 오디션 결과는 오디션 당일에 발표된다고 했으므로 ③이 안내문의 내용과 일치하지 않는다.

내신·서술형 대비

셰익스피어 희곡에 나오는 최대 2분 길이의 짧은 독백

준비할 것(What to prepare)에서 셰익스피어 희곡 중 하나에 나오는 최대 2분 길이의 짧은 독백을 준비해야 한다고 했다.

2 ④

지문해석

무선 블루투스 헤드폰

- 사용 설명서 -

헤드폰을 휴대 전화에 연결

1. 헤드폰을 페어모드로 설정하기 위해, 전원 버튼을 누른 채 기다립니다.
2. 삐 소리가 나면 버튼에서 손을 떼고 헤드폰을 옆에 둡니다.
3. 휴대 전화에 블루투스가 켜져 있는 것을 확인하고 새로운 장치를 찾도록 설정합니다. 휴대 전화가 비밀번호를 요구하면, 0을 네 번(0000) 누릅니다.

헤드폰 충전

1. 제공된 USB 충전 케이블을 충전 단자에 연결합니다.
2. 충전하는 동안 헤드폰에는 빨간색 불이 들어올 것입니다.
3. (빨간) 불이 꺼지면, 헤드폰 충전이 완료된 것입니다.

주의사항

- 처음으로 헤드폰을 사용하기 전에 반드시 최소 5시간 동안 배터리를 충전하십시오.
- 헤드폰을 충전하기 위해서는 제공된 USB 충전 케이블만 사용하십시오.

구문해설

4행 To put your headphones in pair mode, / [press and hold the power button].

to부정사 부사적 용법(목적) 명령문

헤드폰을 페어모드로 설정하기 위해 / 전원 버튼을 누른 채 기다립니다

12행 Connect the supplied USB charging cable / to the charging slot.

connect A to B: A를 B에 연결하다

제공된 USB 충전 케이블을 연결합니다 / 충전 단자에

16행 Be sure to charge the battery / for at least five hours / before using the headphones for the first time.

반드시 ~하다 ~동안 전치사+v-ing 처음으로

반드시 배터리를 충전하십시오 / 최소 5시간 동안 / 처음으로 헤드폰을 사용하기 전에

문제해설

① 전원 버튼을 누르고 기다려야 한다.
② 휴대 전화에서 비밀번호를 요구하면 0000을 입력한다.
③ 충전이 완료되면 (빨간) 불이 꺼진다.
⑤ 오직 제공된 충전 케이블만을 사용해야 한다.

내신·서술형 대비

ⓐ to charge ⓑ using

ⓐ 명령문으로 쓰여 '반드시 ~하라'라는 뜻을 나타낼 때 be sure 뒤에 to부정사가 와야 하므로 to charge로 써야 한다. ⓑ 전치사 before의 목적어로는 명사(구)가 와야 하므로 동명사 using이 적절하다.

3 ⑤

지문해석

무선 조종 슈퍼 스턴트 카

당사의 무선 조종 자동차를 구입해 주셔서 감사합니다. 사용하시기 전에 이 설명서를 주의 깊게 읽어 주시기를 바랍니다.

자동차 조종 방법

1. 전원 스위치를 'on' 위치로 미십시오.
2. 자동차를 전후좌우로 가게 하려면 방향 조정 레버를 움직이십시오.
3. 전원 스위치를 'off' 위치로 밀면 원격 조종기는 수면 모드가 됩니다.

조작 팁

- 배터리 부족은 자동차의 속도를 떨어뜨리고 방향 전환을 어렵게 합니다.
- 자동차는 최대 40미터 거리까지 조종이 됩니다.

손질과 관리

- 물기가 없는 부드러운 천으로 자동차를 닦으십시오.
- 자동차를 직사광선이 있는 곳에 보관하지 마십시오.
- 자동차를 옮기거나 보관할 경우, 배터리를 제거하십시오.

※ 주의

- 이 제품은 8세 이상에게만 적합합니다.
- 자동차를 던지거나 비틀거나 고의로 충돌시키지 마십시오.
- 사고가 발생할 수 있으므로, 도로에서 자동차를 조작하지 마십시오.

구문해설

8행 [**Sliding** the power switch to the "off" position] / will put the remote control in sleep mode.

S(동명사구) V

전원 스위치를 'off' 위치로 밀면 / 원격 조종기는 수면 모드가 됩니다

17행 [**When transporting** or **storing** the car], / remove the batteries.

분사구문(시간) 병렬 연결

자동차를 옮기거나 보관할 경우 / 배터리를 제거하십시오

문제해설

‘손질과 관리’에서 배터리를 제거하고 옮기거나 보관하라고 했으므로 ⑤는 안내문의 내용과 일치하지 않는다.

내신·서술형 대비

maintenance

‘도로, 건물, 기계 등을 양호한 상태로 유지하는 데 필요한 작업’에 해당하는 단어는 maintenance(유지, 보수)이다.

4 ⑤

지문해석

야외 음악 축제

Oakville 시의회는 제4회 연례 라이브 음악 축제를 주최할 것입니다.

• **날짜:**

축제는 5월 18일 금요일과 5월 19일 토요일 이틀 밤 동안 개최됩니다.

• **장소:**

행사는 시 광장에서 열립니다. 시청 뒤편에 무료 주차가 가능하지만, 공간이 한정되어 있으니 가능하면 대중교통을 이용해 주십시오!

• **표:**

표는 1일권은 5달러, 2일권은 8달러로 시 웹 사이트에서 구입할 수 있습니다.

• **공연 일정:**

	5월 18일 (금요일)	5월 19일 (토요일)
저녁 6시~저녁 7시	마이크 개방 시간	재즈 3인조 Timeout
저녁 7시~저녁 8시	포크 송 가수 Jenny Karlson	팝 가수 Lee Green
저녁 8시~저녁 10시	지역 록 밴드 Fire Heart	Oakville 고등학교 오케스트라의 클래식 연주

구문해설

2행 The Oakville Town Council is hosting / its fourth annual live music festival.
is hosting: 가까운 미래를 나타내는 현재진행형 / live: 라이브의, 실황인
Oakville 시의회는 주최할 것입니다 / 제4회 연례 라이브 음악 축제를

12행 Tickets can be purchased / on the town website / for $5 for a single night / or $8 for both nights.
can be purchased: 조동사의 수동태
표는 구입할 수 있습니다 / 시 웹 사이트에서 / 1일권은 5달러 / 또는 2일권은 8달러로

문제해설

공연 일정에 따르면 공연은 하루에 저녁 6시부터 저녁 10시까지 총 4시간 진행되므로 ⑤는 안내문의 내용과 일치하지 않는다.

내신·서술형 대비

(A) live (B) transportation (C) purchased

(A) ‘라이브’ 음악 축제를 주최한다는 내용이므로 live가 적절하다. alive는 ‘살아 있는’의 뜻으로 서술 용법으로만 쓰인다.

(B) 대중 ‘교통’을 이용하라는 의미이므로 transportation이 적절하다.

(C) 표는 ‘구입될’ 수 있다는 내용이므로 purchased가 적절하다.

13 흐름과 무관한 문장

기출 풀기

» p. 86

정답 ④

지문해석

덴마크어에서 유래한 용어인 ‘휘게(Hygge)’는 명사이면서 동사이기도 한데 영어로 직역되지는 않는다. 가장 근접한 단어는 ‘아늑함’이지만, 그것이 실제로 그 의미를 제대로 담아내지는 못한다. ‘휘게’가 아늑한 활동들에 중점을 두고는 있지만, 그것은 행복과 단란함의 정신적인 상태도 포함한다. 그것은 우리 자신 그리고 우리 주변 사람들과의 친밀감, 연관성 그리고 따뜻함을 의도적으로 만들어 내는 것에 대한 전체론적인 접근법이다. 우리가 ‘휘게를 실천할’ 때, 우리는 단순한 것에서 즐거움을 찾기 위한 의식적인 결정을 한다. (집에서 음식을 요리하는 것과 같은 단순한 것에서의 즐거움은 우리가 그것들을 어렵고 시간이 걸리는 것으로 인식하기 때문에 제거되어 왔다.) 예를 들어, 한동안 만나지 못했던 친한 친구와 촛불을 켜고 와인을 마시는 것 또는 여름날 사랑하는 사람들과 무리 지어 공원에서 편안하게 소풍을 즐기면서 담요 위에 팔다리를 쭉 펴고 누워 있는 것 둘 다 ‘휘게’가 될 수 있다.

구문해설

1행 *Hygge*, a term [**that** comes from Danish], / is both a noun and a verb / and does not have a direct translation into English.
Hygge: S / a term: 동격 / that: 주격 관계대명사절 / is: V1 / both A and B: A와 B 둘 다 / does not have: V2
덴마크어에서 유래한 용어인 ‘휘게(Hygge)’는 / 명사이면서 동사이기도 한데 / 영어로 직역되지는 않는다

2행 The closest word / would have to be coziness, / but that doesn’t really do it justice.
the+최상급: 가장 ~한 / that: 대명사(= coziness) / do justice: ~을 제대로 평가하다[다루다]
가장 근접한 단어는 / ‘아늑함’이지만 / 그것이 실제로 그 의미를 제대로 담아내지는 못한다

7행 The joy [in the simple things], / such as making a home-cooked meal, / has been removed / [**because** we perceive them as difficult and time-consuming].
The joy: S / in the simple things: 전치사구 / such as: ~와 같은 / has been removed: V(현재완료 수동태) / because: <이유>의 부사절 / perceive A as B: A를 B로 여기다[인식하다] / time-consuming: 시간이 걸리는
단순한 것에서의 즐거움은 / 집에서 음식을 요리하는 것과 같은 / 제거되어 왔다 / 우리가 그것들을 어렵고 시간이 걸리는 것으로 인식하기 때문에

9행 For example, / [lighting candles and drinking wine / with a close friend {(whom) you haven't seen in a while}, / or sprawling out on a blanket / {while having a relaxing picnic in the park / with a circle of your loved ones in the summertime}] / can both be *hygge*.

(and로 병렬 연결 / S / 선행사 / 목적격 관계대명사절 / lighting, drinking과 or로 병렬 연결됨 / 분사구문(시간) / ~와 무리지어 / V)

예를 들어 / 촛불을 켜고 와인을 마시는 것 / 한동안 만나지 못했던 친한 친구와 / 또는 담요 위에 팔다리를 쭉 펴고 누워 있는 것 / 공원에서 편안하게 소풍을 즐기면서 / 여름날 사랑하는 사람들과 무리 지어 / 둘 다 '휘게'가 될 수 있다

유형 연습

» pp. 88-91

1 ② 2 ③ 3 ④ 4 ④

내신·서술형 대비

1 1. (1) is → are (2) because of → because 2. (1) 자신이 좋아하지 않는 스스로의 모습 일부를 무시할 수 있게 해 준다. (2) 불편한 진실을 숨길 수 있게 해 준다.

2 1. (A) to be programmed (B) found 2. 일상적인 대화를 즐기고, 농담을 재미있어 하고, 도덕적 판단을 하는 것

3 1. ⓐ achieving ⓑ to achieve 2. 자제력을 한 가지 일에 다 집중하면, 다른 모든 면에서 자제력이 더 떨어지게 되는 것

4 1. doesn't matter if you don't speak English fluently 2. ⑤

1 ②

지문해석

투사는 다른 사람들에게서 긍정적인 것이든 부정적인 것이든 당신 자신의 특징을 보거나 발견하는 심리 현상이다. 많은 인간의 행동과 마찬가지로, 투사는 자기 방어가 된다. 그것은 당신이 좋아하지 않는 당신의 일부를 무시할 수 있게 해 주고, 불편한 진실을 숨겨둘 수 있게 해 준다. 스스로를 잘 모르지만 알고 있다고 생각하는 사람들이 투사를 사용할 가능성이 가장 높다. (심리학자들은 오랫동안 투사를 연구해 왔고, 이를 치료할 방법을 개발했다.) 낮은 자존감에 시달리고, 자신감이 거의 없는 사람들 또한 투사를 하는 경향이 있다. 그들은 자기 자신의 열등함을 다른 사람들에게 투사한다. 자신의 실패와 약점에 대해 열려 있고 솔직한 사람들은 스스로에 대해 부정적 감정을 경험하지 않기 때문에 투사할 가능성이 가장 낮다.

구문해설

1행 Projection is a psychological phenomenon / [**in which** you see or find your own characteristics / — positive or negative — / in other people].

(목적격 관계대명사절(전치사+관계대명사))

투사는 심리 현상이다 / 당신 자신의 특징을 보거나 발견하는 / 긍정적인 것이든 부정적인 것이든 / 다른 사람들에게서

3행 [**It** allows you to ignore the parts of yourself / {**that** you don't like} / and keep uncomfortable truths hidden].

(allows의 목적격보어 / 목적격 관계대명사절 / (to) / allows의 목적격보어)

그것은 당신의 일부를 무시할 수 있게 해 준다 / 당신이 좋아하지 않는 / 그리고 불편한 진실을 숨겨둘 수 있게 해 준다

문제해설

투사라는 심리 현상이 무엇이고 어떤 사람들에게서 많이 일어나는 현상인지에 대해 서술한 글이므로, 심리학자들이 오랫동안 이를 연구하여 치료 방법을 개발했다는 ②는 글의 흐름과 관계가 없다.

내신·서술형 대비

1. (1) is → are (2) because of → because
주어가 People이므로 복수동사 are가 되어야 하고, because of 뒤에는 「주어+동사」의 절이 나오므로 접속사 because가 되어야 한다.

2. (1) 자신이 좋아하지 않는 스스로의 모습 일부를 무시할 수 있게 해 준다. (2) 불편한 진실을 숨길 수 있게 해 준다.
본문 3-5행 참고

2 ③

지문해석

인공 지능의 발달과 함께 자율 주행차에 대한 관심이 높아지면서 윤리적 결정에 대한 문제가 제기되고 있다. 만약 자율 주행차가 보행자를 칠 것인가 탑승자를 희생하면서 벽에 부딪칠 것인가라는 두 개의 선택지만 있는 상황에 놓이게 된다면 과연 무슨 일이 일어날 것인가? 자율 주행차가 그렇게 어려운 윤리적 결정을 할 수 있을 것이라고 생각하는 것은 비현실적이다. 이러한 능력을 갖기 위해서, 자동차는 일상적인 대화를 즐기고, 농담을 재미있어 하고, 도덕적 판단을 하는 능력을 포함하여 인간과 동일한 특성을 갖도록 프로그램되어야 한다. (당신이 알고 있든 아니든 AI는 오늘날 우리 일상생활에 중요한 부분이 되었고 거의 모든 상황에서 도움을 준다.) 자율 주행차에 있는 현재의 인공 지능은 이런 일들을 전혀 하지 못한다. 그러므로, 우리는 AI가 다양한 상황에서 사람과 같이 행동할 것이라고 기대할 수 없다.

구문해설

2행 What happens / if a self-driving car finds itself in a situation / [**where** it has only two options / — hit a pedestrian / or crash into a wall, / {**sacrificing** its passengers}]?

(관계부사절 / A or B / A / B / 분사구문(부대상황))

과연 무슨 일이 일어날 것인가 / 만약 자율 주행차가 상황에 놓이게 된다면 / 두 개의 선택지만 있는 / 보행자를 칠 것인가 / 벽에 부딪칠 것인가라는 / 탑승자를 희생하면서

5행 **It**'s unrealistic / [**to think** / {**that** a self-driving car should be able to make / such a difficult ethical decision}].

(가주어 / 진주어(to부정사구) / think의 목적어(명사절) / 「such a(n)+형용사+명사」의 어순 / *cf.* 「so+형용사+a(n)+명사」의 어순)

비현실적이다 / 생각하는 것은 / 자율 주행차가 할 수 있을 것이라고 / 그렇게 어려운 윤리적 결정을

6행 In order to have this ability, / a car would need to be programmed / to have the same characteristics as a human, / including the ability / to enjoy casual conversations, / find jokes funny, / and make moral judgements.

= To have this ability(to부정사 부사적 용법-목적) / to부정사의 수동태 / to부정사 부사적 용법(목적) / 전치사(~을 포함하여) / the ability를 수식하는 to부정사 형용사적 용법이 접속사 and로 병렬 연결됨 / (to) / (to)

이러한 능력을 갖기 위해서 / 자동차는 프로그램되어야 한다 / 인간과 동일한 특성을 갖도록 / 능력을 포함하여 / 일상적인 대화를 즐기고 / 농담을 재미있어 하고 / 도덕적 판단을 하는

문제해설

현재의 자율 주행차는 윤리적인 판단을 할 수 없다는 내용의 글이므로, 요즘 일상생활에서의 AI의 위상에 관한 ③은 글의 흐름과 관계가 없다.

내신·서술형 대비

1. (A) to be programmed (B) found

(A) '프로그램되는 것'이므로 to부정사의 수동태인 to be programmed가 적절하다. (B) AI 기술이 자율 주행차에서 '발견되는' 것이므로 과거분사 found가 적절하다.

2. 일상적인 대화를 즐기고, 농담을 재미있어 하고, 도덕적 판단을 하는 것

본문 8-9행 참고

3 ④

지문해석

사람들은 목표를 세울 때, 목표를 성취하는 열쇠가 단순히 자신의 행동을 통제하는 것이라고 믿는 경향이 있다. 자제력은 자신들의 바람직하지 못한 행동을 줄이기 위해 일반적인 상황에 대한 자신의 대응을 조절하고 때때로는 바꾸는 것을 포함한다. 일반적으로 자제력은 학습되고 향상될 수 있는 것이라고 생각되어, 항상 권장되어 왔다. 하지만, 장기간에 걸쳐 자제력을 연습하는 것이 이를 강화시켜 줄 수 있더라도, 단기적으로는 한계가 있다. 당신이 모든 자제력을 한 가지 일에 집중한다면, 사실상 다른 모든 면에서 자제력이 더 적어지게 되는데, 이는 '자아 고갈'이라고 알려진 경우이다. (결과적으로, 집중력은 근육처럼 계속해서 쓰면 더 좋아지고 더 강해진다.) 이런 일이 일어나게 되면, 사람들은 한 가지 과업에서 자제력을 높였음에도 불구하고, 다음 과업을 달성할 충분한 의지력을 찾을 수 없다.

구문해설

2행 Self-control involves / regulating and sometimes altering their responses / to common situations / to decrease their undesirable behavior.

목적어1(동명사) / 목적어2(동명사) / to부정사 부사적 용법(목적)

자제력은 포함한다 / 자신의 대응을 조절하고 때때로는 바꾸는 것을 / 일반적인 상황에 대한 / 자신들의 바람직하지 못한 행동을 줄이기 위해

4행 It is commonly believed / [that self-control is something / {that can be learned and improved}], / so it has always been recommended.

가주어 / = People commonly believe / 진주어(that절) / 주격 관계대명사절 / 현재완료 수동태

일반적으로 생각된다 / 자제력은 어떤 것이라고 / 학습되고 향상될 수 있는 / 그래서 항상 권장되어 왔다

11행 [When this occurs], / people are unable to find enough willpower / to achieve the next task, / [even though they have increased their self-control in one task].

<조건>의 부사절 / be unable to-v: ~할 수 없다 / to부정사 형용사적 용법 / <양보>의 부사절

이런 일이 일어나게 되면 / 사람들은 충분한 의지력을 찾을 수 없다 / 다음 과업을 달성할 / 한 가지 과업에서 자제력을 높였음에도 불구하고

문제해설

한 가지 과업에서 자제력을 높일 수는 있지만, 그럴 경우 다른 과업에 대한 자제력은 더 적어지게 된다는 내용이므로, 집중력은 근육처럼 꾸준히 사용하면 더 좋아진다는 ④는 글의 흐름과 관계가 없다.

내신·서술형 대비

1. ⓐ achieving ⓑ to achieve

ⓐ to는 전치사이므로 명사의 역할을 하는 동명사 형태가 와야 한다.
ⓑ 앞의 명사 willpower를 수식하는 형용사적 용법의 to부정사 형태가 와야 한다.

2. 자제력을 한 가지 일에 다 집중하면, 다른 모든 면에서 자제력이 더 떨어지게 되는 것

본문 8-9행 참고

4 ④

지문해석

미술과 심리 치료의 결합인 미술 치료는 창의성이 치유 과정의 속도를 높이는 데 도움을 줄 수 있다는 생각에 기반한다. 미술 작품을 만드는 것은 사람들이 자신을 좀 더 쉽게 표현할 수 있도록 해 주고, 자신의 문제를 관리하거나 해결하기 위해 그들 자신의 가장 깊숙한 곳의 생각과 감정을 탐색하게 해 준다. 그림 그리기, 콜라주, 사진, 조각을 포함하여 거의 모든 형태의 미술이 미술 치료에 사용될 수 있다. 치료 기간 중에 창조되는 미술 작품들은 무의식과 의식, 내적 세계와 외적 현실 사이에서 다리 역할을 한다. (무의식은 우리가 깨어 있을 때는 감지되지 않고 있지만, 우리가 잠을 잘 때 꿈을 통해 그 자신을 드러낸다.) 창조된 미술 작품이 매력적이지 않거나 참가자의 미술 실력이 부족해도 상관없다. 미술 치료의 요점은 사람들이 그들의 작품을 통해 그들 자신과 그들 내면의 감정에 대해 더 많은 것을 알도록 돕는 것이다.

구문해설

2행 Making works of art / **allows** people to express themselves more easily / and to explore their own deepest thoughts and feelings / to manage or solve their problems.
S(동명사구) 「allow+목적어+목적격보어(to부정사)」 구문으로 to부정사가 and로 병결 연결됨 / (to) / to부정사 부사적 용법(목적)

미술 작품을 만드는 것은 / 사람들이 자신을 좀 더 쉽게 표현할 수 있도록 해 주고 / 그들 자신의 가장 깊숙한 곳의 생각과 감정을 탐색하게 해 준다 / 자신의 문제를 관리하거나 해결하기 위해

6행 [The works of art / {**that** are created during therapy sessions}] / act as a bridge / between the unconscious and conscious minds, / the inner world and external reality.
S / 주격 관계대명사절 / V / between A and B: A와 B사이에 / (between)

미술 작품들은 / 치료 기간 중에 창조되는 / 다리 역할을 한다 / 무의식과 의식 사이에서 / 내적 세계와 외적 현실 (사이에서)

문제해설

미술 치료에 관해 설명하는 글이므로, 무의식의 발현에 대한 ④는 글의 흐름과 관계가 없다.

내신·서술형 대비

1. doesn't matter if you don't speak English fluently
'~해도 상관없다'의 뜻을 나타내는 it doesn't matter if ~ 구문을 활용한다.

2. ⑤
참가자의 미술 실력이 부족해도 상관없다고 했으므로 ⑤가 글의 내용과 일치하지 않는다.

14 이어질 글의 순서

기출 풀기

» p. 92

정답 ③

지문해석

당신의 이야기는 당신을 특별하게 만드는 것이다. 그러나 까다로운 부분은 당신 자신에 대한 이야기를 하지 않고 당신이 얼마나 특별한지를 보여 주는 것이다. 효과적인 퍼스널 브랜딩은 항상 당신 자신에 대해 이야기하는 것이 아니다. (B) 모든 사람들은 친구들과 가족이 당신이 무엇을 하고 있는지에 대한 소식을 듣기를 희망하며 컴퓨터 옆에서 간절히 기다린다고 생각하고 싶겠지만, 그렇지 않다. (C) 사실, 그들은 당신이 그들에 대한 소식을 기다리며 컴퓨터 옆에 앉아 있기를 희망한다. 당신의 퍼스널 브랜드를 구축하는 최선의 방법은 당신 자신에 대한 이야기를 하는 것보다 다른 사람들, 사건들, 그리고 생각들에 대한 이야기를 더 많이 하는 것이다. (A) 그렇게 함으로써, 당신은 다른 사람들의 성취와 생각을 추켜세우고, 영향을 주는 사람이 된다. 당신은 도움이 되는 사람일 뿐만 아니라, 귀중한 자원이 되는 사람으로 여겨진다. 그것은 당신이 당신 자신의 이야기를 반복해서 하는 것보다 당신의 브랜드에 더 도움이 된다.

구문해설

1행 But / the tricky part is / [**showing** / {**how** special you are} / without talking about yourself].
주격보어(동명사구) / showing의 목적어(의문사절) / 전치사 without의 목적어(동명사)

그러나 / 까다로운 부분은 / 보여 주는 것이다 / 당신이 얼마나 특별한지를 / 당신 자신에 대한 이야기를 하지 않고

5행 You are seen as someone / [**who** is not only helpful, / but is also a valuable resource].
주격 관계대명사절 / not only A but also B: A뿐만 아니라 B도

당신은 사람으로 여겨진다 / 도움이 될 뿐만 아니라, / 귀중한 자원이 되는

8행 [**Although** everyone would like to think / {**that** friends and family are eagerly waiting / by their computers / (**hoping** to hear some news / about **what** you're doing)}], / they're not.
<양보>의 부사절 / think의 목적어(명사절) / ~옆에(전치사) / 분사구문(부대상황) / 전치사 about의 목적어(의문사절) / (eagerly waiting ~ what you're doing)

모든 사람들은 생각하고 싶겠지만 / 친구들과 가족이 간절히 기다린다고 / 컴퓨터 옆에서 / 소식을 듣기를 희망하며 / 당신이 무엇을 하고 있는지에 대한 / 그렇지 않다

12행 The best way to build your personal brand / is [**to talk** more / about other people, events, and ideas / than you talk about yourself].
S / to부정사 형용사적 용법 / 주격보어(to부정사구) / 비교급+than: ~보다 더 …한

당신의 퍼스널 브랜드를 구축하는 최선의 방법은 / 이야기를 더 많이 하는 것이다 / 다른 사람들, 사건들, 그리고 생각들에 대한 / 당신 자신에 대한 이야기를 하는 것보다

유형 연습

>> pp. 94-97

1 ④ 2 ③ 3 ③ 4 ⑤

내신·서술형 대비

1 1. ⓐ adding ⓑ pay 2. 식민지 대표자가 없었는데 세금을 부과한 영국 의회에 저항하기 위해

2 1. It was his arrogance that ruined the performance last night. 2. black snow, (red) blood rain, (mysterious) dust cloud

3 1. ⓑ considered → are considered 2. creativity, limitations

4 1. dependently → dependent 2. ⓐ experiences ⓑ reason

1 ④

지문해석

1760년대 미국의 식민지는 점점 더 확대되고 있었지만, 식민지 정착민들은 영국 정부가 그들의 요구와 욕구를 충족시키지 못하고 있다고 불평했다. (C) 가장 큰 문제는 '대표 없는 과세'로 불리는 상황이었다. 식민지 정착민들은 영국 의회에 식민지 대표자가 없었기 때문에 세금을 납부할 필요가 없다고 믿었다. 1773년 차 조례로 식민지 정착민들에게 차에 대한 세금을 부과하자, 그들은 저항하기로 결정했다. (A) 그들은 보스턴 항구에 정박해 있던 영국 배에 몰래 들어가서 차를 바다에 버렸다. 오늘날 '보스턴 차 사건'으로 불리는 이 유명한 역사적 사건은, 미국 독립 혁명으로 확대되었다. (B) 하지만, 대표 없는 과세는 단지 역사책에서만 찾아볼 수 있는 것은 아니다. 워싱턴 D.C.에 살고 있는 미국 사람들은 미국 의회에서 완전한 대표성을 가지고 있지 않다. 그들은 2002년부터 2017년까지 자동차 번호판에 '대표 없는 과세'라는 문구를 넣어서 이러한 상황에 대해 항의했다.

구문해설

5행 This famous historical event, / [**which** is now called the "Boston Tea Party," / escalated into the American Revolution.
(This famous historical event: S 선행사 / which is now called the "Boston Tea Party,": 주격 관계대명사절 / escalated: V)

이 유명한 역사적 사건은 / 오늘날 '보스턴 차 사건'으로 불리는 / 미국 독립 혁명으로 확대되었다

12행 The main problem was a situation / [**that** was referred to as "taxation without representation]."
(that: 주격 관계대명사절 / be referred to as: ~로 불리다)

가장 큰 문제는 상황이었다 / '대표 없는 과세'라고 불리는

문제해설

영국 정부가 식민지 정착민들의 욕구를 충족시키지 못했다는 주어진 글에 이어, 가장 큰 문제였던 대표 없는 과세에 대해 설명하는 (C)가 나오고, 그 다음에 그 결과 사람들이 보스턴 차 사건을 일으켰다는 내용의 (A)가 이어진 후, 비슷한 이야기가 역사책에만 있는 것이 아니라 현대에도 일어나고 있다는 워싱턴 D.C.의 사례인 (B)가 나오는 것이 자연스럽다.

내신·서술형 대비

1. ⓐ adding ⓑ pay

ⓐ 전치사 by의 목적어가 되어야 하므로 명사 역할을 하는 동명사 형태가 와야 한다. ⓑ '~가 …하게 하다'라는 의미의 「make+목적어+목적격보어」 구문으로, 사역동사 make의 목적격보어로 동사원형이 와야 한다.

2. **식민지 대표자가 없었는데 세금을 부과한 영국 의회에 저항하기 위해**
본문 13-16행 참고

2 ③

지문해석

Kuzbass는 2백만 명 이상의 사람들이 사는 시베리아에 있는 지역이다. 그곳은 또한 세계에서 가장 큰 탄전 중 하나이기도 하다. 2019년에, 그 지역의 몇몇 마을들이 이상한 검은 눈으로 뒤덮였다. (B) 눈을 검게 만든 것은 바로 노천 광산에서 나온 석탄 먼지였다. 2015년 보고서에 따르면, Kuzbass 시민들의 평균 수명은 국가 평균보다 3-4년 더 짧다. (C) 이 검은 눈이 최근 시베리아에서 일어난 유일한 이상 환경 재해는 아니었다. 2018년, 산업 폐기물이 폭풍우에 의해 휩쓸려간 후, 시베리아 공장 지역에 붉은 핏빛 비가 내렸다. 핏빛 비가 내린 직후에는, 기묘한 먼지 구름이 3시간 동안 태양을 가렸다. (A) 이 모든 이상한 사건들이 다른 나라의 환경 단체들이 그 지역 내에 더 강력한 규제를 요구하고 있는 이유다. 비록 검은 눈이 여러분이 사는 나라에 내리지 않더라도, 석탄을 태우는 것은 여전히 공기를 오염시키고 지구 온난화의 원인이 된다.

구문해설

5행 [**Even if** black snow / isn't falling in your country], / burning coal / still pollutes the air / and contributes to global warming.
(Even if ...: <양보>의 부사절 / burning coal: S(동명사구) / pollutes: V1 / contributes: V2)

비록 검은 눈이 / 여러분이 사는 나라에 내리지 않더라도 / 석탄을 태우는 것은 / 여전히 공기를 오염시키고 / 지구 온난화의 원인이 된다

8행 **It was** coal dust / from open pit mines / **that** blackened the snow.
(「It is[was] ~ that ...」 강조 구문(주어 강조))

바로 석탄 먼지였다 / 노천 광산에서 나온 / 눈을 검게 만든 것은

문제해설

Kuzbass가 검은 눈으로 뒤덮였다는 주어진 글에 이어, 검은 눈이 내린 이유를 밝힌 (B)가 나오고, 그 다음에 환경 재해의 추가적인 예로 산업 폐기물로 인한 핏빛 비가 내린 현상을 언급한 (C)가 이어진 후, 이러한 환경 재해를 막기 위해 환경 단체들이 강력한 규제를 요구한다는 (A)가 나오는 것이 자연스럽다.

내신·서술형 대비

1. **It was his arrogance that ruined the performance last night.**
'…한 것은 바로 ~이다'의 의미를 나타내는 「It is[was] ~ that ...」 강조 구문을 이용한다.

2. **black snow, (red) blood rain, (mysterious) dust cloud**
이상 환경 재해로 언급된 것은 앞에 언급된 검은 눈과 뒤에 언급된 붉은 핏빛 비, 기묘한 먼지 구름이다.

3 ③

지문해석

창의성의 투자 이론에 따르면, 창의성은 일종의 결정이다. 더 구체적으로는, 낮은 가격에 아이디어를 사서 높은 가격에 파는 결정이다. (B) 창의적인 사람들은 새롭고 낯설다고 여겨지는 아이디어를 가지고 있을 때, '낮은 가격에 산다.' 나중에, 그들의 아이디어가 받아들여지고 난 후에는 '높은 가격에 팔아서' 그로부터 이익을 얻을 수 있다. (C) 이것은 창의적인 사람들이 대중과 똑같이 생각하기를 거부하기 때문에 자연스러운 과정이다. 그들은 안전한 길을 따라가기보다는, 자신만의 길을 선택해서 사람들에게 익숙하지는 않지만 어떤 점에서는 유용하기도 한 아이디어들을 떠올린다. (A) 그래서, 창의성의 최대 장애물은 일반적인 믿음과 상식 같은 외부 요인에서 비롯되는 것이 아니다. 대신에 그것은 그 사람이 자신의 생각에 두는 한계에서 비롯된다.

구문해설

5행 Instead, / it comes from the limitations / [(that) one places on one's own thinking].
(that): 목적격 관계대명사절

대신에 / 그것은 한계에서 비롯된다 / 그 사람이 자신의 생각에 두는

11행 [Rather than following a safe path], / they choose their own direction / and come up with ideas / [that are unfamiliar to people / but also useful in some way].
부사구 / Rather than: 전치사 취급(= Instead of) / come up with: ~을 생각해내다 / that: 주격 관계대명사절 / in some way: 어떤 면에서는

그들은 안전한 길을 따라가기보다는 / 자신만의 길을 선택해서 / 아이디어들을 떠올린다 / 사람들에게 익숙하지는 않지만 / 어떤 점에서는 유용하기도 한

문제해설

창의성은 싸게 사서 비싸게 파는 일종의 결정이라는 내용에 대한 부연 설명인 (B)가 나오고, 그것이 자연스러운 과정인 이유는 창의적인 사람들은 대중들과 똑같이 생각하기를 거부하기 때문이라는 (C)가 이어진 후, 그런 이유로 창의성의 가장 큰 장애물은 외부 요인이 아닌, 자기 스스로가 정해 놓은 한계라는 (A)가 나오는 것이 자연스럽다.

내신·서술형 대비

1. ⓑ considered → are considered
   주격 관계대명사절에서 선행사는 ideas이고, considered 뒤에 형용사가 나오는 것으로 보아 5형식 동사 consider가 수동태로 쓰여야 하므로 are considered가 되어야 한다.
2. creativity, limitations
   창의성을 가장 저해하는 것은 사람들이 스스로에게 부여하는 한계이다.

4 ⑤

지문해석

우리가 어떻게 지식을 얻는가는 근본적인 철학적 질문이다. 이 문제에 관한 두 가지 기본적 학파, 즉 경험주의와 합리주의가 있다. (C) 그 둘 사이의 주된 차이점은 지식을 얻기 위한 탐구에서 우리가 감각 경험에 얼마나 의존하느냐와 관련이 있다. 경험주의자들에 따르면, 감각 경험은 모든 지식의 본질적 토대이다. (B) 그들은 우리가 의존하는 미가공 데이터는 우리가 보고, 듣고, 냄새 맡고, 맛보고, 느끼는 감각들에서 비롯된다고 믿는다. 그들은 이런 미가공 데이터가 없다면, 어떤 지식도 없을 것이라고 말한다. 이는 경험주의자들이 우리 모두가 '백지 상태'로 시작하여 경험을 하면서 그것을 천천히 지식으로 채운다고 믿기 때문이다. (A) 반면, 합리주의자들은 모든 지식의 궁극적인 시작점은 감각이 아닌 이성이라고 믿는다. 그들은 모든 사람은 다른 경험을 갖기 때문에 이런 감각 경험들은 신뢰받을 수 없는 것이라고 생각한다. 그들은 이성이 없으면, 우리가 어떤 식으로도 우리의 감각 경험들을 조직하고 해석하지 못할 것이라고 주장한다.

구문해설

7행 They maintain / [that without reason, / we **couldn't organize** and **interpret** / our sense experiences / in any way].
without 가정법 과거(= if it were not for reason) / maintain의 목적어(명사절)

그들은 주장한다 / 이성이 없으면 / 우리가 조직하고 해석하지 못할 것이라고 / 우리의 감각 경험들을 / 어떤 식으로도

9행 They believe / [**that** the raw data {(that/which) we rely on} / comes from the senses / {through **which** we see, hear, smell, taste, and feel}].
believe의 목적어(명사절) / (that/which): 목적격 관계대명사절 / through which: 목적격 관계대명사절

그들은 믿는다 / 우리가 의존하는 미가공 데이터는 / 감각들에서 비롯된다고 / 우리가 보고, 듣고, 냄새 맡고, 맛보고, 느끼는

14행 The main difference [between the two] / is related to / [**how** dependent we are on sensory experience / in our quest to gain knowledge].
S / 전치사구 / V / 전치사 to의 목적어(의문사절) / to부정사 형용사적 용법

그 둘 사이의 주된 차이점은 / 관련이 있다 / 우리가 감각 경험에 얼마나 의존하고 있느냐와 / 지식을 얻기 위한 탐구에서

문제해설

우리가 어떻게 지식을 얻는가를 다루는 두 학파인 경험주의와 합리주의를 소개하는 주어진 글에 이어, 경험주의자들은 감각 경험이 지식의 토대라고 생각한다는 (C)가 나오고, 그 다음에 그런 경험주의자들의 입장을 보다 구체적으로 서술한 (B)가 이어진 후, 이와 반대되는 합리주의자들의 입장을 설명한 (A)가 나오는 것이 자연스럽다.

내신·서술형 대비

1. dependently → dependent
   we are 뒤에서 보어 역할을 하므로 형용사가 되어야 한다.
2. ⓐ experiences ⓑ reason
   경험주의자들은 지식의 근간을 경험으로 생각하고, 합리주의자들은 이성이라 생각한다.

15 주어진 문장의 위치

∷ 기출 풀기

» p. 98

정답 ③

지문해석

프레이밍(Framing)은 많은 영역에서 중요하다. 신용카드가 1970년대에 인기 있는 지불 방식이 되기 시작했을 때, 몇몇 소매상들은 현금과 신용카드 고객들에게 다른 가격을 청구하기를 원했다. 이것을 막기 위해서, 신용카드 회사들은 소매상들이 현금과 신용카드 고객들에게 다른 가격을 청구하는 것을 막는 규정을 채택했다. 하지만, 그러한 규정들을 금지하기 위한 법안이 의회에 제출되었을 때, 신용카드 압력 단체는 주의를 언어로 돌렸다. 그 단체가 선호하는 것은 만약 회사가 현금과 신용카드 고객들에게 다른 가격을 청구한다면, 현금 가격을 보통 가격으로 만들고 신용카드 고객들에게 추가 요금을 청구하는 방안보다는 오히려 신용카드 가격은 '정상'(디폴트) 가격, 현금 가격은 할인으로 여겨져야 한다는 것이었다. 신용카드 회사들은 훗날 심리학자들이 '프레이밍'이라고 부르게 되는 것에 대한 훌륭한 직관적 이해를 하고 있었다. 그 발상은 선택이, 어느 정도는, 문제들이 언급되는 방식에 달려 있다는 것이다.

구문해설

5행 To prevent this, / credit card companies / adopted rules / [that forbade their retailers from charging different prices / to cash and credit customers].
(to부정사 부사적 용법(목적) / 앞 문장의 charging different prices ~ customers를 가리킴 / 주격 관계대명사절 / forbid ~ from+v-ing: ~가 …하는 것을 금지하다)

이것을 막기 위해서 / 신용카드 회사들은 / 규정을 채택했다 / 소매상들이 다른 가격을 청구하는 것을 막는 / 현금과 신용카드 고객들에게

7행 Its preference was / [that {if a company charged different prices to cash and credit customers}, / the credit price should be considered the "normal" (default) price / and the cash price a discount / — rather than the alternative of / making the cash price the usual price / and charging a surcharge to credit card customers].
(= The lobby's / 주격보어절(명사절) / <조건>의 부사절 / 조동사 수동태 / (should be considered) / ~보다는 오히려 / 전치사 of의 목적어로 동명사구가 and로 병렬 연결됨)

그 단체가 선호하는 것은 / 만약 회사가 현금과 신용카드 고객들에게 다른 가격을 청구한다면 / 신용카드 가격은 '정상'(디폴트) 가격으로 여겨져야 하고 / 현금 가격은 할인으로 여겨져야 한다는 것이었다 / 방안보다는 오히려 / 현금 가격을 보통 가격으로 만들고 / 신용카드 고객들에게 추가 요금을 청구하는

11행 The credit card companies / had a good intuitive understanding / of [what psychologists would come to call "framing]."
(전치사 of의 목적어(관계사절))

신용카드 회사들은 / 훌륭한 직관적 이해를 하고 있었다 / 심리학자들이 훗날 '프레이밍'이라고 부르게 되는 것에 대한

13행 The idea / is [that choices depend, {in part}, / on the way {in which problems are stated}].
(주격보어(명사절) / 부사구 삽입 / ~에 달려 있다 / 목적격 관계대명사절(「전치사+관계대명사」))

그 발상은 / 선택이, 어느 정도는, 달려 있다는 것이다 / 문제들이 언급되는 방식에

유형 연습

» pp. 100-103

1 ③ 2 ③ 3 ⑤ 4 ⑤

내신·서술형 대비

1 1. ⓐ based ⓑ compared 2. Judge[Court]
2 1. ⓐ himself ⓑ him 2. 자신의 진정한 재능은 시나리오 작가보다는 특수 효과에 있다는 것을 깨닫게 된 것
3 1. causes → cause 2. 공포 영화 보기, 롤러코스터 타기, 스카이다이빙
4 1. ⓐ which → in which[where] 2. predict the behavior of others

1 ③

지문해석

인공 지능은 일상 생활의 일부분이 되었다. 오늘날 그것은 어떤 물품을 살 것인지, 어떤 음식을 먹을 것인지, 어떤 음악을 들을 것인지를 결정하는 데 도움을 준다. 과거의 행동을 근거로 다른 여러 선택지를 추천함으로써, 그것은 우리의 삶을 더욱 쉽게 만들어 준다. 하지만 이것이 우리의 의사 결정에 도움을 주는 것을 멈추고 그 대신에 우리에게 죄가 있는지 없는지를 결정하기 시작한다면 어떨까? 2019년 연구자들은 실제 판사처럼 역할을 수행하는 인공 지능 프로그램을 만들었는데, 이것은 과거의 판례를 분석하여 스스로 결정을 내린다. 지금까지, 실제 판사들의 결정과 비교했을 때, 그것은 584건의 판결 중 79퍼센트 정확했다. 만약 판사나 법정이 그들이 내리는 결정에 있어 일관성을 유지한다면, 그들의 행동은 수학적인 형태로 변환될 수 있고 높은 수준의 신뢰도로 같은 판사나 법정의 미래 결정을 예측하는 데 사용될 수 있다.

구문해설

3행 These days / it helps us decide / [what items to buy, / what food to eat, / and what music to listen to].
(준사역동사(help)+목적어+목적격보어(동사원형) / decide의 목적어 / 「의문사+to-v」 구문이 and로 병렬 연결됨)

오늘날 / 그것은 우리가 결정하는 데 도움을 준다 / 어떤 물품을 살 것인지 / 어떤 음식을 먹을 것인지 / 그리고 어떤 음악을 들을 것인지를

5행 [By recommending different options / based on our past behavior], / it makes our lives easier.
(by+v-ing: ~함으로써 / make+목적어+목적격보어(형용사))

다른 여러 선택지를 추천함으로써 / 과거의 행동을 근거로 / 그것은 우리의 삶을 더욱 쉽게 만들어 준다

9행 [**If** the judges or courts remain consistent / in their decision {**that** they make}], / their behavior can be translated into mathematical form / and used to predict future decisions of the same judges or courts / with a high degree of reliability.

<조건>의 부사절 / 목적격 관계대명사절 / (can be) 조동사 수동태 / translated와 used를 병렬 연결 / to부정사 부사적 용법(목적) / 높은 수준의

만약 판사나 법정이 일관성을 유지한다면 / 그들이 내리는 결정에 있어 / 그들의 행동은 수학적인 형태로 변환될 수 있고 / 그리고 같은 판사나 법정의 미래 결정을 예측하는 데 사용될 수 있다 / 높은 수준의 신뢰도로

문제해설

주어진 문장은 인공 지능이 법적인 문제를 판단할 수도 있다는 가능성을 전제하는 내용이므로, 일반적인 인공 지능의 활용을 보여 주는 문장과 최근 법정에서 활용될 수 있는 인공 지능 프로그램을 개발했다는 내용 사이인 ③에 들어가는 것이 가장 적절하다.

내신・서술형 대비

1. ⓐ based ⓑ compared

ⓐ based on은 '~을 근거로'라는 의미로 쓰인 분사구문이므로 과거분사가 와야 한다. ⓑ 접속사 when 다음에 「주어+be동사」 it is가 생략된 분사구문으로, it은 '비교되는' 것이므로 과거분사가 와야 한다.

2. Judge[Court]

제목으로는 'AI가 판사[법정]의 역할을 하는 능력'이 적절하다.

2 ③

지문해석

성공의 가능성을 높이기 위해서, 당신은 당신의 최고의 기술을 극대화해야 한다. 이것이 바로 James Cameron 감독이 해 왔던 일이다. 그는 1981년 영화계에서 영화 *Galaxy of Terror*의 프로덕션 디자이너이자 조감독으로서 시작했다. 그는 본래 스스로를 시나리오 작가라고 생각했었지만, 이 경험은 그에게 그의 진정한 재능이 특수 효과와 관련이 있다는 것을 깨닫게 해 주었다. 그래서 그는 복잡하지 않은 이야기의 간단한 각본을 썼고, 영화의 시각적인 측면에 집중했다. 이는 그가 최첨단 특수 효과를 만들어 낼 수 있게 해 주었고, 영화 제작 기술의 한계를 뛰어넘을 수 있게 해 주었다. *Titanic*(1997년)과 *Avatar*(2009년)를 포함한 그의 이후 영화들은 이전에 영화 화면에서 볼 수 없었던 디지털 효과들을 그 특징으로 했다. Cameron의 삶을 바꿔 놓은 깨달음은 성공이 종종 당신이 잘하는 것을 찾고 그것에 집중하는 것을 포함한다는 것을 상기시키는 것이다.

구문해설

6행 He had originally considered himself a screenwriter, / but this experience taught him / [**that** his real talent was related to special effects].

주어와 목적어가 동일 대상 (재귀대명사 재귀 용법) / taught의 직접목적어(명사절) / be related to: ~와 관계 있다

그는 본래 스스로를 시나리오 작가라고 생각했었지만 / 이 경험은 그에게 깨닫게 해 주었다 / 그의 진정한 재능이 특수 효과와 관련이 있다는 것을

8행 This **enabled** him / to create cutting-edge special effects / and push the boundaries of filmmaking technology.

enable+목적어+목적격보어(to부정사가 and로 병렬 연결됨) / (to)

이는 그가 해 주었다 / 최첨단 특수 효과를 만들어 낼 수 있게 / 그리고 영화 제작 기술의 한계를 뛰어넘을 수 있게

12행 Cameron's life-altering realization / is a reminder / [**that** success often involves finding {**what** you are good at} and focusing on it].

동격 / finding의 목적어(관계사절) / involve는 동명사를 목적으로 취하는 동사로 finding과 focusing이 and로 병렬 연결됨

Cameron의 삶을 바꿔 놓은 깨달음은 / 상기시키는 것이다 / 성공이 종종 당신이 잘하는 것을 찾고 그것에 집중하는 것을 포함한다는 것을

문제해설

주어진 문장은 James Cameron이 각본은 간단히 쓰고 특수 효과에 더 집중했다는 내용이므로, 진정한 재능이 특수 효과와 관련이 있음을 알게 되었다는 부분과 이로 인해 첨단 특수 효과를 만들어 낼 수 있었다는 내용 사이인 ③에 들어가는 것이 가장 적절하다.

내신・서술형 대비

1. ⓐ himself ⓑ him

ⓐ 목적어가 주어와 동일인을 가리키므로 재귀대명사를 써야 한다.

ⓑ 목적어가 주어와 다른 대상이므로 him 그대로 목적격 대명사를 써야 한다.

2. **자신의 진정한 재능은 시나리오 작가보다는 특수 효과에 있다는 것을 깨닫게 된 것**

본문 6-8행 참고

3 ⑤

지문해석

일반적으로, 두려움은 부정적인 힘으로 여겨진다. 하지만, 공포 영화를 보거나 롤러코스터를 타는 것과 같이 무섭다고 여겨지는 활동들은 재미와 성취감을 느끼게 해 준다. 그렇다면 왜 우리는 우리를 두렵게 하는 어떤 것들로부터 즐거움을 얻는 것일까? 그 일부는 이런 활동들이 만들어 내는 자연적인 쾌감인데, 이는 안전한 환경에서 투쟁 도피 반응의 활성에서 비롯된다. 우리가 실제로 위험하지 않다는 것을 알고 있기 때문에, 우리는 긴장을 풀고 뇌에서 분비되는 엔도르핀과 도파민으로부터 얻는 감정을 즐길 수 있다. 이러한 화학 물질은 우리가 위험한 상황에 대처하는 데 도움을 주기도 하지만, 우리를 흥분되고 행복하게 느끼게 해 줄 수도 있다. 우리가 극단적인 모험을 즐기는 또 다른 이유는 우리의 용기를 시험해 보고 싶기 때문이다. 스카이다이빙을 끝내고 나면, 우리는 성취감을 느끼게 되는데, 그것은 우리가 두려움을 마주하고 살아남았다는 것이다.

구문해설

3행 However, / some activities [**that** are considered scary, / such as watching a horror movie or riding a roller coaster], / cause us to experience fun and fulfillment.

S / 주격 관계대명사절 / 전치사구 such as의 목적어(동명사구가 접속사 or로 병렬 연결됨) / cause+목적어+목적격보어(to부정사): ~가 …하도록 야기하다

하지만 / 무섭다고 여겨지는 활동들은 / 공포 영화를 보거나 롤러코스터를 타는 것과 같이 / 재미와 성취감을 느끼게 해 준다

8행 [**Because** we understand / {**that** we're not actually in danger}], / we can relax / and enjoy the feelings / [(which) we get from the endorphin and dopamine / {**released** by our brains}].

<이유>의 부사절 / understand의 목적어(명사절) / 목적격 관계대명사절 / 과거분사구

알고 있기 때문에 / 우리가 실제로 위험하지 않다는 것을 / 우리는 긴장을 풀고 / 감정을 즐길 수 있다 / 엔도르핀과 도파민으로부터 얻는 / 뇌에서 분비되는

10행 These chemicals / help us deal with dangerous situations, / but they can also make us feel excited and happy.

준사역동사(help)+목적어+목적격보어(동사원형) / 사역동사(make)+목적어+목적격보어(동사원형)

이러한 화학 물질은 / 우리가 위험한 상황에 대처하는 데 도움을 준다 / 하지만 우리를 흥분되고 행복하게 느끼게 해 줄 수도 있다

문제해설

주어진 문장은 우리가 극단적인 모험에 끌리는 두 번째 이유를 제시하는 내용이므로, 첫 번째 이유와 두 번째 이유에 대한 예시 사이인 ⑤에 들어가는 것이 가장 적절하다.

내신·서술형 대비

1. **causes → cause**
   주어가 some activities이기 때문에 복수동사가 와야 한다.
2. **공포 영화 보기, 롤러코스터 타기, 스카이다이빙**
   본문 3-5행, 12-13행 참고

4 ⑤

지문해석

성인은 타인의 행동을 예측할 수 있다. 예를 들어, 그들은 유리잔을 향해 손을 뻗는 사람은 뭔가를 마실 것임을 예측할 수 있다. 이제, 사회 과학자들은 아주 어린아이들이 이런 똑같은 능력을 갖게 된다는 것을 알아내고 있다. 몇몇 발달 심리학자들은 아기들이 언제 어떻게 이런 기술을 습득하는지 알아내기 위해 한 실험을 했다. 그들은 아기들에게 한 여성이 장난감을 향해 손을 뻗는 영상을 보여 주었다. 그리고는 같은 아기들에게 똑같은 행동을 하는 한 여성의 다른 영상을 보여 주었다. 하지만, 두 번째 영상은 그녀가 손을 뻗기 시작할 때 멈췄고, 멈춰 있는 동안 심리학자들은 아기들의 눈의 움직임을 추적했다. 놀랍게도, 8개월 된 아기들조차도 그 여성이 어떻게 움직일지 예측할 수 있었다. 타인의 행동을 이해하는 것은 아기들이 사회적 신호를 인식하는 데 도움이 되기 때문에 이런 능력은 발달에 있어 중요하다고 여겨진다.

구문해설

3행 For example, / they can predict / [**that** a person {**who** reaches for a glass} / is going to drink something].

predict의 목적어(명사절) / 주격 관계대명사절

예를 들어 / 그들은 예측할 수 있다 / 유리잔을 향해 손을 뻗는 사람은 / 뭔가를 마실 것임을

7행 They showed babies a video / [**in which** a woman reached for toys].

목적격 관계대명사절

그들은 아기들에게 영상을 보여 주었다 / 한 여성이 장난감을 향해 손을 뻗는

12행 This ability is believed to be important to development / [**because** understanding other people's actions / helps babies recognize social cues].

= It is believed that this ability is important to ~
= People believe that this ability is important to ~

<이유>의 부사절 / S(동명사구) / V / 준사역동사 helps의 목적격보어로 쓰인 동사원형

이런 능력은 발달에 있어 중요하다고 여겨진다 / 타인의 행동을 이해하는 것은 / 아기들이 사회적 신호를 인식하는 데 도움이 되기 때문에

문제해설

주어진 문장은 8개월 된 아기들조차도 영상 속 여성이 어떻게 움직일지 예측할 수 있었다는 내용이므로, 아기의 눈의 움직임을 추적했다는 부분과 이런 능력이 아기들의 발달에 있어 중요하게 여겨진다는 내용 사이인 ⑤에 들어가는 것이 가장 적절하다.

내신·서술형 대비

1. **ⓐ which → in which[where]**
   앞의 a video를 선행사로 한 관계대명사인데, 의미상 영상 '속에서'가 되어야 하므로 전치사 in이 함께 쓰여 in which이거나 where로 써야 한다.
2. **predict the behavior of others**
   본문 6-7행 참고

16 장문 (1)

기출 풀기

» p. 104

정답 1. ① 2. ④

지문해석

2000년에, Illinois 대학의 James Kuklinski가 1,000명이 넘는 Illinois의 거주자들에게 복지에 대한 질문을 하는 영향력 있는 실험을 이끌었다. 절반이 넘는 응답자들이 그들의 답이 맞는 것으로 확신한다고 말했지만 사실은, 그 인원의 단 3퍼센트만이 질문의 절반 이상을 맞혔다. 아마도 더 충격적인 것은, 그들이 맞았다고 가장 확신했던 사람들이 대체로 그 주제에 대해 가장 적게 알았던 사람들이었다. Kuklinski는 이러한 종류의 응답을 '내가 맞다는 것을 나는 안다'는 신드롬이라 부른다. "이것은 대부분의 사람들이 그들의 사실적 믿음을 고치는 것에 저항할 뿐만 아니라 또한 그것들을 가장 고쳐야 할 필요가 있는 바로 그 사람들이 그렇게 할 가능성이 가장 적다는 것을 의미한다."라고 그는 썼다.

어떻게 우리는 그렇게 틀리고도 우리가 맞다고 그렇게 확신할 수 있을까? 그 답의 일부는 우리의 뇌가 연결되어 있는 방식에 있다. 일반적으로, 사람들은 일관성을 추구하는 경향이 있다. 사람들이 그들의 기존의 견해들을 강화하는 쪽으로의 시각을 가지고 정보를 해석하는 경향이 있다는 것을 보여 주는 상당한 양의 심리학적 연구가 있다. 만약 우리가 세상에 대해 무언가를 믿는다면, 우리는 우리의 믿음을 확인해 주는 어떠한 정보라도 수동적으로 사실로 받아들이고, 그렇지 않은 정보는 능동적으로 멀리하는 경향이 더 있다. 이것은 '의도적 합리화'라고 알려져 있다. 일관성이 있는 정보가 정확하든 아니든 간에, 우리는 그것을 사실로, 즉 우리의 믿음에 대한 확인으로 받아들일 것이다. 이것은 우리가 말해진 믿음에 더 확신을 갖게 만들고, 심지어 그것들에 모순되는 사실들은 덜 받아들이는 경향을 갖게 만든다.

구문해설

1행 In 2000, / James Kuklinski of the University of Illinois / led an influential experiment / [in which more than 1,000 Illinois residents / were asked questions about welfare].

(S: James Kuklinski / V: led / 목적격 관계대명사절(「전치사+관계대명사」) / 수동태)

2000년에 / Illinois 대학의 James Kuklinski가 / 영향력 있는 실험을 이끌었다 / 1,000명이 넘는 Illinois의 거주자들에게 / 복지에 대한 질문을 하는

4행 Perhaps more disturbingly, / the ones [who were the most confident {they were right}] / were generally the ones / [who knew the least about the topic].

(S: the ones / 주격 관계대명사절 / (that) / V: were / 주격 관계대명사절)

아마도 더 충격적인 것은 / 그들이 맞았다고 가장 확신했던 사람들이 / 대체로 사람들이었다 / 그 주제에 대해 가장 적게 알았던

6행 "It implies / not only [that most people will resist correcting their factual beliefs]," / he wrote, / "but also [that the very people {who most need to correct them} / will be least likely to do so]."

(implies의 목적어(that절이 not only A but also B의 상관접속사로 병렬 연결됨) / 주격 관계대명사절 / them = their factual beliefs / do so = correct them)

이것은 의미한다 / 대부분의 사람들이 그들의 사실적 믿음을 고치는 것에 저항할 뿐만 아니라 / 그는 썼다 / 또한 그것들을 가장 고쳐야 할 필요가 있는 바로 그 사람들이 / 그렇게 할 가능성이 가장 적다는 것을

10행 There is a substantial body of psychological research / [showing / {that people tend to interpret information / with an eye toward reinforcing their preexisting views}].

(현재분사구 / showing의 목적어(명사절) / 「with+목적어+전치사구」 형태의 <부대상황>의 분사구문(~한 채로))

상당한 양의 심리학적 연구가 있다 / 보여 주는 / 사람들이 정보를 해석하는 경향이 있다는 것을 / 그들의 기존의 견해들을 강화하는 쪽으로의 시각을 가지고

12행 [If we believe something about the world], / we are more likely to passively accept as truth any information / [that confirms our beliefs], / and actively dismiss information / [that doesn't].

(<조건>의 부사절 / 「accept A as B(A를 B로 받아들이다)」 구문으로 A에 해당하는 any information이 관계대명사절의 수식을 받아 길어져서 B 뒤에 쓴 형태임 / 주격 관계대명사절 / (confirm our beliefs) / 주격 관계대명사절)

만약 우리가 세상에 대해 무언가를 믿는다면 / 우리는 어떠한 정보라도 수동적으로 사실로 받아들이고 / 우리의 믿음을 확인해 주는 / 정보는 능동적으로 멀리하는 경향이 더 있다 / 그렇지 않은

14행 [Whether or not the consistent information is accurate], / we might accept it / as fact, as confirmation of our beliefs.

(<양보>의 부사절 / it = the consistent information)

일관성이 있는 정보가 정확하든 아니든 간에 / 우리는 그것을 받아들일 것이다 / 사실로, 즉 우리의 믿음에 대한 확인으로

유형 연습

» pp. 106-111

1 ② 2 ② 3 ② 4 ③ 5 ④ 6 ②

내신·서술형 대비

1-2 1. how much money I spent buying games 2. This shows that the reaction of the participants was based on what they expected. / 이것은 참가자들의 반응은 그들이 예상하는 것에 기초했다는 것을 보여 준다. 3. ⑤

3-4 1. to have believed 2. (1) symmetrical (2) cheat 3. ③

5-6 1. unsurely → unsure 2. doubt, perception 3. ⑤

1 ② 2 ②

지문해석

통증은 상처에 대한 몸의 반응이다. 비록 상처 그 자체는 몸에서 발생하지만, 통증의 인지는 뇌에서 일어난다. 한 실험에서, 과학자들은 지원자들의 팔에 작은 패치를 붙였다. 이 패치는 뜨거운 커피를 들고 있을 때와 같은 정도의 통증을 줄 만큼 충분히 뜨거워진다. 지원자들은 화면상에서 두 종류의 모양을 보게 되는데, 하나는 통증이 꽤 심할 것이라고 경고했고 다른 하나는 통증이 심하지 않을 것이라고 시사했다. 그들은 통증이 일어나기 전 통증이 얼마나 아플 것이라고 생각하는지 등급을 매기고, 그런 다음 통증이 일어난 후 통증이 실제로 얼마나 아팠는지 등급을 매기라고 요청받았다. 전체 실험이 진행되는 동안, 지원자는 MRI 기계 안에 누워 있었는데, MRI 기계는 지원자가 고통을 경험할 때 뇌의 여러 부분이 얼마나 활발히 활동하는지를 보여준다.

지원자가 통증이 심할 것을 알리는 모양을 보았을 때, (패치의) 열기가 꽤 고통스럽다고 등급을 매겼다. 통증이 더 참을 만하다고 알리는 모양을 봤을 때는, 열기가 덜 고통스럽다고 등급을 매겼다. 사실 패치의 온도는 모든 참가자들에게 동일했다는 사실에도 불구하고, MRI 스캔도 같은 패턴을 보여 준다. 이것은 참가자들의 반응은 그들이 예상하는 것에 기초했다는 것을 보여 준다. 이 연구의 결과는 흥미로울 뿐만 아니라 유용하다. 비록 통증이 진짜이고 완전히 피할 수는 없지만, 의사들은 환자의 예상치를 조정함으로써 느낄 (통증의) 정도를 줄일 수도 있을 것이다.

구문해설

3행 The patch would grow hot / enough to deliver about the same amount of pain / as holding a cup of hot coffee].

형용사+enough+to-v: ~할 정도로 충분히 …한
the same A as B: B와 같은 A

이 패치는 뜨거워진다 / 같은 정도의 통증을 줄 만큼 충분히 / 뜨거운 커피를 들고 있을 때와

7행 They were asked to rate / [**how much** (they thought) the pain would hurt] / [**before** it occurred], / and then / [**how much** the pain actually had hurt] / **after**.

삽입절
rate의 목적어(의문사절이 접속사 and로 병렬 연결됨)
<시간>의 부사절
= after it occured

그들은 등급을 매기라고 요청받았다 / 통증이 얼마나 아플 것이라고 생각하는지 / 통증이 일어나기 전 / 그런 다음 / 통증이 실제로 얼마나 아팠는지 / 통증이 일어난 후

12행 [**When** volunteers saw the shape / {**that** suggested (the pain would be bad)}], / they rated the heat as quite painful.

<시간>의 부사절
주격 관계대명사절
(that) suggested의 목적어(명사절)

지원자가 모양을 보았을 때 / 통증이 심할 것을 알리는 / (패치의) 열기가 꽤 고통스럽다고 등급을 매겼다

문제해설

1 같은 정도의 통증을 가했음에도 더 아플 것이라는 신호를 받으면 실제로 통증이 더 고통스럽다고 생각할 뿐만 아니라 뇌도 그와 같이 작동한다는 내용이므로, 제목으로는 ② '통증은 그것을 예상하는 바에 영향을 받는다'가 가장 적절하다.
① 통증을 측정하는 더 정확한 방법
③ 환자는 느끼는 고통에 대해 거짓말을 한다
④ 연구원들이 고통을 가하는 것은 비윤리적인가?
⑤ 고통스러운 실험을 없애기 위한 MRI 사용

2 실험의 결론은 통증에 대한 예상치가 실제 통증을 느끼는 정도에 영향을 미친다는 것이다. 그러므로 빈칸에 들어갈 말로 가장 적절한 것은 ② '조정하는 것'이다.
① 증가하는 것 ③ 고무시키는 것
④ 판별하는 것 ⑤ 등급을 매기는 것

내신·서술형 대비

1. how much money I spent buying games
「의문형용사+형용사+명사+주어+동사」 형태의 간접의문문을 이용하여 문장을 완성한다.

2. This shows that the reaction of the participants was based on what they expected. / 이것은 참가자들의 반응은 그들이 예상하는 것에 기초했다는 것을 보여 준다.

3. ⑤
모든 참가자들의 패치 온도는 동일하다고 했으므로 ⑤가 글의 내용과 일치하지 않는다.

3 ② 4 ③

지문해석

오늘날 6면이 있는 주사위는 기계가 만든다. 주사위는 모두 똑같은 모양을 하고 있기 때문에, 우리는 주사위가 '공정'하다고 생각한다. 다른 말로 하면, 주사위를 굴리면, 여섯 개의 숫자 각각이 위를 향해 떨어질 확률은 같다. 고대 로마의 주사위는 오늘날의 주사위와 공통점이 있었는데, 숫자가 같은 방식으로 배열되었다. 만약 반대되는 두 면을 보면, 그 숫자들의 합은 7이 됐다. 하지만, 오늘날의 정육면체와는 달리 로마 시대의 주사위는 모양이 일정하지 않았다. 로마인들은 특정 숫자를 위로 나오도록 조작하는 것이 더 쉬웠기 때문에 이런 주사위를 좋아했을지도 모른다. 또, 그들은 확률이 아닌 운명이 어떤 숫자가 나올지를 결정한다고 믿었던 것처럼 보인다.
서기 1100년경, 주사위는 유럽에서 더 표준화되었다. 이는 아마도 도박꾼들이 공정한(→ 공정하지 못한) 주사위를 사용하는 것을 막기 위해서였을 것이다. 주사위는 또한 더 작아졌고, 숫자의 배열도 바뀌었다. 1과 2가 반대되게 있었고, 3과 4, 5와 6도 그랬다. 세트를 각각 더하면 다른 소수가 되었다. 1450년경, 주사위는 다시 고대 로마의 '7' 시스템으로 다시 바뀌었다. 그것들은 점점 대칭이 되었는데, 이는 아마도 르네상스 시대의 수학 분야에 있어서의 발전 때문일 것이다.
진화하는 주사위 형태는 중요하지 않은 것 같지만, 이는 고고학자들과 역사학자들에게는 매우 유용하다. 예를 들어, 고대 주사위가 발견되면, 그 특징은 그 고고학적인 장소가 얼마나 오래되었는지를 결정하는 데 사용될 수 있다.

구문해설

2행 In other words, / [**when** we roll them], / each of the six numbers / has the same probability / [of landing facing up].

<시간>의 부사절
S(each of+복수명사)
V(단수동사)
전치사구

다른 말로 하면 / 주사위를 굴리면 / 여섯 개의 숫자 각각이 / 확률은 같다 / 위를 향해 떨어질

7행 The Romans / may have liked these dice / because **it** was easier / [**to manipulate** them to make a certain number come up].

may have+p.p.(~했을지도 모른다): 과거의 추측
to부정사 부사적 용법(목적)
가주어
진주어(to부정사구)
사역동사(make)+목적어+목적격보어(동사원형)

로마인들은 / 이런 주사위를 좋아했을지도 모른다 / 더 쉬웠기 때문에 / 특정 숫자를 위로 나오도록 조작하는 것이

11행 This was probably done / to prevent gamblers from using unfair dice.

to부정사 부사적 용법(목적)
prevent+목적어+from+v-ing: ~가 … 못하게 막다

이는 아마도 행해졌을 것이다 / 도박꾼들이 공정하지 못한 주사위를 사용하는 것을 막기 위해서

20행 For example, / [**when** ancient dice are discovered, / their characteristics can be used to determine / [**how old** the archaeological site is].

<시간>의 부사절
be used+to-v: ~하는 데 사용되다
determine의 목적어(의문사절)

예를 들어 / 고대 주사위가 발견되면 / 그 특징은 결정하는 데 사용될 수 있다 / 그 고고학적인 장소가 얼마나 오래되었는지를

문제해설

3 로마 시대부터 서기 1100년경, 1450년경까지의 주사위의 모양과 특징에 대해서 설명하는 내용이므로, 제목으로는 ② '역사 전반에 걸친 주사위의 변화'가 가장 적절하다.
① 왜 모든 주사위는 육면체인가
③ 고대 로마에서의 주사위의 독특한 용도
④ 주사위와 수학의 시작
⑤ 과학을 통한 주사위의 기원 찾기

4 주사위가 표준화된 이유는 도박사들이 '공정하지 못한' 주사위를 사용하는 것을 막기 위한 것이었다는 내용이 적절하므로, (C)의 fair는 unfair로 바꿔야 자연스럽다.

내신·서술형 대비

1. to have believed
주절의 시제(seem)보다 that절의 시제(believed)가 앞서기 때문에 완료부정사(to have+p.p.)를 써야 한다.

2. (1) symmetrical (2) cheat
(1) 형용사. 정확히 일치하는 두 부분을 가진(symmetrical: 대칭적인)
(2) 동사. 자신을 위해 무언가를 얻기 위해 누군가가 사실이 아닌 것을 믿게 만들다(cheat: 속이다)

3. ③
로마인들이 주사위를 던져서 어떤 숫자가 나올지 결정하는 것이 운명이라고 믿었다는 언급은 있으나, 점을 보기 위해 주사위를 사용했다는 내용은 없으므로 ③이 글의 내용과 일치하지 않는다.

5 ④ 6 ②

지문해석

가스라이팅은 사람들이 현실에 대한 자신의 인식을 의심하도록 고안된 정신적, 심리적으로 학대 행위를 지칭하는 용어이다. 그 용어는 한 남자가 자신의 아내를 제정신이 아니게 유도하려고 하는 한 연극에서 유래한다. 그는 계속해서 그들의 집에 있는 조명을 변화시킨다. 그녀가 변화들을 알아차리면, 그는 그것이 다르다는 것을 동의한다(→ 부정한다). 시간이 지나면서, 아내는 자신이 진실이라고 믿었던 모든 것을 의심하기 시작한다. 그녀는 현실에 대한 자신의 견해를 더 이상 믿을 수 없기 때문에, 그녀는 모든 것을 남편에게 의존해야 한다.
가스라이팅은 관계에서 상대방에게 힘을 과시하기 위해 사용되는 일종의 학대이다. 많은 종류의 학대처럼, 그것은 작게 시작해서 점점 심해진다. 상대방이 자신의 능력에 대해 확신을 갖지 못하기 시작하면, 가해자는 통제력을 얻는다. 이러한 종류의 행위는 헤어짐을 생각하고 있던 관계에서 사람들을 속여서 머무르게 하기 위해 자주 사용된다. 가스라이팅이 충격적이고 극단적으로 들릴지 모르지만, 상당히 많은 사람들이 그것을 사용해 왔다. 그러나, 가벼운 가스라이팅의 많은 경우에, 사람들은 사실 자신의 조종 행위에 대해 인식하지 못한다. 예를 들어, 부모들은 때때로 나쁜 식습관과 같은 원치 않는 행동을 변화시키기 위해 자신의 아이들에게 가스라이팅을 사용할 수도 있다. 비록 아이에게 의도적인 해가 가해지는 것은 아니지만, 그것은 여전히 가스라이팅이다.

구문해설

1행 Gaslighting is a term / [**referring** to emotionally and mentally abusive behavior / {**designed** to make people doubt / their own perception of reality}].
(현재분사구 / 과거분사구 / to부정사 부사적 용법(목적))
가스라이팅은 용어이다 / 정신적, 심리적으로 학대 행위를 지칭하는 / 사람들이 의심하도록 고안된 / 현실에 대한 자신의 인식을

5행 Over time, / the wife begins to doubt everything / [(that) {she believed} was true].
(주격 관계대명사절 / 삽입절)
시간이 지나면서 / 아내는 모든 것을 의심하기 시작한다 / 자신이 진실이라고 믿었던

12행 This type of behavior / is often used / to trick people into staying / in a relationship [(that) they have been thinking about leaving].
(to부정사 부사적 용법(목적) / 전치사 into의 목적어(동명사) / 목적격 관계대명사절 / 전치사 about의 목적어(동명사))
이러한 종류의 행위는 / 자주 사용된다 / 사람들을 속여서 머무르게 하기 위해 / 헤어짐을 생각하고 있던 관계에서

문제해설

5 사람들이 자신들의 현실 인식 능력에 대해 의심을 갖게 하여 남에게 의존하게 하는 심리적 학대 행위인 가스라이팅에 관한 내용이므로, 제목으로는 ④ '통제력을 얻기 위해 의심을 만들어내기'가 가장 적절하다.
① 가스라이팅: 그것을 알아차리는 방법
② 가학적인 사람들을 피하는 방법
③ 효과적인 행동 개선
⑤ 가스라이팅: 자제력의 한 형태

6 아내가 자신이 진실이라고 믿었던 모든 것을 의심하도록 만든다고 했으므로, 남편은 아내의 말에 '부정한다'는 내용이 적절하다. 따라서 (b)의 agrees는 denies나 disagrees로 바꿔야 자연스럽다.

내신·서술형 대비

1. unsurely → unsure
feel은 감각동사로 뒤에 보어로 형용사가 와야 한다.

2. doubt, perception
가스라이팅은 피해자들이 스스로를 의심하게 하고 자신의 인식에 대한 자신감을 잃게 한다.

3. ⑤
가벼운 가스라이팅의 예로 부모와 자식 간의 예를 들고 있으므로 ⑤가 글의 내용과 일치하지 않는다.

17 장문(2)

기출 풀기

» pp. 112-113

정답 1. ④ 2. ⑤ 3. ③

지문해석

(A) 1983년이었고 Sloop는 6학년이 되었다. 그녀가 기대했던 한 수업은 합창이었지만, 그녀의 기억 속에 아직도 남아 있는 어떤 일이 학기 초에 일어났다. 학생들은 이중 무대 위에 알토, 소프라노, 테너 그리고 바리톤 그룹별로 배치되었다. 겉으로 보기에 항상 찡그린 얼굴의 여자 음악 선생님은 지휘봉을 사용해서 노래 리듬에 맞춰 악보대를 두드리면서 익숙한 노래로 합창단을 이끌었다.

(D) 그때 선생님이 Sloop를 향해 걸어오기 시작했다. 갑자기 그녀는 노래를 멈추더니 그녀에게 곧바로 말했다. "네 목소리가 다른 소녀들과 전혀 조화를 이루지 못하고 있어. 그냥 노래를 부르는 척만 해라." 그해의 나머지 기간 동안, 합창단이 노래를 할 때마다 그녀는 가사를 입 모양으로만 말했다. 그녀는 회상한다. "합창은 내가 가장 좋아했던 것이었어요. 내 가족은 내가 노래를 할 수 있다고 말했지만, 그 선생님은 내가 할 수 없다고 말했어요. 그래서 나는 모든 것에 대해 의문을 가지기 시작했어요." 그녀는 학교에서 나쁜 무리와 어울리며 행동하기 시작했다. 암울한 시기였다.

(B) 7학년 후 여름에, Sloop는 재능 있는 아이들을 위한 캠프에 참가했고 합창단에 참여하여 자신을 놀라게 했다. 연습하는 동안, 그녀는 가사를 입 모양으로만 말했는데, 선생님이 그것을 알아차렸다. 수업 후 그녀는 Sloop를 불러 피아노 의자 자기 옆에 앉도록 하고 그녀에게 함께 노래하기를 요구했다. 그러더니 그 선생님은 그녀의 눈을 쳐다보고 "너는 독특하고 표현력이 뛰어나고 아름다운 목소리를 가지고 있구나."라고 말했다.

(C) 그 마법 같은 여름의 나머지 기간 동안, Sloop는 그녀의 고치를 벗고 빛을 찾는 나비처럼 나오면서 변신을 경험했다. 그녀는 자신의 노래에 대해 자신감을 가지게 되었다. 고등학교 시절, 그녀는 연극부에 가입했고 거의 모든 뮤지컬 작품에서 주연 역할을 맡았다. 그녀는 청중들 앞에서 점점 편안해졌고, 결국 가장 자랑스러운 순간에 Carnegie Hall에서 합창단과 함께 노래를 부르기에 이르렀다! 이 사람이 한때 '가사를 입 모양으로만 말하라'는 말을 들었던 소녀와 같은 사람이었다.

구문해설

1행 The one class / [(that) she looked forward to] / was chorus, / but **something** happened / early in the semester / [**that** is still in her memory].
(that: 목적격 관계대명사절 / something: 선행사 / that: 주격 관계대명사절)

한 수업은 / 그녀가 기대했던 / 합창이었지만 / 어떤 일이 일어났다 / 학기 초에 / 그녀의 기억 속에 아직도 남아 있는

3행 The music teacher / — a woman with a seemingly permanent frown / on her face / — led the choir / in a familiar song, / [**using** a pointer / to click the rhythm of the song / on a music stand].
(The music teacher: S / 동격 / led: V / using: 분사구문(부대상황) / to click: to부정사의 부사적 용법(목적))

음악 선생님은 / 겉으로 보기에 항상 찡그리고 있는 여자 / 얼굴에 / 합창단을 이끌었다 / 익숙한 노래로 / 지휘봉을 사용해서 / 노래 리듬에 맞춰 두드리면서 / 악보대에

8행 After class / she **invited** Sloop **to sit** / next to her on the piano bench / and **asked** her **to sing** together.
(invite+목적어+목적격보어(to부정사): ~가 …하도록 부르다 / ask+목적어+목적격보어(to부정사): ~가 …하도록 요청하다[부탁하다])

수업 후 / 그녀는 Sloop를 불러 앉도록 하고 / 피아노 의자 자기 옆에 / 그녀에게 함께 노래하기를 요구했다

11행 For the rest of that magical summer, / Sloop experienced a metamorphosis, / [**shedding** her cocoon / and **emerging** as a butterfly / {**looking** for light}].
(분사구문(부대상황) / shedding과 emerging이 접속사 and로 병렬 연결 / 현재분사구)

그 마법 같은 여름의 나머지 기간 동안 / Sloop는 변신을 경험했다 / 그녀의 고치를 벗고 / 나비처럼 나오면서 / 빛을 찾는

19행 For the rest of the year, / [**whenever** the choir sang], / she mouthed the words.
(= every time the choir sang / <시간>의 부사절(~할 때마다))

그해의 나머지 기간 동안 / 합창단이 노래를 할 때마다 / 그녀는 가사를 입 모양으로만 말했다

21행 She began to act out, / [**hanging out with** the wrong crowd / at school].
(분사구문(부대상황))

그녀는 행동하기 시작했다 / 나쁜 무리와 어울리며 / 학교에서

유형 연습

» pp. 114-119

1 ③ 2 ⑤ 3 ③ 4 ③ 5 ④ 6 ① 7 ⑤ 8 ⑤ 9 ①

내신·서술형 대비

1-3 1. would have happened → would happen 2. trail
3. I was so embarrassed that I couldn't speak a word.

4-6 1. 상사의 주식을 대신 매입할 때 자신도 똑같은 주식을 매입하는 것
2. My grandmother donated most of her fortune to charity.
3. her uncle was completely unaware of the money

7-9 1. 휠체어에서 떨어진 형을 들어올려 휠체어에 다시 앉혀 주는 것
2. would stop to help me 3. ④

1 ③ 2 ⑤ 3 ③

지문해석

(A) 어렸을 때, 나는 자연에 있는 것을 좋아했다. 부모님과 나는 종종 마을 근처의 큰 숲에서 긴 산책을 하러 나가곤 했다. 나는 만약 우리가 길을 잃고 마을로 돌아갈 길을 찾을 수 있을 때까지 자연 속에서 살아야 한다면 무슨 일이 있을지 부모님께 여쭤보곤 했다. 그들은 그것이 놀라운 경험이 될 것이라고 대답해 주었다.

(C) 자라면서, 나는 부모님과 함께 이런 산책을 계속 즐겼지만, 길을 잃는다는 환상들에 대해서는 잊었다. 그것들은 그냥 희미해져 버렸다. 그런데

그러던 어느 날 실제로 그 일이 일어났다. 우리는 주된 오솔길을 벗어나 다른 길로 가기로 했다. 한 30분정도 지난 후, 길은 사라졌고 우리는 길을 잃었다. 그것은 완전히 예상하지 못한 것이었다.

(D) 갑자기 믿을 수 없는 흥분의 감정이 들었고, 숲속 모든 것이 변화하는 것 같았다. 색깔은 더 밝아졌고, 소리는 더 커졌다. 식물과 나무들은 너무나 울창해서 10미터 이상 더 멀리 볼 수 없었다. 나는 그 순간이 영원히 지속되기를 바랐다. 숲 바깥 생활에서 받는 모든 스트레스가 사라졌다. 나는 사회로 돌아가느니 영원히 그 숲에서 길을 잃은 채 머물러 있고 싶다는 것을 깨달았다.

(B) 나는 부모님 때문에 어쩌면 두려울 수 있는 상황에서 그렇게 긍정적으로 반응했다고 생각한다. 그들은 당황하지 않고 냉정을 유지했으며, 우리를 올바른 방향으로 이끌어 줄 길의 표시나 표지판을 찾기 위해, 제일 가까운 개방된 지역을 향해 갔다. 확신할 수는 없지만, 마치 그들도 나만큼이나 흥분했던 것처럼 보였다. 결국, 지도가 표시된 표지판을 찾는 데는 그리 오랜 시간이 걸리지 않았다. 곧 우리는 주된 오솔길로 돌아와 문명을 향해 나아갔다.

구문해설

2행 I used to ask them / [what **would** happen / **if** we **were to** get lost / and had to live in the wild] / [**until** we could find our way back to the town].
(used+to-v: ~하곤 했다 / 가정법 미래 / were+to-v: 실현 불가능한 일 / <시간>의 부사절)

나는 부모님께 여쭤보곤 했다 / 무슨 일이 있을지 / 만약 우리가 길을 잃고 / 자연 속에서 살아야 한다면 / 마을로 돌아갈 길을 찾을 수 있을 때까지

7행 They didn't panic and stayed in control, / [**heading for** the nearest open area / to find a trail marker or a sign / {**that** would lead us in the right direction}].
(분사구문(부대상황) / to부정사 부사적 용법(목적) / 주격 관계대명사절)

그들은 당황하지 않고 냉정을 유지했으며 / 제일 가까운 개방된 지역을 향해 갔다 / 길의 표시나 표지판을 찾기 위해 / 우리를 올바른 방향으로 이끌어 줄

10행 In the end, / **it** didn't **take** long / **to find** a sign with a map on it.
(it takes+시간+to-v: ~하는 데 (시간이) …걸리다 / 가주어 / 진주어 / = sign)

결국 / 그리 오랜 시간이 걸리지 않았다 / 지도가 표시된 표지판을 찾는 데는

20행 The plants and trees / were **so** thick / **that** I **couldn't** see any farther than 10 meters away.
(so ~ that ... cannot: 너무 ~해서 …할 수 없다(= too thick for me to see))

식물과 나무들은 / 너무나 울창해서 / 10미터 이상 더 멀리 볼 수 없었다

22행 I realized / [**that** I **would rather** stay lost in the forest forever / **than** go back to society].
(realized의 목적어(명사절) / would rather ~ than ...: …하기보다는 차라리 ~하겠다)

나는 깨달았다 / 내가 영원히 그 숲에서 길을 잃은 채 머물러 있고 싶다는 것을 / 사회로 돌아가느니

문제해설

1 어렸을 때, 부모님과 근처 숲을 산책하면서 만약 길을 잃어서 자연에서 살아야 하면 어떨지 물어보곤 했다는 내용인 (A)에 이어, 시간이 지나 실제로 길을 잃는 상황이 벌어졌다는 내용인 (C)가 나오고, 그 다음에 길을 잃어버린 상황에서 느꼈던 여러 가지 긍정적인 느낌에 대한 내용인 (D)가 이어진 후, 그런 긍정적인 느낌이 길을 잃고도 침착했던 부모님 때문이었으며, 마침내 길을 찾아 돌아갔다는 내용인 (B)가 나오는 것이 자연스럽다.

2 (e)는 길을 잃는다는 fantasies를 가리키며, 나머지는 my parents를 가리킨다.

3 지도를 가지고 다녔기 때문에 길을 찾은 것이 아니라 지도가 그려진 표지판을 찾아서 길을 찾은 것이므로, ③은 글에 관한 내용으로 적절하지 않다.

내신·서술형 대비

1. **would have happened → would happen**
조건절에 were to가 쓰인 것으로 보아 가정법 미래이므로 주절은 「would[could]+동사원형」의 형태가 되어야 한다.

2. **trail**
본문의 trail은 '오솔길'의 의미이다. trail은 '오솔길' 외에도 '흔적', '실마리' 등의 뜻이 있다.
명사. 1. 누군가 또는 어떤 것이 움직이면서 남긴 일련의 흔적들(흔적)
2. 시골, 산 또는 숲 지역을 통과하는 길(오솔길)
3. 당신이 찾고 있는 누군가가 어디로 갔는지 함께 보여 주는 여러 가지 정보들(실마리)

3 **I was so embarrassed that I couldn't speak a word.**
「so+형용사/부사+that+주어+can't+동사원형」은 '너무 ~해서 …할 수 없다'는 뜻의 구문으로, 본문의 The plants and trees were so thick that I couldn't see any farther ~.를 이용하여 쓴다.

4 ③ 5 ④ 6 ①

지문해석

(A) Sylvia Bloom은 뉴욕에서 67년 동안 한 법률 회사에서 법률 비서로 일했다. 그녀는 유난히 검소한 것으로 알려져 있었다. 예를 들어, 그녀는 택시를 타기보다는 언제나 지하철을 타고 출근했다. 그녀가 96세의 나이로 세상을 떠났을 때, 그녀는 실제로 1천 2백만 달러의 재산을 모았다는 것이 알려졌다. 더욱 놀랍게도, 그녀는 그것의 대부분을 자선 단체에 기부하라는 지시를 남겼다!

(C) Bloom은 대공황 때 성장해서, 그녀는 돈을 모으는 것의 중요성을 알고 있었다. 그녀는 어렸을 때는 공립 학교에 다녔고, 성인이 돼서는 생계를 유지하기 위해 낮 동안에는 일하면서 밤에는 대학 과정을 밟았다. 그녀와 2002년에 사망한 그녀의 남편 Raymond는 아이가 없었고, 그들은 안락하지만 수수한 생활 방식으로 살았다. Bloom의 조카딸인 Jane Lockshin은 그녀의 삼촌이 그 돈의 존재에 대해 전혀 알지 못했을 가능성이 있다고 믿는다.

(D) 이것은 Bloom이 자기 이름으로 가지고 있는 몇 개의 은행 계좌에 재산을 보관했기 때문이다. 그러나 어떻게 비서가 그렇게 많은 돈을 벌었을까? 그녀는 비밀이 있었다. 그 당시에는, 비서들이 투자를 포함하여, 상사들의 많은 개인적인 업무들을 처리하는 것이 일반적이었다. Bloom은 이것을 그녀에게 유리하게 사용했다. Bloom의 상사는 유망한 주식을 찾을 때마다, Bloom에게 자신을 대신하여 일정액을 구매하도록 지시하곤 했다.

(B) 그녀는 구매를 할 때, 그녀도 자신을 위해 같은 주식 일부를 사기 위해 자신의 돈을 사용하곤 했다. 그녀는 적은 월급 때문에 많이 살 여유는 없었지만, 그녀의 전략은 여전히 그녀를 매우 부유한 여성으로 만들어 주었다. 그녀의 유언에서, 그녀는 자신의 가족에게는 적은 양의 돈을 남겼다. 나머지는 혜택 받지 못한 젊은이들에게 대학 장학금을 제공할 것이다. Bloom의 영리한 전략 덕분에, 가난한 가정의 많은 젊은이들이 귀중한 교육을 받을 것이다.

구문해설

3행 [**When** she died / at the age of 96], / **it** was revealed / [**that** she had actually saved up / a fortune worth $12 million].
<시간>의 부사절 / 가주어 / 진주어 / 과거완료(그녀가 죽기 전의 일)

그녀가 세상을 떠났을 때 / 96세의 나이로 / 알려졌다 / 그녀는 실제로 모았다는 것이 / 1천 2백만 달러의 재산을

8행 She couldn't afford to buy much, / due to her small salary, / but her strategy still / made her a very wealthy woman.
cannot afford+to-v: ~할 여유가 없다 / ~ 때문에 / 5형식 동사(make)+목적어+목적격보어(명사구)

그녀는 많이 살 여유는 없었다 / 적은 월급 때문에 / 그러나 그녀의 전략은 여전히 / 그녀를 매우 부유한 여성으로 만들어 주었다

15행 She attended public schools / as a child / and took college courses / at night / as an adult / [**while** working during the day / to earn a living].
take a course: 강의를 듣다 / <시간>의 부사절: 「주어+be동사」 she was 생략됨 / to부정사 부사적 용법(목적)

그녀는 공립 학교에 다녔다 / 어렸을 때는 / 그리고 대학 과정을 밟았다 / 밤에는 / 성인이 돼서는 / 낮 동안에는 일하면서 /생계를 유지하기 위해

19행 Bloom's niece, Jane Lockshin, / believes / [(that) **it** is possible / {**that** her uncle was completely unaware of the money}].
동격 / 가주어 / believes의 목적어(명사절) / 진주어 / be unaware of: ~을 알지 못하다

Bloom의 조카딸인 Jane Lockshin은 / 믿는다 / 가능성이 있다고 / 그녀의 삼촌이 그 돈의 존재에 대해 전혀 알지 못했을

21행 This is [**because** Bloom kept it / in several bank accounts / {(that) she had / in her own name}].
<이유>의 부사절 / = the money / 목적격 관계대명사절

이것은 Bloom이 재산을 보관했기 때문이다 / 몇 개의 은행 계좌에 / 가지고 있는 / 자기 이름으로

23행 In those days, / **it** was common for secretaries / [**to take care of** many of their bosses' personal tasks, / **including** their investments].
가주어 / to부정사의 의미상 주어 / 진주어 / 전치사

그 당시에는 / 비서들에게 일반적이었다 / 상사들의 많은 개인적인 업무들을 처리하는 것이 / 투자를 포함하여

문제해설

4 Sylvia Bloom이 법률 회사의 비서로 검소하게 살며 모은 많은 재산을 자선 단체에 기부하라는 유언을 남겼다는 (A)에 이어, 어렸을 때의 힘들었던 상황을 이야기한 (C)가 나오고, (C)의 마지막에 나온 내용인 Bloom의 남편이 아내의 재산을 알지 못했다는 내용에 대해 이유가 제시된 (D)가 이어진 후, Bloom이 재산을 축적한 그 비결을 설명한 (B)가 나오는 것이 자연스럽다.

5 (d)는 Sylvia Bloom의 조카딸인 Jane Lockshin을 가리키며, 나머지는 Bloom을 가리킨다.

6 Bloom은 대부분의 돈을 자선 단체에 기부하고 가족들에게는 적은 양의 돈을 남겼다고 했으므로, ①이 글의 내용과 일치하지 않는다.

내신·서술형 대비

1. **상사의 주식을 대신 매입할 때 자신도 똑같은 주식을 매입하는 것**
상사가 비서인 Bloom에게 자신의 주식을 대신 매입하라고 지시할 때마다 Bloom도 자신의 돈을 투자하여 똑같은 주식을 샀다.
2. **My grandmother donated most of her fortune to charity.**
'A를 B에 기부하다'라는 의미의 donate A to B와 '자선 단체'를 뜻하는 charity, '재산'을 뜻하는 fortune을 이용하여 쓴다.
3. **her uncle was completely unaware of the money**
밑줄 친 it은 가주어이고, 진주어는 that 이하이므로 it이 가리키는 것은 her uncle was completely unaware of the money이다.

7 ⑤ 8 ⑤ 9 ①

지문해석

(A) 한 부유한 사업가가 그의 새 스포츠카를 몰고 가난한 동네를 지나고 있었다. 그는 기분이 좋아서 음악을 크게 틀어 놓고 혼자 콧노래를 흥얼거리고 있었다. 갑자기 무언가가 그의 차 옆면을 치면서 쾅 하는 소리를 들었다. 그는 브레이크를 급히 밟고 밖으로 뛰어나갔다. 차 옆에 놓여 있는 것은 커다란 돌멩이였다.

(D) 그는 길을 내려다보았고, 거기에 한 소년이 서 있는 것을 보았다. "너 내 차에 무슨 짓을 한 거니?" 그는 소리치면서 그 아이에게 달려갔다. 그는 그에게 사과하면서 서 있었다. "정말 죄송합니다. 하지만 아무도 나를 도와주기 위해 멈추지 않아서 어쩔 수가 없었어요. 저 돌멩이를 던지는 게 당신을 멈추게 하는 유일한 방법이었어요." 그는 인도를 가리켰다. "제 형인데요. 휠체어에서 떨어졌는데 제가 그를 일으킬 수가 없어요."

(C) 그 소년은 눈물을 훔치면서 말했다. "도와주실 수 있으세요?" 그 남자는 그 소년이 매우 당황했다는 것을 알고서 자신이 그를 도울 것이라고 소년을 안심시켰다. 그는 빈 휠체어 옆 콘크리트 바닥에 누워 있는 다른 소년에게 걸어갔다. 조심스럽게 그를 들어올려 그 남자는 그를 다시 휠체어에 앉혔다. 그는 약간의 상처와 멍이 있기는 했지만 그것 말고는 괜찮았다.

(B) 돌멩이를 던진 아이는 거듭 그에게 고맙다고 했다. 그 남자는 반응을 하고 싶었지만 아무 말도 할 수 없었다. 그는 방금 일어난 일에 마음이 크게 흔들렸다. 그는 소년이 즐겁게 형의 귀에 대고 속삭이면서 천천히 형을 인도를 따라 밀기 시작할 때 지켜보았다. 그 남자는 자신의 차로 돌아갔다. 자신의 차 문짝의 움푹 패인 곳은 깊었고 페인트는 조금 긁혔지만, 그는 그것을 수리하지 않기로 결심했다. 그건 전혀 중요하지 않았다.

구문해설

2행 He was playing his music loudly / and (was) humming the song / to himself, / [**feeling** good].
and로 병렬 연결 / 분사구문(부대상황)

그는 음악을 크게 틀어 놓았다 / 그리고 콧노래를 흥얼거리고 있었다 / 혼자 / 기분이 좋아서

4행 [Lying next to his car] / was a big rock.
S(동명사구)

차 옆에 놓여 있는 것은 / 커다란 돌멩이였다

8행 He watched / [as the boy slowly began to push his brother / down the sidewalk, / {whispering happily into his ear}].
<시간>의 부사절 / 분사구문(부대상황)

그는 지켜보았다 / 소년이 천천히 그의 형을 밀기 시작할 때 / 인도를 따라 / 즐겁게 형의 귀에 대고 속삭이면서

10행 The dent [in his car door] / was deep / and the paint was scratched a little, / but he decided / not to have it repaired.
S 전치사구 V 수동태
사역동사(have)+목적어+목적격보어(과거분사) → 목적어와 목적격보어가 수동 관계

자신의 차 문짝의 움푹 패인 곳은 / 깊었고 / 페인트는 조금 긁혔지만 / 그는 결심했다 / 그것을 수리하지 않기로

22행 [Throwing that rock] / was the only way / to make you stop.
S(동명사구) V to부정사 형용사적 용법
사역동사(make)+목적어+목적격보어(동사원형): ~가 …하도록 만들다

저 돌멩이를 던지는 게 / 유일한 방법이었어요 / 당신을 멈추게 하는

문제해설

7 한 남자가 운전을 하는데 누군가가 돌멩이를 던졌다는 (A)에 이어, 한 소년이 누군가의 도움을 받기 위해서 어쩔 수 없이 돌멩이를 던졌다고 하는 (D)가 나오고, 소년에게서 상황 설명을 들은 남자가 길에 쓰러져 있는 소년의 형을 다시 휠체어에 앉혔다는 내용 (C)가 이어진 후, 이 일로 감동을 받은 남자가 자신의 차에 난 흠집을 수리하지 않기로 결심했다는 (B)가 나오는 것이 자연스럽다.

8 (e)는 차에 돌멩이를 던진 소년을 가리키고, 나머지는 사업가를 가리킨다.

9 사업가는 소년의 형을 들어올려 휠체어에 앉혀 주는 도움을 주었고 소년이 형의 휠체어를 밀고 가는 것을 지켜보았다고 했으므로 ①이 글의 내용과 일치하지 않는다.

내신·서술형 대비

1. 휠체어에서 떨어진 형을 들어올려 휠체어에 다시 앉혀 주는 것
본문 23-24행 참고

2. would stop to help me
본문 21-22행 참고

3. ④
이 글에서 return은 '돌아가다'의 뜻으로 쓰였는데 ④는 '보답하다, 되돌려 주다'의 뜻을 설명하고 있다.
① hum: 입을 벌리지 않고 노래하다(흥얼거리다)
② repair: 파손되거나 손상된 것을 수리하다(수리하다)
③ concrete: 건축에 사용되며 건조하면 단단해지는 재료(콘크리트)
④ return: 누군가가 너에게 같은 행동을 해서 그들에게 무언가를 하다(보답하다)
⑤ yell: 특히 겁먹거나 화가 나거나 흥분해서 큰 소리로 외치다(소리치다)

18 어법

기출 풀기

» p. 120

정답 ④

지문해석

고양이는 액체일까, 고체일까? 이는 '사람들을 웃게 한 후 생각하게 만드는' 연구에 경의를 표하는, 노벨상의 패러디인 이그 노벨상을 과학자가 타게 할 수 있는 종류의 질문이다. 하지만 Paris Diderot 대학의 물리학자인 Marc Antoine Fardin가 집고양이가 액체처럼 흐물거리며 움직이는지를 알아내는 것을 시작한 것은 이것을 염두에 두면서는 아니었다. Fardin은 털로 덮인 이 애완동물이 물과 같은 액체가 하는 것과 유사하게 그들이 들어가 앉아 있는 용기의 모양에 맞출 수 있다는 것을 알아냈다. 그래서 그는 고양이가 꽃병이나 욕조 싱크대의 공간을 채우는 데 걸리는 시간을 계산하기 위해 물질의 변형을 다루는 물리학의 한 분야인 유동학을 적용했다. 결론은? 고양이는 환경에 따라 액체도 될 수 있고 고체도 될 수 있다. 작은 상자 안의 고양이는 그 모든 공간을 채우며 액체처럼 움직일 것이다. 하지만 물로 가득 찬 욕조의 고양이는 그것과의 접촉을 최소화하려고 노력하면서 고체와 매우 유사하게 움직일 것이다.

구문해설

1행 That's the kind of question / [that could win a scientist (an Ig Nobel Prize, a parody of the Nobel Prize) / {that honors research / (that "makes people laugh, then think)}]."
win+목적어+목적격보어(명사구) / 주격 관계대명사절 / 동격 / 주격 관계대명사절 / 주격 관계대명사절
make+목적어+목적격보어(동사원형)

이는 종류의 질문이다 / 노벨상의 패러디인 이그 노벨상을 과학자가 타게 할 수 있는 / 연구에 경의를 표하는 / '사람들을 웃게 한 후 생각하게 만드는'

3행 But it wasn't with this in mind / [that Marc Antoine Fardin, a physicist at Paris Diderot University, / set out to find out / {whether house cats flow}].
= an Ig Nobel Prize / 「it is[was] ~ that」강조 구문 / 동격 / find out의 목적어(명사절)

하지만 이것을 염두에 두면서는 아니었다 / Paris Diderot 대학의 물리학자인 Marc Antoine Fardin은 / 알아내는 것을 시작하다 / 집고양이가 액체처럼 흐물거리며 움직이는지를

5행 Fardin noticed / [that these furry pets can adapt / to the shape of the container / {they sit in / similarly to what fluids such as water do}].
noticed의 목적어(명사절) / (which) 목적격 관계대명사절 / 전치사 to의 목적어(관계대명사절)
선행사를 포함한 관계대명사 (= the thing which) / = adapt to the shape of the container

Fardin은 알아냈다 / 털로 덮인 이 애완동물이 맞출 수 있다는 것을 / 용기의 모양에 / 그들이 들어가 앉아 있는 / 물과 같은 액체가 하는 것과 유사하게

6행 So he applied / rheology, the branch of physics / [that deals with the deformation of matter], / to calculate the time / [it takes **for** cats **to take up** the space of / a vase or bathroom sink].

주격 관계대명사절 / 동격 / (that) 목적격 관계대명사절 / to부정사 부사적 용법(목적) / it+takes+시간+for+목적격+to부정사: ~가 …하는 데 (시간)이 걸리다

그래서 그는 적용했다 / 물리학의 한 분야인 유동학을 / 물질의 변형을 다루는 / 시간을 계산하기 위해 / 고양이가 공간을 채우는 데 (시간이) 걸리는 / 꽃병이나 욕조 싱크대의

어법 빈출 항목 8

» pp. 122-123

기출로 확인

1 (1) is (2) transforms (3) them (4) reads
2 (1) sent (2) Assumed (3) interesting **3** (1) frightening (2) teaching **4** (1) what (2) that **5** (1) collect (2) presented (3) because (4) how the castle looked (5) look them up
6 (1) were left (2) appeared **7** (1) legal (2) relatively
8 (1) are (2) much (3) do, that

문제해설

1 (1) is (2) transforms (3) them (4) reads

(1) 해석 스포츠 분야의 취업 진출 과정은 흔히 피라미드와 같은 모양이라고 일컬어진다.

해설 of job ~ sports까지 주어 The process를 수식해 주는 전치사구이고, 주어 The process가 단수이므로 동사는 is가 적절하다.

(2) 해석 질문하는 습관을 들이는 것은 당신을 능동적인 청취자로 변모시킨다.

해설 주어가 동명사구이므로 단수 취급하여 동사는 transforms가 적절하다.

(3) 해석 그는 이러한 주제에 대한 폭넓고 유연한 접근 방식뿐만 아니라 새로운 사고방식을 생각해 냈다.

해설 복수명사 these subjects를 대신하는 대명사이므로 them이 적절하다.

(4) 해석 오솔길의 갈래에 'Bear To The Right'라고 적혀 있는 표지판은 두 가지 방법으로 이해할 수 있다.

해설 A sign이 선행사이고 which 이하는 주격 관계대명사절이다. 선행사가 단수이므로 동사는 reads가 적절하다.

2 (1) sent (2) Assumed (3) interesting

(1) 해석 나는 출판사에 보내지는 자료의 1퍼센트도 안 되는 양이 출판된다고 추정한다.

해설 자료(material)가 '보내지는' 것이므로 과거분사인 sent가 적절하다.

(2) 해석 상당한 양의 물이 있다고 추정되므로, 화성은 가장 살기 좋은 행성이다.

해설 분사구문의 생략된 주어 화성(Mars)이 '추정되는' 대상이므로 과거분사인 assumed가 적절하다.

(3) 해석 지루한 강연자조차도 시간이 지나면 조금 더 흥미롭게 한다는 것을 알게 될 것이다.

해설 강연자가 '흥미롭게 하는' 것이므로 현재분사인 interesting이 적절하다.

3 (1) frightening (2) teaching

(1) 해석 그녀는 그것이 단지 게임일 뿐이라는 것을 알면서도 사람들을 놀라게 하는 것을 즐긴다.

해설 enjoy는 동명사를 목적어로 취하는 동사이다. 따라서 frightening이 적절하다.

(2) 해석 아이들에게 돈에 대해 가르치는 것에 관한 한, 우리는 문제가 있다.

해설 「when it comes to ~」는 '~에 관한 한'이라는 뜻으로 여기서 to는 전치사이다. 따라서 뒤에는 to부정사가 아닌 동명사가 와야 하므로 teaching이 적절하다.

4 (1) what (2) that

(1) 해석 Alvin은 그가 좋아하는 일을 해서 많은 돈을 번다.

해설 앞에 선행사가 없으므로 선행사를 포함하는 관계대명사 what이 적절하다.

(2) 해석 당신의 자동차 정비공은 그저 당신의 차가 작동하지 않는 것을 관찰만 하지는 않는다.

해설 your car is not working이 완전한 절이므로 접속사 that이 적절하다.

5 (1) collect (2) presented (3) because (4) how the castle looked (5) look them up

(1) 해석 설계자는 먼저 문제의 기존 상태를 문서화하고 관련 데이터를 수집해야 한다.

해설 조동사 must 다음에 동사 document와 collect가 and로 연결된 병렬 구조이다.

(2) 해석 대기권으로 높이 분출된 후, 화산재는 비행기에 위험을 가했다.

해설 주어는 The volcanic ash이고 after blasting high into the atmosphere는 삽입구이다. 주어 다음에는 동사가 와야 하므로 presented가 적절하다.

(3) 해석 코알라는 유칼립투스 잎의 화합물이 그들을 졸리게 했기 때문에 활동적이지 않았다.

해설 뒤에 「주어(the compounds in eucalyptus leaves)+동사(kept)」가 왔으므로 접속사인 because가 적절하다.

(4) 해석 당신의 눈에 띄는 유일한 것은 그 성이 과거에 어떻게 보였는지를 그린 거대한 그림이다.

해설 의문사 how가 이끄는 명사절이 of의 목적어 역할을 하고 있으며, 간접의문문의 어순은 「의문사+주어+동사」이므로 how the castle looked가 적절하다.

(5) 해석 그들은 고서에서 해결책을 찾기보다는 그들만의 해결책을 찾는 것을 배운다.

해설 「타동사+부사」의 목적어가 대명사일 때는 「타동사+대명사+부사」의 어순으로 쓴다. 따라서 look them up이 적절하다.

6 (1) were left (2) appeared

(1) 해석 여자들은 일이 확실히 성사되도록 하는 책임을 맡았다.

해설 누군가가 여성들에게 책임을 '맡긴' 것이므로 수동태인 were left가 적절하다.

(2) 해석 Jim의 사진이 신문에 나왔을 때, 한 기자가 그를 알아보았다.

해설 appear는 수동태로 쓸 수 없는 자동사이므로 appeared가 적절하다.

7 (1) legal (2) relatively

(1) 해석 루이지애나는 투계가 합법으로 남아 있는 유일한 주였다.

해설 remain(~한 채로 남아 있다)은 형용사를 주격보어로 취하는 동

사이이다. 따라서 legal이 적절하다.

(2) 해석 근육에 초점을 맞추는 것은 비교적 최근의 현상인 것 같다.
해설 형용사 recent를 수식하여 '비교적'이라는 뜻이 되어야 하므로 부사인 relatively가 적절하다.

8 (1) are (2) much (3) do, that

(1) 해석 콘서트 때마다 그런 음악가들을 고용할 수 있는 음악 단체는 드물다.
해설 보어 rare가 문장 앞에 쓰였으므로 주어와 동사는 도치된다. 주어는 the musical organizations이므로 복수동사인 are가 적절하다.

(2) 해석 기존의 일련의 조건들은 새로운 일련의 조건들보다 훨씬 덜 만족스럽다.
해설 비교급을 강조할 때는 much, still, even, far, a lot 등을 쓸 수 있다. 부사 very는 비교급을 강조할 수 없다. 따라서 much가 적절하다.

(3) 해석 동물들은 서로 의사소통을 한다. 돌고래들이 사용하는 것은 바로 음성 신호들이다.
해설 동사 communicate를 강조하는 do동사가 와야 하며, 주어 Animals와 수를 일치시켜 do가 적절하다. 목적어 vocal signals를 강조하는 「It is[was] ~ that」 구문이 사용되었으므로 that이 적절하다.

유형 연습

» pp. 124-127

1 ③ 2 ② 3 ④ 4 ⑤

내신·서술형 대비

1 1. The more choices we had, the more goals we set.
2. Middle Names
2 1. ⑤ 2. ③
3 1. 동메달 수상자가 은메달 수상자보다 더 행복감을 느낀다.
2. (1) participant (2) expression (3) envision
4 1. have been survived → have survived 2. ②

1 ③

지문해석

대부분의 미국인들은 가운데 이름을 갖고 있는데, 그들은 그것을 공식 문서를 작성하거나 머리글자를 쓸 때 사용한다. 그러나, 일상생활에서 가운데 이름들은 거의 사용되지 않는데, 그것들은 왜 존재하는가? 고대 로마에서, 일부 사람들은 세 개의 다른 이름들을 가졌다. 즉, 개인 이름, 성, 그리고 그들이 가문의 어느 분파에서 왔는지 알려 주는 이름. 이름이 많으면 많을수록, 더욱 더 존경받았다. 그러나 미국인의 가운데 이름의 사용은 중세에서 유래한다. 그 당시, 많은 유럽 부모들은 그들의 자녀에게 성을 주는 것과 성인 이름을 주는 것 사이에서 결정을 내릴 수 없었다. 결국, 아이들에게 이름을 처음에, 성인 이름을 두 번째에, 성을 세 번째에 주는 것이 전통이 되었다. 유럽인들이 미국으로 이주해 오기 시작했을 때, 그들은 이러한 전통을 같이 가져왔다. 오늘날, 그들이 해 왔던 것처럼 성인들의 이름을 선택하는 대신에, 많은 미국인들은 더 창의적인 가운데 이름들을 생각해 낸다.

구문해설

1행 Most Americans / have middle names, / [which they use / {when filling out official documents / or writing their initials}].
(middle names: 선행사 / which: 계속적 용법의 목적격 관계대명사절 / when filling out: 분사구문(시간) / filling out ~ writing: or로 병렬 연결됨)

대부분의 미국인들은 / 가운데 이름을 갖고 있다 / 그들은 그것을 사용한다 / 공식 문서를 작성할 때 / 또는 머리글자를 쓸 때

5행 **The more** names you had, / **the more respected** you were.
(the+비교급 ~, the+비교급 ...: ~하면 할수록, 더욱 더 …하다)

이름이 많으면 많을수록 / 더욱 더 존경받았다

12행 Today, / instead of choosing saints' names / like they used to, / many Americans come up with / more creative middle names.
(choosing: 전치사구 instead of의 목적어(동명사구) / like: ~처럼 / used to: ~하곤 했다(choose) / come up with: ~을 생각해 내다)

오늘날 / 성인들의 이름을 선택하는 대신에 / 그들이 해 왔던 것처럼 / 많은 미국인들은 생각해 낸다 / 더 창의적인 가운데 이름들을

문제해설

③ 글의 흐름으로 보아, 사람들에게 존경을 더 많이 받는 것이므로 현재분사가 아니라 과거분사 respected로 고쳐야 한다.

오답노트

① 분사구문 filling out과 등위접속사 or로 병렬 연결되어 동일한 형태인 writing으로 쓴다.
② 의문형용사 which가 branch와 함께 쓰여 '어느 분파'라는 의미로 쓰였다.
④ begin은 to부정사나 동명사 둘 다를 목적어로 취하는 동사이다.
⑤ 「used+to-v」는 '(과거에) ~하곤 했다'의 의미로 과거 유럽인들이 이름을 지었던 방식을 말한다.

내신·서술형 대비

1. **The more choices we had, the more goals we set.**
「the+비교급 ~, the+비교급 ...」은 '~하면 할수록, 더욱 더 …하다'라는 뜻으로 본문에 나온 The more names you had, the more respected you were.를 활용한다.

2. **Middle Names**
미국인들이 거의 사용하지도 않는 가운데 이름을 왜 갖고 있는지 유래를 설명한 글이다.

2 ②

지문해석

역사 전반에 걸쳐 사람들은 지식을 다른 종류로 분류하는 시도를 해 오고 있다. 이런 분류는 관련 분야에 따라 다르다. 비즈니스와 지식 관리의 경우에는, 보통 두 종류의 지식이 정의된다. 첫째는 명시적 지식으로 알려져 있고, 두 번째는 암묵적 지식으로 불린다. 명시적 지식은 책이나 다른 서면 문서에서 발견되는 것과 같이 공식적인 지식을 일컫는 반면, 암묵적 지식은 개인의 경험에서 나오는 직관적이고 정의하기 어려운 지식을 일컫는다. 이러한 구분에도 불구하고, 모든 지식은 둘 중에 하나이기보다는 이런 두 종류가 혼합되어 있는 것으로 보아야 한다. 명시적 지식은 사실상 더 단순하면서 지속적인 경쟁 우위를 제공할 수 있는 풍부한 경험적 노하우를 가지

고 있지 않다. 반면에, 암묵적 지식은 종종 노하우로 불리며, 명시적 지식이 구축될 수 있는 토대를 제공해 주면서 우리가 아는 것의 대부분을 차지한다.

구문해설

1행 Throughout history / people have been making attempts / [to classify knowledge / into different types]; / these classifications differ / based on the fields involved.
(have been making: 현재완료 진행 / to classify ~: to부정사 형용사적 용법 / based on: ~에 근거하여, ~에 따라)

역사 전반에 걸쳐 / 사람들은 시도를 해 오고 있다 / 지식을 분류하는 / 다른 종류로 / 이런 분류는 다르다 / 관련 분야에 따라

5행 Explicit knowledge refers to official knowledge, / such as that [found in books and other written documents], / [while tacit knowledge refers to intuitive, hard-to-define knowledge / {that comes from personal experience}].
(that: = knowledge / found ~: 과거분사구 / while ~: <대조>의 부사절 / that comes ~: 주격 관계대명사절)

명시적 지식은 공식적인 지식을 일컫는다 / 책이나 다른 서면 문서에서 발견되는 것과 같이 / 반면 암묵적 지식은 직관적이고 정의하기 어려운 지식을 일컫는다 / 개인의 경험에서 나오는

8행 Despite this distinction, / all knowledge should be looked at / as being a mixture of these two types / rather than being one or the other.
(Despite: ~에도 불구하고 / be looked at: look at A as B(A를 B로 보다)의 수동태 / being ~ being: rather than으로 병렬 연결된 동명사 / rather than: ~라기보다 오히려 / one or the other: 둘 중 하나)

이러한 구분에도 불구하고 / 모든 지식은 보아야 한다 / 이런 두 종류가 혼합되어 있는 것으로 / 둘 중에 하나이기보다는

12행 On the other hand, / tacit knowledge is often referred to as know-how, / and it makes up the bulk / of [what we know], / [providing a foundation / {upon which explicit knowledge can be built}].
(On the other hand: 반면에 / refer to as: ~라고 언급하다 / is often referred to: 수동태 / what ~: of의 목적어(관계사절) / providing ~: 분사구문(부대상황) / upon which ~: 목적격 관계대명사절)

반면에 / 암묵적 지식은 종종 노하우로 불리며 / 대부분을 차지한다 / 우리가 아는 것의 / 토대를 제공해 주면서 / 명시적 지식이 구축될 수 있는

문제해설

② 문장에서 동사의 주어는 knowledge가 아니라 복수명사 two types이므로 수를 일치시켜 복수동사 are로 고쳐야 한다.

오답노트

① '~하는 시도'의 의미로 형용사적 용법의 to부정사구가 뒤에서 attempts를 수식하고 있다.
③ 앞에 나온 단수명사 knowledge의 반복을 피하기 위해 사용된 단수형 지시대명사이다.
④ 둘 중 하나를 언급할 때는 one, 나머지 하나는 the other로 쓴다.
⑤ 전치사 다음에는 명사 상당어구가 와야 하므로, 선행사를 포함한 관계대명사 what의 쓰임은 적절하다.

내신·서술형 대비

1. ⑤
본문에서 field는 '분야'라는 뜻으로 쓰였는데 ⑤ location은 '위치', '장소' 등을 뜻하므로 바꿔 쓸 수 없다.

2. ③
본문의 tacit knowledge is often referred to as know-how(암묵적 지식이 종종 노하우로 불린다)로 보아 ③이 글의 내용과 일치하지 않는다.

3 ④

지문해석

올림픽 경기에서 금메달 수상자는 분명히 가장 행복한 참가자이다. 그러나 누가 두 번째로 행복할까, 은메달 수상자일까 아니면 동메달 수상자일까? 대부분의 사람들은 전자라고 추측하겠지만, 한 연구는 달리 시사한다. 그들의 표정에 기반하여 경기 후에 선수들의 감정에 순위를 매겼을 때, 연구 참가자들은 평균적으로 동메달리스트들이 은메달리스트들보다 더 행복하다고 판단했다. 이것은 은메달리스트들이 있을 수 있었던 일에 초점을 맞추기 때문이라고 여겨지는데, 그들은 그들이 조금만 더 빨리 달렸다면 또는 착지를 이뤄 냈다면 어떤 일이 일어났을까 하고 상상해 본다. 이것이 그들이 진 것처럼 느끼게 만든다. 반면에, 동메달리스트들은 그들이 간신히 메달을 땄다는 사실에 초점을 맞추는 경향이 있다. 이것은 그들을 승자처럼 느끼게 한다. 이러한 연구의 결과는 상황에 대한 우리의 만족도가 우리가 그것을 어떻게 생각하기로 결정하는지에 주로 달려 있다는 것을 보여준다.

구문해설

3행 Most people would guess the former, / but a study suggests otherwise.
(the former: 전자(= silver-medal winner) ↔ the latter(= the bronze-medal winner) / otherwise: 달리, 다르게)

대부분의 사람들은 전자라고 추측하겠지만 / 한 연구는 달리 시사한다

4행 [When rating athletes' emotions / after an event / based on their facial expressions], / the study's participants / judged the bronze medalists, / on average, / to be happier / than the silver medalists.
(When rating ~: 분사구문(~할 때) / based on: ~에 근거하여 / the study's participants: S / judged: V / to be happier: judged의 목적격보어(to부정사))

선수들의 감정에 순위를 매겼을 때 / 경기 후에 / 그들의 표정에 기반하여 / 연구 참가자들은 / 동메달리스트들을 판단했다 / 평균적으로 / 더 행복하다고 / 은메달리스트들보다

9행 Bronze medalists, / on the other hand, / tend to focus on the fact / [that they managed to win a medal].
(tend to: ~하는 경향이 있다 / the fact ~ that: 동격 / managed+to-v: 간신히 ~하다)

동메달리스트들은 / 반면에 / 사실에 초점을 맞추는 경향이 있다 / 그들이 간신히 메달을 땄다는

11행 The results of this study show / [that our level of satisfaction with a situation / depends largely on / [how we choose to view it].
S / V / show의 목적어(명사절) / depend on: ~에 달려 있다 / depends on의 목적어(의문사절)
이러한 연구의 결과는 보여 준다 / 상황에 대한 우리의 만족도가 / 주로 달려 있다는 것을 / 우리가 그것을 어떻게 생각하기로 결정하는지에

문제해설

④ 과거 사실과 반대되는 가정을 하는 가정법 과거완료 구문이므로 have run이 아니라 had run으로 고쳐야 한다.

오답노트

① clearly는 '분명히'라는 뜻의 부사로 최상급 형용사 the happiest를 수식해 주고 있다.
② 조건절이 없는 가정법 과거 구문으로 would가 쓰였다.
③ judge는 to부정사를 목적격보어로 취하는 5형식 동사이다.
⑤ depends on의 목적어로 쓰인 의문사절로, 간접의문문의 어순 「how+주어+동사」로 올바르게 쓰였다.

내신·서술형 대비

1. **동메달 수상자가 은메달 수상자보다 더 행복감을 느낀다.**
대부분의 사람들은 전자, 즉 은메달 수상자가 더 행복하다고 추측하겠지만 한 연구가 달리 시사한다고 했으므로, 동메달 수상자가 금메달 수상자 다음으로 두 번째로 행복한 수상자라는 의미이다.
2. **(1) participant (2) expression (3) envision**
(1) 명사. 활동 또는 행사에 참여하는 사람: participant(참가자)
(2) 명사. 자신의 느낌이나 생각을 보여 주는 누군가의 얼굴 모습: expression(표정)
(3) 동사. 미래에 어떤 것이 가능하거나 바람직한 가능성이라고 상상하다: envision(상상해 보다)

4 ⑤

지문해석

투구게들은 4억 5천만 년 이상 존재해 왔고 세 번의 큰 멸종 사건들에서 살아남았다. 그것들의 이름에도 불구하고, 그것들은 실제 게가 아니다. 그것들은 거미류와 더 밀접하게 관련되어 있다. 인간의 혈액과 달리, 투구게의 혈액은 파란색이다. 투구게는 우리 몸 전체로 산소를 운반하는 물질인 헤모글로빈을 사용하지 않는다. 대신에, 그것들은 산소를 운반하기 위해 구리를 함유하는 헤모시아닌을 사용한다. 이것이 그것들의 피가 특이한 파란색조인 이유이다. 혈액이 박테리아와 접촉하면, 그것이 박테리아를 감싸고 단단한 물질을 형성한다. 응고라고 불리는 이 작용은 박테리아를 가두어 박테리아가 게의 다른 부분들로 퍼지는 것을 막는다. 이런 응고제는 LAL로 알려진 용액을 만드는 데 사용되고, 그것은 약품과 백신의 박테리아 오염을 감지할 수 있다. LAL이 발견되기 전에, 연구자들은 실험실 동물들에게 백신과 다른 약품들을 주사하고 동물들이 부작용을 겪는지를 보기 위해 기다리는 실험을 했다.

구문해설

4행 Horseshoe crabs do not use hemoglobin, / the substance [that transports oxygen / throughout our bodies].
동격 / 주격 관계대명사절
투구게는 헤모글로빈을 사용하지 않는다 / 산소를 운반하는 물질인 / 우리 몸 전체로

6행 Instead, / they use hemocyanin, / [which contains copper,] / to transport oxygen.
선행사 / 계속적 용법의 주격 관계대명사절 / to부정사 부사적 용법(목적)
대신에 / 그것들은 헤모시아닌을 사용한다 / 구리를 함유하는 / 산소를 운반하기 위해

9행 This action, / called clotting, / traps the bacteria, / [stopping it from spreading / to other parts of the crab].
과거분사구 / stop A from v-ing: A가 ~하는 것을 막다 / 분사구문(부대상황)/it = the bacteria
이 작용은 / 응고라고 불리는 / 박테리아를 가두어 / 박테리아가 퍼지는 것을 막는다 / 게의 다른 부분들로

10행 This clotting agent is used / to make a solution / [known as LAL], / [which can detect bacterial contamination / in medicines and vaccines].
수동태 / to부정사 부사적 용법(목적) / 과거분사구 / 선행사 / 계속적 용법의 주격 관계대명사절
이런 응고제는 사용되고 / 용액을 만드는 데 / LAL로 알려진 / 그것은 박테리아 오염을 감지할 수 있다 / 약품과 백신의

문제해설

⑤ wait는 앞에 나온 injecting과 접속사 and로 병렬 연결되어 전치사 by의 목적어로 사용된 것이므로 동명사 waiting으로 고쳐야 한다.

오답노트

① 분사 형태의 형용사 related를 수식하는 부사 closely가 쓰였다.
② 선행사 the substance를 수식하는 주격 관계대명사 that이 쓰였다.
③ 부대상황을 나타내는 분사구문으로 쓰였다.
④ '~하기 위해'라는 뜻의 목적을 나타내는 부사적 용법의 to부정사이다.

내신·서술형 대비

1. **have been survived → have survived**
survive는 '~에서 살아남다'라는 뜻의 자동사로, 수동태로 쓸 수 없는 동사이므로 have survived로 고쳐야 한다.
2. **②**
투구게라는 이름에도 불구하고 실제 게가 아니라 거미류에 가깝다고 했을 뿐 조상이 게인지는 알 수 없으므로 ②가 글의 내용과 일치하지 않는다.

19 어휘

기출 풀기

>> p. 128

정답 ⑤

지문해석

고대 이집트와 메소포타미아 사람들은 서구 사회의 철학적 선조였다. 그들의 세계관에서 자연은 삶의 투쟁 속에 있는 적은 아니었다. 오히려, 인간과 자연은 한 배를 탄, 같은 이야기 속에 있는 동반자였다. 인간은 자신 그리고 다른 사람들을 생각하는 것과 같은 방식으로 자연계를 생각했다. 자연계는 마치 인간들처럼 생각, 욕구 그리고 감정을 가지고 있었다. 그러므로, 인간과 자연의 영역은 구분이 불분명했으며 인지적으로 다른 방식으로 이해될 필요는 없었다. 자연 현상들은 인간의 경험과 똑같은 방식으로 상상되었다. 이러한 근동 지역의 고대인들은 인과 관계를 인식하고는 있었지만, 그것에 대해서 숙고할 때에는 '무엇'의 관점보다는 '누구'의 관점에서 접근했다. 나일강이 불어났을 때, 그것은 비가 왔기 때문이 아니라 그 강이 그러기를 원했기 때문이다.

구문해설

4행 Man thought of the natural world / in the same terms / [**as** he thought of himself and other men].
(Man: S, thought: V / as: <양태>의 부사절(~하는 것처럼, ~하는 대로))
인간은 자연계를 생각했다 / 같은 방식으로 / 자신 그리고 다른 사람들을 생각하는 것처럼

9행 These ancients of the Near East / did recognize the relation of cause and effect, / but [**when speculating** about it] / they came from a "who" / rather than a "what" perspective.
(did recognize: 동사 recognize 강조 / when speculating: 분사구문 / it: = the relation of cause and effect / rather than: ~라기보다는 오히려)
이러한 근동 지역의 고대인들은 / 인과 관계를 인식하고 있었지만, / 그것에 대해서 숙고할 때에는 / '누구'의 관점에서 접근했다 / '무엇'의 관점보다는

11행 When the Nile rose, / it was [**because** the river wanted to], / **not** [**because** it had rained].
(because A, not because B: B 때문이 아니라 A 때문에 / to: (rise) / had rained: 과거완료(강이 불어난 것보다 이전))
나일강이 불어났을 때 / 그것은 그 강이 그러기를 원했기 때문이었다 / 비가 왔기 때문이 아니라

유형 연습

>> pp. 131-136

1 ③ 2 ③ 3 ⑤ 4 ④ 5 ④ 6 ⑤

내신·서술형 대비

1 1. E-cigarettes, harmful, our health, normal cigarettes 2. (1) 동맥 내 지방 침전물 증가 (2) 정상적인 혈액 순환을 방해하는 과정과 반응 유발
2 1. the time they already spent watching it 2. fallacy
3 1. honest, feel, conflict, perspective 2. (1) argument (2) relationship
4 1. it boosts → does it boost 2. ③
5 1. He lost the election due to the fact that 2. 젊은이들이 학교에 더 오래 다니고 결혼과 부모가 되는 것을 미루기 때문에
6 1. themselves 2. relativism, anthropologists

1 ③

지문해석

많은 사람들이 전자 담배가 해롭지 않다고 믿고 있지만, 연구는 이것이 사실이 아니라는 것을 보여 주었다. 비흡연자에 비해, 전자 담배 이용자들은 뇌졸중을 겪을 가능성이 71퍼센트 더 높다. 그들은 또한 심장 마비에 걸릴 위험이 59퍼센트 더 높으며, 심장 질환이 생길 위험이 40퍼센트 더 높다. 이는 전자 담배를 피우는 것이 동맥에서 발견되는 지방 침전물의 증가에 기여하기 때문일 수 있다. 그것은 또한 몸 전체의 정상적인 혈액 순환을 방해할 수 있는 과정과 반응을 일으킨다. 결국, 이것은 심장 마비나 뇌졸중을 유발할 수 있다. 이는 사실상 일반 담배를 피워서 야기되는 것과 똑같은 위험한 패턴이다. 그러므로, 건강을 개선하기 위해, 사람들은 전자 담배를 포함한 모든 종류의 담배를 끊어야 한다.

구문해설

2행 [**Compared** with non-users], / e-cigarette users **are** 71 percent / more **likely to** suffer a stroke.
(Compared: 비인칭 독립분사구문(~와 비교하여) / e-cigarette users: S / be likely+to-v: ~할 것 같다)
비흡연자에 비해 / 전자 담배 이용자들은 71퍼센트 더 높다 / 뇌졸중을 겪을 가능성이

5행 This may be [**because** smoking e-cigarettes contributes to an increase / in the fatty deposits / {**found** in the arteries}].
(because: <이유>의 부사절 / found: 과거분사구)
이는 전자 담배를 피우는 것이 증가에 기여하기 때문일 수 있다 / 지방 침전물에 / 동맥에서 발견되는

7행 It also causes processes and reactions / [**that** can interfere with the normal circulation of blood / through the body].
(that: 주격 관계대명사절 / interfere with: ~을 방해하다)
그것은 또한 과정과 반응을 일으킨다 / 일반적인 혈액 순환을 방해할 수 있는 / 몸 전체에서

9행 This is actually the same dangerous pattern / [**caused** by smoking normal cigarettes].
(caused: 과거분사구 / smoking: 전치사 by의 목적어(동명사))
이는 사실상 똑같은 위험한 패턴이다 / 일반 담배를 피워서 야기되는 것과

문제해설

(A) 이후 내용은 전자 담배 이용자들이 뇌졸중, 심장 질환에 걸릴 가능성이

높다는 내용의 연구 결과를 말하고 있다. 즉, 사람들이 믿는 내용과 반대되는 내용이 되어야 하므로 harmless가 적절하다.
(B) 전자 담배를 사용하는 것이 동맥 내 지방 침전물의 증가에 '기여한다'는 내용이 되어야 하므로 contributes가 적절하다.
(C) 정상적인 혈액 순환을 '방해하는' 과정과 반응을 일으킨다는 내용이므로 interfere가 적절하다.

내신·서술형 대비

1. **E-cigarettes, harmful, our health, normal cigarettes**
   전자 담배도 일반 담배만큼 우리 건강에 해롭다고 하였으므로 as ~ as 원급 비교 구문에 맞게 쓴다.
2. **(1) 동맥 내 지방 침전물 증가 (2) 정상적인 혈액 순환을 방해하는 과정과 반응 유발**
   본문 5-8행 참고

2 ③

지문해석

위협과 잠재적 손실을 피하는 것은 초기 인류에게 종종 생사의 문제였다. 이 때문에, 우리는 지금 이득의 가능성보다는 손실의 가능성을 더욱 중요하다고 여긴다. 오늘날 삶은 훨씬 더 안전해졌지만, 우리 뇌는 여전히 우리 조상들의 뇌처럼 작동하는데, 이는 우리가 비합리적인 결정을 하기 쉽게 만든다. 한 가지 예는 매몰 비용의 오류를 들 수 있다. 매몰 비용이란 다시 되돌릴 수 없는 시간, 돈, 또는 노력의 투자이다. 예를 들어, 당신이 극장에서 영화의 첫 30분을 본 후에 그것이 형편없다는 것을 깨달았다고 상상해 보라. 당신이라면 어떻게 하겠는가? 많은 사람들은 매몰 비용, 즉 이미 그것을 보는 데 쓴 시간과 티켓을 사는 데 쓴 돈을 정당화하기 위해 그냥 계속 보는 것을 선택할 것이다. 하지만 조금 더 재미있는 무언가를 하는 데 남은 90분을 쓰는 것이 더 합리적일 것이다.

구문해설

2행 Because of this, / we now **consider** / the prospect of loss **to be more important** / than the possibility of gains.
(Because of: ~ 때문에 / consider+목적어+목적격보어(to부정사): ~가 …하다고 여기다 / 비교급+than: ~보다 더 …한)
이 때문에 / 우리는 지금 여긴다 / 손실의 가능성을 더욱 중요하다고 / 이익의 가능성보다

3행 Life is much safer today, / but [our brains still work / like those of our ancestors], / [**which** makes us prone to making irrational decisions].
(much: 비교급 강조 / those = brains / 선행사 / which: 계속적 용법의 관계대명사절 / make+목적어+목적격보어(형용사) / 전치사 to의 목적어(동명사구))
오늘날 삶은 훨씬 더 안전하지만 / 우리 뇌는 여전히 작동하는데 / 우리 조상들의 뇌처럼 / 이것은 우리가 비합리적인 결정을 하기 쉽게 만든다

9행 Many people would choose / to **keep watching**, / in order to justify their sunk cost / — the time [(that) they already spent watching it] / and the money [(that) they spent on the ticket].
(keep+v-ing: 계속해서 ~하다 / to부정사 부사적 용법(목적) / 목적격 관계대명사절 / 목적격 관계대명사절)
많은 사람들은 선택할 것이다 / 계속 보는 것을 / 매몰 비용을 정당화하기 위해 / 즉, 이미 그들이 그것을 보는 데 쓴 시간 / 그리고 티켓을 사는 데 쓴 돈을

문제해설

(A) 손실의 '가능성'을 이익의 가능성보다 더욱 중요하게 여긴다는 내용이므로 prospect가 적절하다.
(B) 오늘날 생존이 쉬워졌지만 여전히 조상들의 뇌처럼 우리의 뇌는 비합리적인 결정을 '하기 쉽게' 작동한다는 내용이므로 prone이 적절하다.
(C) 이미 써 버린 시간과 돈의 매몰 비용을 '정당화하기' 위해서 계속해서 재미없는 영화를 본다는 내용이므로 justify가 적절하다.

내신·서술형 대비

1. **the time they already spent watching it**
   '그들이 이미 그것을 보는 데 쓴 시간'에서 '시간'은 수식을 받고, '~을 하는 데 시간을 보내다'는 「spend+v-ing」이므로 the time they already spent watching it으로 써야 한다.
2. **fallacy**
   명사. 많은 사람들이 진실이라고 믿지만, 잘못된 정보나 추론에 바탕을 두고 있기 때문에 사실상 거짓인 생각(fallacy: 오류)

3 ⑤

지문해석

관계에 관여된 사람들은 갈등을 피할 수 없다. 그 갈등이 잘 처리된다면, 실제로 관계를 더 강하게 만들어 줄 수 있다. 그렇지 않다면, 부정적인 영향을 끼칠 수 있으며, 빈번한 논쟁과 불편한 침묵을 불러일으킨다. 당신이 갈등을 적절히 처리하도록 확실하게 하는 한 가지 방법은 당신이 어떻게 느끼고 있는지와 당신이 무엇을 필요로 하는지에 대해 솔직하고 개방적인 상태가 되는 것이다. 동시에, 당신은 상대방의 감정과 요구를 받아들이고 존중해야 한다. 다른 사람들이 어떻게 느끼고 있을지 상상함으로써 그들과 더 잘 공감할 수 있다. 이는 상대방의 관점에서 갈등을 바라보게 해 줄 것이다. 사람들이 항상 서로에게 동의해야 할 필요는 없다. 우리를 인간으로서 독특하게 만들어 주는 것은 우리 모두가 다른 관점을 가지고 있다는 것이다. — 우리의 관계를 흥미진진하고 특별하게 만드는 데 도움을 주는 것은 바로 이런 획일성(→ 다양성)이다.

구문해설

1행 People [**involved** in relationships] / can't avoid conflict.
(People: S / involved ~: 과거분사구 / can't avoid: V)
관계에 관여된 사람들은 / 갈등을 피할 수 없다

4행 One way / [**to ensure** {(that) you handle conflict appropriately}] / is by being honest and open / about [**how** you feel and **what** you need].
(One way: S / to ensure: to부정사 형용사적 용법 / (that): ensure의 목적어(명사절) / is: V / 전치사 about의 목적어(의문사절)이 and로 병렬 연결됨)
한 가지 방법은 / 당신이 갈등을 적절히 처리하도록 확실하게 하는 / 솔직하고 개방적인 상태가 되는 것이다 / 당신이 어떻게 느끼고 있는지와 당신이 무엇을 필요로 하는지에 대해

7행 You can sympathize / with other people better / by imagining / [how they must be feeling].
by+v-ing: ~함으로써
imagining의 목적어(의문사절)
당신은 공감할 수 있다 / 다른 사람들과 더 잘 / 상상함으로써 / 그들이 어떻게 느끼고 있을지

10행 [**What** makes us unique as human beings] / is [**that** we all have different views / — **it is** this diversity / {**that** helps make our relationships exciting and special}].
선행사를 포함한 관계대명사
S(관계사절)
「it is[was] ~ that」강조 구문
V 주격보어(명사절)
주어 강조
make+목적어+목적격보어(형용사)
우리를 인간으로서 독특하게 만들어 주는 것은 / 우리 모두가 다른 관점을 가지고 있다는 것이다 / 바로 이런 다양성이다 / 우리의 관계를 흥미진진하고 특별하게 만드는 데 도움을 주는 것은

문제해설

인간을 독특하게 만들어 주는 것은 각자 다른 관점을 가지고 있다는 점이고, 이런 '다양성'이 관계를 흥미진진하고 특별하게 만든다는 내용이 적절하므로, ⑤의 uniformity(획일성)는 diversity(다양성)로 바꿔야 자연스럽다.

내신·서술형 대비

1. **honest, feel, conflict, perspective**
갈등을 해결하기 위해서는 자신의 감정과 필요에 대해 솔직하고 개방적이어야 하고, 다른 사람의 관점에서 갈등을 바라보아야 한다.

2. **(1) argument (2) relationship**
(1) 명사. 성난 토론이나 두 명 이상의 의견이 엇갈리는 상황: argument(논쟁)
(2) 명사. 두 사람 또는 두 집단이 서로에 대해 느끼고 행동하는 방식: relationship(관계)

4 ④

지문해석

부모들과 아이들이 함께 독서를 할 때, 장점들이 많다. 그것은 아이들에게 있어서 언어 발달을 촉진시킬 뿐만 아니라, 그들의 부모들과의 유대감도 강화시킨다. 그러나 모든 책 유형들이 동일한 것은 아니다. 연구는 종이책이 전자책보다 부모-자녀 간의 상호 관계를 높여주는 데 있어서 더 우월하다는 것을 시사한다. 한 연구에서, 연구자들은 독서 활동에 참가하는 37쌍의 부모-유아를 관찰했다. 연구 중에, 부모들은 3가지 종류의 책, 즉 종이책, 전자책, 그리고 음향 효과와 애니메이션이 있는 전자책을 사용했다. 연구자들은 전자책을 읽는 부모와 유아들이 더(→ 덜) 상호 작용을 하며, 그들의 시간 중 많은 부분을 장치를 사용하는 방법을 설명하는 데 쓴다는 것을 발견했다. 이것은 독서를 하는 중에 아이들이 부모들과 자유롭게 대화할 기회를 막는다. 전자책과 달리, 종이책은 아이의 독서에 대한 사랑을 강화시키고, 나이가 들어감에 따라 그것을 향상시키는 좋은 상호 작용을 촉진한다.

구문해설

1행 **Not only** does it boost language development / in children, / it **also** strengthens their bond / with their parents.
부정어가 문장 앞에 나와서 주어(it)와 동사(boosts)가 도치되어 does it boost로 쓰임
not only A (but) also B: A뿐만 아니라 B도
그것은 언어 발달을 촉진시킬 뿐만 아니라 / 아이들에게 있어서 / 유대감도 강화시킨다 / 그들의 부모들과의

8행 The researchers found / [**that** the parents and toddlers {**reading** e-books} / interacted less / and spent much of their time / explaining {**how to** use the device}].
found의 목적어(명사절)
현재분사구
interacted와 spent가 and로 병렬 연결됨
spend+시간+v-ing: ~하는 데 시간을 보내다
explaining의 목적어(「의문사+to부정사 구문」)
연구자들은 발견했다 / 전자책을 읽는 부모와 유아들이 / 덜 상호 작용을 하며 / 그들의 시간 중 많은 부분을 쓴다는 것을 / 장치를 사용하는 방법을 설명하는 데

10행 This hinders / the children's opportunity to freely communicate / with their parents / [**while** reading].
to부정사 형용사적 용법
(they are) <시간>의 부사절
이것은 막는다 / 아이들이 자유롭게 대화할 기회를 / 부모들과 / 독서를 하는 중에

문제해설

서두에서 종이책이 전자책보다 부모-자녀 간의 상호 관계를 높여주는 데 있어 우월하다고 했고, 전자책은 부모와 아이들이 장치에 관한 설명에 많은 시간을 쓰게 하여 서로 자유로운 대화 기회를 막는다고 했으므로 '더' 상호 작용을 하는 것이 아니라 '덜' 상호 작용을 한다는 내용이 적절하다. 따라서 ③의 more(더)를 less(덜)로 바꿔야 자연스럽다.

내신·서술형 대비

1. **it boosts → does it boost**
문두에 부정어가 나오면 주어와 동사가 도치되는데 일반동사 boosts가 쓰였으므로 it에 맞는 do동사 does를 주어 앞에 쓰고 boosts를 원형으로 써야 한다.

2. **③**
전자책을 읽을 때는 부모와 아이들의 상호 작용이 덜 하고 장치 사용법에 대해 말을 많이 하게 된다고 하였으므로 ③이 글의 내용과 일치한다.

5 ④

지문해석

우리는 청소년기, 즉 아이들이 성인이 되는 시기를 보는 방식을 바꿔야 할 필요가 있을지도 모른다. 호주의 과학자들은 이제 청소년기가 10세라는 이른 나이에 시작해서 24세까지 지속될 수 있다고 말한다. 이것은 부분적으로 사춘기가 과거에 그랬던 것보다 더 일찍 시작되고 있다는 사실에 기인한다. 사춘기는 14세쯤에 시작되곤 했는데, 영양 상태의 변화는 이제 사춘기가 더 빨리, 때로는 10세 때 시작된다는 것을 의미한다. 청소년기의 상한 연령이 높아진 이유는 대개 사회적인 것이다. 젊은이들은 현재 학교에 더 오래 다니며 결혼과 부모가 되는 것을 미룬다. 과학자들은 사회가 일부 법령들을 바꾸면서 이런 더 넓은 범위의 청소년기에 맞춰야 한다고 말한다. 많은 나라에서, 사람들은 법적으로 18세에 성인이 되지만, 실제적인 성인

의무들의 채택은 더 일찍(→ 더 늦게) 발생하고 있다. 실제로 나라마다 법적 성인 연령에는 큰 차이가 있다. 예를 들어, 인도네시아에서는 그것이 15세지만, 싱가포르에서는 21세이다.

구문해설

1행 We may need to change the way / [we view adolescence] / — the period / [**when** children become adults].
관계부사절(방법) / 관계부사절(시간)

우리는 방식을 바꿔야 할 필요가 있을지도 모른다 / 우리가 청소년기를 보는 / 즉 아이들이 성인이 되는 시기를

2행 Scientists in Australia now say / [(that) adolescence can start / as early as the age of 10 / and continue until the age of 24].
S / 전치사구 / say의 목적어절(명사절) / ~까지(전치사)

호주의 과학자들은 이제 말한다 / 청소년기가 시작해서 / 10세라는 이른 나이에 / 24세까지 지속될 수 있다고

3행 This is partly due to the fact / [**that** puberty is beginning earlier / than it did / in the past].
동격 / = puberty / = began

이것은 부분적으로 사실에 기인한다 / 사춘기가 더 일찍 시작되고 있다는 / 그랬던 것보다 / 과거에

6행 The reason / (why) [the upper age of adolescence has increased] / is largely social.
S / 관계부사절(이유) / V

이유는 / 청소년기의 상한 연령이 높아진 / 대개 사회적인 것이다

문제해설

대부분의 나라에서는 법적으로 18세에 성인이 되지만 젊은이들이 학교에 더 오래 다니며 결혼과 부모가 되는 것을 미룬다고 하였다. 이런 사회적인 이유로 인해 실제 성인으로서의 의무는 더 늦어진다는 내용이 적절하므로, ④ earlier(더 일찍)를 later(더 늦게)로 바꿔야 자연스럽다.

내신·서술형 대비

1. **He lost the election due to the fact that**
   '~로 인해'는 due to로 쓰고, '~라는 사실'은 동격 구문 the fact that으로 쓴다.
2. **젊은이들이 학교에 더 오래 다니고 결혼과 부모가 되는 것을 미루기 때문에**
   본문 7-8행 참고

6 ⑤

지문해석

인류학은 넓은 범위의 인간의 행동을 더 잘 이해하기 위해서 다양한 인간의 집단을 비교한다. 그것은 다른 사람들의 가치를 판단하거나 사회를 '덜 발달된'과 '발달된'과 같은 범주로 분류하지는 않는다. 하지만, 인류학자들은 사람들의 행동에 대한 모든 판단을 유보하지는 않는다. 예를 들어, 그들은 문화라는 명목으로 행해지는 폭력을 변호하지 않을 것이다. 대신에, 그들은 왜 사람들이 그들이 하는 방식으로 행동하는지와 그들이 스스로를 어떻게 생각하는지를 이해하려고 한다. 이는 문화 상대주의로 알려져 있고, 그것은 인류학자들에게 필수적인 도구이다. 이것은 각자 자기들만의 내부 논리를 가지고 있어서, 사회를 서로 질적으로 다르다고 여긴다. 예를 들어, 어떤 사회는 읽고 쓰는 능력에서 등수가 낮을 수 있지만, 만약 사회 구성원들이 책에 관심이 없다면 이는 아마도 무의미한 것으로 판명될 수 있다. 문화 상대주의자들은 결코 한 사회가 다른 사회보다 더 낫다고 부정하지(→ 주장하지) 않을 것이다.

구문해설

6행 Instead, / they seek to understand / [**why** people act / the way {they do}] / and [**how** they view themselves].
understand의 목적어(의문사절) / 관계부사절 / understand의 목적어(의문사절)

대신에 / 그들은 이해하려고 한다 / 왜 사람들이 행동하는지와 / 그들이 하는 방식으로 / 어떻게 그들이 스스로를 생각하는지를

8행 It sees societies / as being qualitatively different from one another, / each (being) with its own inner logic.
see A as B: A를 B로 여기다

그것은 사회를 여긴다 / 질적으로 서로 다르다고 / 각자 자기들만의 내부 논리를 가지고 있어서

문제해설

문화 상대주의 관점에서 사회는 각자 내부 논리를 가지고 있어서 질적으로 서로 다른 것으로 여긴다고 하였고, 따라서 문화 상대주의자들은 결코 어떤 사회가 다른 사회보다 더 낫다고 '주장하지' 않는다는 내용이 적절하므로, ⑤ deny(부정하다)는 argue(주장하다)로 바꿔야 자연스럽다.

내신·서술형 대비

1. **themselves**
   문맥상 주어 they(people)와 같은 대상을 가리키므로 재귀대명사 themselves로 고쳐야 한다.
2. **relativism, anthropologists**
   본문의 7-8행에 의하면 문화 상대주의(cultural relativism)는 인류학자들(anthropologists)에게 필수적인 도구이다. indispensable은 '없어서는 안 될, 필수적인'이라는 뜻이다.

1회 미니 모의고사

» pp. 138-143

01 ② 02 ⑤ 03 ③ 04 ② 05 ④ 06 ③ 07 ② 08 ③
09 ② 10 ③ 11 ④ 12 ②

01 ②

지문해석

지난달에 내 친구 Jason과 나는 숲속 깊이 있는 호수로 캠핑을 가기로 결심했다. 우리는 낮에는 호수에서 송어를 낚으면서 보냈다. 우리는 우리의 행운을 믿을 수가 없었다. 우리는 연이어 배 위로 물고기를 낚아 올렸는데 모든 물고기가 전보다 더 컸다. 일단 법정 한도만큼 잡은 후 우리는 호숫가로 돌아와 캠프파이어를 시작했다. 야외에 피운 불에 구운 싱싱한 송어보다 더 맛있는 것은 없다. 우리가 식사를 하는 도중에 해가 졌다. 그때 Jason이 유령 이야기를 말하기 시작했다. Jason은 이야기를 참 잘했지만, 때때로 그의 이야기들은 너무 사실적이었다. 그가 밤에 숲을 떠돌아다니는 악마 개에 대해 말했을 때, 내 가슴 속에서 심장이 쿵쾅거리기 시작했다. 사악한 개에 대한 생각은 너무 끔찍했다. 바로 그때, 어둠 속에서 개 한 마리가 짖기 시작했다.

구문해설

7행 **There's nothing** / **more** delicious / **than** fresh trout / [**roasted** over an open fire].
there's nothing more ~ than …: …가 가장 ~하다
(최상급 의미 = Fresh trout roasted over an open fire is the most delicious.)
과거분사구

~가 없다 / 더 맛있는 것은 / 싱싱한 송어보다 / 야외에 피운 불에 구운

9행 That's (the time) / [**when** Jason started telling / ghost stories].
관계부사절

그때 / Jason이 말하기 시작했다 / 유령 이야기를

12행 As he talked about a devil dog / [**that** roamed the woods at night], / my heart began to pound in my chest.
접속사(~할 때) / 주격 관계대명사절

그가 악마 개에 대해 말했을 때 / 밤에 숲을 떠돌아다니는 / 내 가슴 속에서 심장이 쿵쾅거리기 시작했다

문제해설

② 주인공은 친구 Jason과 캠핑을 갔다가 낚시를 했는데 송어가 잘 잡혀서 기분이 좋았다가(delighted), Jason이 무서운 이야기를 하자 겁에 질린(scared) 상황이다.
① 흥분한 → 지루한
③ 걱정되는 → 편안한
④ 즐거운 → 성가신
⑤ 의심스러운 → 만족한

어휘

trout 송어 head back 돌아가다 shore 호숫가, 기슭 roast 굽다 roam 돌아다니다 bark 짖다

02 ⑤

지문해석

체육 수업은 학생들에게 규칙적으로 운동하는 기회를 제공하기 때문에 중요하다. 체육 수업에는 심장박동을 높이고, 맥박수를 증가시키며, 신진대사가 원활하게 되도록 하는 활동들이 있다. 체육 수업에는 또한 공을 잡거나 과녁에 화살을 맞추는 것과 같은 조정력을 향상시키기 위해 고안된 활동들도 있다. 이러한 수업들과 관련된 육체적 노력은 기분을 좋게 만들고 즐거운 감정들을 만들어 낸다고 여겨지는 호르몬인 엔도르핀의 생산을 촉진한다. 이것은 학생들로 하여금 다음 수업에 상쾌하고 편안한 기분으로 수업에 집중할 준비가 된 채 임하도록 한다. 마지막으로, 학생들은 체육 시간에 규칙을 따르며 사회적 기술을 향상시킬 수 있다. 시합 도중에 말다툼이 일어난다 하더라도 교사들은 이런 순간을 학생들에게 긍정적인 방식으로 갈등을 해결하는 방법을 가르치는 데 사용할 수 있다. 최근에 체육 수업의 수를 줄여야 한다는 요청이 있어 왔지만, 그것들은 지금 그대로 남아 있어야 한다.

구문해설

3행 They include activities / [**that raise** the heart rate, / **increase** the pulse rate, / and **get** the metabolism working].
주격 관계대명사절
that절의 동사 raise, increase, get이 and로 병렬 연결

체육 수업에는 활동들이 포함되어 있다 / 심장박동을 높이고 / 맥박수를 증가시키며 / 신진대사가 원활하게 되도록 하는

8행 The physical effort / [**involved** in these classes] / promotes the production of endorphins, / hormones [**believed** to improve mood / and (to) create pleasurable feelings].
S / 과거분사구 / V / 동격 / 과거분사구 / 병렬 연결

육체적 노력은 / 이러한 수업들과 관련된 / 엔도르핀의 생산을 촉진한다 / 기분을 좋게 만든다고 여겨지는 호르몬인 / 그리고 즐거운 감정들을 만들어 낸다고

문제해설

체육 수업이 학생들의 기분을 좋게 만들고 엔도르핀 생산을 촉진하여 다른 수업에 집중하도록 도와주며, 규칙을 따르고 갈등을 긍정적으로 풀어가는 방법을 배울 수 있으므로 체육 수업을 존속시켜야 한다고 마지막 문장에서 언급하고 있다. 그러므로 필자의 주장으로 가장 적절한 것은 ⑤이다.

어휘

pulse rate 맥박수 coordination (신체 동작의) 조정력 arrow 화살 involved in ~에 관련된 pleasurable 즐거운, 기분 좋은 focus on ~에 집중하다 dispute 말다툼, 논쟁 competition 시합, 경쟁 resolve 해결하다 conflict 갈등 positive 긍정적인

03 ③

지문해석

오늘날의 경제는 일반적으로 산업적이다. 기업들과 제조사들은 상품을 만들어 내기 위해 기계와 인공적인 재료들에 의존한다. 하지만, 우리가 바이오 경제를 향해 움직이고 있는 것은 필연적인 것으로 보인다. 재생 가능한 생물 자원을 만들어 내고 이 자원들과 폐기물을 음식, 사료, 생체 기반 상

품, 바이오 에너지와 같은 부가 가치 상품들로 전환시키는 것은 바이오 경제를 여는 열쇠이다. 예를 들어, 사탕수수, 옥수수와 심지어 동물의 배설물 같은 자연 물질이 기름과 비료뿐 아니라 바이오 연료를 만드는 데 쓰일 수 있다. 사실, 생물학적 처리의 산업적 적용과 정제에는 무한한 가능성이 있다. 우리가 일을 하는 방식에서의 그런 변화는 어려운 일이 되겠지만, 또한 흥미진진한 일이 될 것이다. 우리는 다 같이 우리 행성에 해를 덜 끼치는 대안들로 오래된 공장과 기계를 대체할 방법을 찾을 수 있다. 미래가 다가오고 있으며, 우리는 모두를 위해 이를 더 영리하고 깨끗하고, 좋은 것으로 만들 수 있는 기회를 가지고 있다.

구문해설

5행 [**Producing** renewable bioresources / and **converting** these resources and waste into value-added products / {**such as** food, feed, bio-based products and bioenergy}] / are key to the bioeconomy.

S(두 개의 동명사구가 병렬 연결) / convert A into B: A를 B로 바꾸다 / ~와 같은 / V

재생 가능한 생물 자원을 만들어 내는 것 / 그리고 이 자원들과 폐기물을 부가 가치 상품들로 전환시키는 것은 / 음식, 사료, 생체 기반 상품, 바이오 에너지와 같은 / 바이오 경제를 여는 열쇠이다

8행 For example, / natural materials / [**such as** sugarcane, corn and even animal waste] / can be used to make biofuels, / **as well as** oils and fertilizers.

S / ~와 같은 / be used to-v: ~하기 위해서 사용되다 / B as well as A: A뿐만 아니라 B도

예를 들어 / 자연 물질들이 / 사탕수수, 옥수수와 심지어 동물 폐기물 같은 / 바이오 연료를 만드는 데 쓰일 수 있다 / 기름과 비료뿐 아니라

15행 Together, / we can find ways / [**to replace** old factories and machines / **with** alternatives {**that** do less harm to our planet}].

replace A with B: A를 B로 대체하다 / to부정사 형용사적 용법 / 주격 관계대명사절

다 같이 / 우리는 방법을 찾을 수 있다 / 오래된 공장과 기계를 대체할 / 우리 행성에 해를 덜 끼치는 대안들로

문제해설

천연 재료와 재생 가능한 자원으로 인간에게 덜 해로운 상품을 만들어 내는 바이오 경제의 도래가 기계와 인공적인 재료들에 의존적인 기존 경제를 대체할 좋은 대안이 될 수 있다는 내용이므로, 글의 요지로 가장 적절한 것은 ③이다.

어휘

mostly 일반적으로, 주로 manufacturer 제조사 artificial 인공적인 goods 상품 inevitable 필연적인 bioeconomy 바이오 경제 bioresource 생물 자원 convert 전환시키다 feed 사료 sugarcane 사탕수수 biofuel 바이오 연료 fertilizer 비료 refinement 정제 process 가공, 처리 challenging 도전적인, 어려운 replace 대체하다 alternative 대안 do harm 해를 끼치다

04 ②

지문해석

Under the Waterfall

동아시아 최고의 인기 보트 투어

Yellow River 폭포를 경험할 수 있는 최고의 장소는 바로 그 아래에서입니다. Under the Waterfall 보트 여행은 당신을 폭포에 가능한 한 가장 가까이 데려가 줄 것입니다!

• **가격**

표 종류	나이	가격
성인	13세 이상	19달러
아동	5 ~12세	11달러
유아	4세 이하 (성인 동반)	무료

※ 표 가격에는 일반적으로 인당 1.25달러인 본관에서 부두까지의 엘리베이터 탑승 비용이 포함되어 있습니다. 우비도 지급됩니다.

• **운영 시간**

- 평일: 매 30분마다, 오전 9시~오후 5시
- 주말: 매 30분마다, 오전 9시~오후 6시

• 사전 예약을 받지 않습니다.
• 표 가격과 여행 일정은 공지 없이 변경될 수 있습니다.
• 매표소는 매일 마지막으로 예정된 출발 15분 전에 문을 닫습니다.
• 적은 양의 비는 Under the Waterfall 여행을 중단시키지 않을 것입니다! 극도로 좋지 않은 날씨일 경우에만 출발이 취소됩니다.

구문해설

3행 The best place / [to experience the Yellow River Waterfall] / is from underneath it.

S / to부정사 형용사적 용법 / V / = the Yellow River Waterfall

최고의 장소는 / Yellow River 폭포를 경험할 수 있는 / 바로 그 아래에서이다

4행 The Under the Waterfall boat tour will take you / **as close** to the waterfall **as possible**!

as+형용사/부사 원급+as possible: 가능한 한 ~한[하게]

Under the Waterfall 보트 여행은 당신을 데려가 줄 것이다 / 폭포에 가능한 한 가장 가까이

12행 Ticket prices include the elevator ride / **from** the main building down **to** the dock, / [**which** normally costs $1.25 per person].

선행사 / from A to B: A에서 B까지 / 계속적 용법의 관계대명사절(= and it)

표 가격에는 엘리베이터 탑승이 포함되어 있다 / 본관에서 부두까지 / 일반적으로 인당 1.25달러인

문제해설

표 가격에 엘리베이터를 타는 비용이 포함되어 있다고 했으므로 ②가 안내문의 내용과 일치하지 않는다.

어휘

waterfall 폭포 underneath ~ 밑에 accompany ~을 동반하다, 동행하다 dock 부두 cost (비용이) 들다 per ~당 raincoat 우비 operating hour 운영 시간 weekday 평일 advance 사전의 reservation 예약 notice 공지 ticket office 매표소 departure 출발 in the case of ~의 경우에

extreme 극도의, 극심한

05 ④

지문해석

Schoonschip은 물에 떠다니는 지속 가능한 집을 만드는 지역 프로젝트이다. Schoonschip은 영어로는 '깨끗한 배'를 의미하는 네덜란드 단어이다. 이 프로젝트는 암스테르담 북쪽에 있는 측설 운하인 Johan van Hasseltkanaal에서 진행 중에 있다. 그것은 해수면 상승으로 인해 감소할 것으로 예상되는 암스테르담의 한정된 가용 부지를 해결하는 방법의 일환으로 만들어졌다. 이 집들은 모두 태양 전지판을 가지고 있으며, 각 집이 만들어내는 전기를 공유할 수 있다. 그들은 또한 지하실에 전기를 저장하기 위한 배터리를 가지고 있고 어떤 것들은 과일과 채소를 재배할 수 있는 친환경적 지붕을 가지고 있다. 그리고 양수기는 일년 중 더 추운 달 동안 운하에서 열을 추출하는 데 사용된다. 세계의 다른 도시들은 Schoonschip 프로젝트를 주의 깊게 지켜보고 있다. 도시 환경에서도 자연과 조화를 이루며 살아가는 방법에 대해 배울 점이 많다.

구문해석

1행 Schoonschip is a neighborhood project / [creating sustainable houses / {that float on the water}].
현재분사구 / 주격 관계대명사절

Schoonschip은 지역 프로젝트이다 / 지속 가능한 집을 만드는 / 물에 떠다니는

11행 They also have batteries in their basements / for storing electricity / and some have green roofs / [where fruit and vegetables can be grown].
전치사 for의 목적어 (동명사구) / 관계부사절 / 조동사 수동태

그들은 또한 지하실에 배터리를 가지고 있다 / 전기를 저장하기 위한 / 그리고 어떤 것들은 친환경적 지붕을 가지고 있다 / 과일과 채소가 재배될 수 있는

문제해설

전기를 저장할 배터리가 지하실에 있다고 했으므로 ④는 글의 내용과 일치하지 않는다.

어휘

sustainable 지속 가능한 float 뜨다 side canal 측설 운하 solar panel 태양 전지판 basement 지하실 store 저장하다 green 환경 친화적인 water pump 양수기 extract 추출하다 in harmony with ~와 조화를 이루어, 조화되어 urban 도시의

06 ③

지문해석

사람들은 종종 "당신이 먹은 음식이 당신이다"라고 말한다. 비록 이것이 말이 되긴 하지만, 당신이 언제 식사를 하느냐도 그만큼 중요하다. 전문가들은 식사 계획을 세울 때 체내 시계에 신경을 써야 한다고 조언하는데, 그것은 당신이 자동으로 깨고 잠을 자게 안내해준다. 신체 시계에 조화를 이루어 먹음으로써, 여러분은 활동할 때 여러분의 몸에 연료를 주고 피곤할 때 그것을 쉬게 할 것이다. 밤늦게 식사를 함으로써 신체의 자연적인 수면 리듬을 무시하는 것은 혈당 수치를 높일 수 있고, 이것은 당신이 당뇨병에 걸릴 위험에 처하게 한다. 이것은 인간의 몸이 낮에 먹도록 진화했기 때문인데, 낮에는 에너지가 생존 활동에 사용될 수 있다. 그러므로, 여러분의 몸은 인슐린이라고 불리는 호르몬이 낮에 당신의 세포에 포도당을 분배하도록 허락한다. 우리가 덜 활동적인 밤에는 인슐린에 대한 몸의 저항성이 높아진다. 그래서 밤에 먹는 것은 당신의 몸이 그저 칼로리를 지방으로서 저장하게 한다.

구문해석

3행 Experts say / (that) you should pay attention to your body's inner clock], / [which guides you to wake and sleep automatically, / {when planning your meals}].
S / V / ~에 집중하다 / 계속적 용법의 주격 관계대명사(= and it) / (you are) <시간>의 부사절「주어+be동사」 생략

전문가들은 말한다 / 당신의 체내 시계에 신경을 써야 한다고 / 그것은 당신이 자동으로 깨고 자도록 안내한다 / 당신이 식사를 계획할 때

6행 By eating in tune with it, / you will be giving your body fuel / when it is active / and allowing it to rest / when it is tired.
~함으로써 / S / 미래현재진행형 V / DO / IO / allow A to-v: A가 ~하는 것을 허락하다

그것과 조화되게 먹음으로써 / 당신은 당신의 신체에 연료를 주게 될 것이다 / 활동할 때 / 그리고 쉬게 함으로써 / 신체가 피곤할 때

8행 [Ignoring your body's natural sleep rhythms / by eating late at night] / can raise your blood sugar levels, / [which puts you at risk for diabetes].
S (동명사) / ~함으로써 / V / 계속적 용법의 관계대명사절(선행사는 앞 문장)

신체의 자연적인 수면 리듬을 무시하는 것은 / 밤늦게 식사를 함으로써 / 혈당 수치를 높일 수 있고 / 이것은 당신이 당뇨병에 걸릴 위험에 처하게 한다

문제해설

(A) 언제 먹는지가 무엇을 먹는지만큼 '중요하다'라는 의미이므로 critical이 적절하다.

(B) 우리의 신체는 낮에 식사를 하도록 '진화했다'라는 의미이므로 evolved가 적절하다.

(C) 사람이 덜 활동적이고 신체가 수면을 취하고 있다고 생각하는 밤에 인슐린 '저항성'이 가장 높다는 의미이므로 resistance가 적절하다.

어휘

make sense 말이 되다, 의미가 통하다 critical 중요한 expert 전문가 pay attention to ~에 집중하다 automatically 자동으로 in tune with ~와 조화되어 fuel 연료 active 활동적인, 활발한 rest 쉬다 raise 올리다 blood sugar level 혈당 수치 at risk 위험한 상태로 diabetes 당뇨병 evolve 진화하다 survival 생존 distribute 분배하다 glucose 포도당 cell 세포 resistance 저항(성) simply 그저, 간단히

07 ②

지문해석

공감과 동정은 유사하게 사용되며 흔히 바꿔서 사용되기도 하지만, 그 감정적 의미에서 미묘하게 다르다. 공감은 그런 감정을 직접 느낀 적이 있거나 그 입장이 되어 보았기 때문에 다른 이들의 고통을 인식하는 것과 감정

을 이해하는 것 두 가지 모두를 포함한다. 동정과 혼동되어서는 안 되는데, 이는 단지 다른 사람들이 느끼는 고통에 대한 자각이다. 동정을 느끼는 것은 비록 직접 그런 상황에 처한 적은 없지만, 누군가의 상황에 대해 안타까움을 느끼는 것을 의미한다. 공감은 다른 사람이 겪고 있는 것을 진정으로 이해하고 느낄 수 있을 때이다. 공감과 비교해서, 동정은 고통받는 사람이 직면한 상황에 대해 더 낮은 수준의 이해와 관련을 드러낸다. 공감은 공유된 경험을 필요로 하기 때문에 일반적으로 동물이 아닌 다른 사람들에게만 느껴지는 것이다. 예를 들어, 강제로 무거운 짐을 끄는 말을 동정할 수는 있지만, 진정으로 공감할 가능성은 없는 것이다.

구문해설

3행 Empathy involves / [**both** {recognizing the suffering of others} / **and** {understanding their emotions} / because you have felt them yourself / or put yourself in their shoes].

(Empathy: S, involves: V, involves의 목적어; 두 개의 동명사구가 both A and B(A와 B 둘 다)로 병렬 연결됨; (have); them = emotions; put oneself in one's shoes: 남의 입장이 되어 보다)

공감은 포함한다 / 다른 이들의 고통을 인식하는 것과 / 감정을 이해하는 것 둘 다를 / 그런 감정을 직접 느낀 적이 있기 때문에 / 그 입장이 되어 보았거나

13행 **Compared to** empathy, / sympathy displays / a lower degree of understanding and engagement / with the situation / [**faced** by the suffering person].

(Compared to: ~와 비교하여; faced: 과거분사구)

공감과 비교해서 / 동정은 드러낸다 / 더 낮은 수준의 이해와 관련을 / 그 상황에 대해 / 고통받는 사람이 직면한

18행 For example, / you can sympathize with a horse / [**that** is forced to pull a heavy load], / but **it** is unlikely / [**that** you can truly empathize with it].

(that: 주격 관계대명사절; be forced to-v: ~하도록 강요받다; it: 가주어; that: 진주어; it = a horse)

예를 들어 / 말을 동정할 수 있다 / 강제로 무거운 짐을 끄는 / 그러나 ~할 것 같지 않다 / 당신이 진정으로 그것을(말을) 공감할 수 있을

문제해설

공감과 동정의 의미가 서로 비슷하지만, 공감은 스스로 경험을 해본 것이어야 하고 동정은 그렇지 않다는 내용이므로, 빈칸에 들어갈 말로 가장 적절한 것은 ② '공유된 경험을 필요로 하기 때문에'이다.

① 다른 감정이 연관되지 않았다면
③ 비극적 상황에서 일어나기 때문에
④ 희생자들이 무력하다고 느낄 때
⑤ 동정과 연민과 같은 방식으로

어휘

empathy 공감 sympathy 동정 interchangeably 교환할 수 있게 subtly 미묘하게 recognize 자각하다 put oneself in one's shoes 남의 입장이 되어 보다 confuse 혼동하다 distress 고통, 고뇌 go through ~을 겪다 display 보여주다 degree 정도 sympathize 동정하다 load 짐, 화물 empathize 감정 이입하다, 공감하다

08 ③

지문해석

우리가 과거의 사건을 상기할 때마다, 우리는 작은 실수를 저지르거나 과장을 하기 쉽다. 최근의 한 실험은 우리가 다른 청중들에게 똑같은 이야기를 할 때, 이런 일이 종종 일어난다는 것을 보여 주었다. 그리고 이런 변화는 그저 우리가 다른 이들에게 어떻게 이야기를 말하는가에 영향을 줄 뿐만 아니라, 우리가 그것을 어떻게 기억하는가에도 영향을 준다. 참가자들에게 두 사람이 싸우는 영상을 보여주었다. 그 후, 그들은 그 영상을 한 낯선 사람에게 묘사해 주어야 했다. 참가자들 중 절반은 그 낯선 사람이 영상 속 사람들 중 하나를 좋아하지 않는다는 이야기를 들었다. 나머지 참가자들은 그 낯선 사람이 같은 사람을 좋아한다고 이야기를 들었다. 그 낯선 사람이 그 남자를 좋아하지 않는다고 생각한 집단은 다른 집단보다 더 부정적으로 그 사람의 행동을 묘사했다. 더 중요한 것은, 나중에 영상의 세부 사항들을 그들에게 물어봤을 때, 그들은 실제보다 그 사람의 행동을 더 나빴던 것으로 기억했다.

구문해설

1행 **Every time** we recall a past event, / we are likely to make tiny mistakes or exaggerations.

(Every time: ~할 때마다(= whenever); be likely to: ~하기 쉽다)

우리가 과거의 사건을 상기할 때마다 / 우리는 작은 실수를 저지르거나 과장을 하기 쉽다

12행 The group / [**that** thought {the stranger disliked the man}] / described his behavior more negatively / than the other group did.

(The group: S; that: 주격 관계대명사절; (that) thought의 목적어(명사절); described: V; did = described)

집단은 / 그 낯선 사람이 그 남자를 좋아하지 않는다고 생각한 / 그 사람의 행동을 더 부정적으로 묘사했다 / 다른 집단이 했던 것보다

14행 More importantly, / [**when** they were later asked / about details of the video], / they recalled the man's behavior / as being worse than it actually was.

(when: <시간>의 부사절(~할 때); recall A as B: A를 B로 기억하다; it = the man's behavior)

더 중요한 것은 / 나중에 그들에게 물어봤을 때 / 영상의 세부 사항들에 대해 / 그들은 그 사람의 행동을 기억했다 / 실제보다 (그 사람의 행동이) 더 나빴던 것으로

문제해설

과거의 일을 떠올리며 하는 실수나 과장이 나중에는 기억된 사실 자체에도 영향을 준다는 내용이므로, 문장의 빈칸에 들어갈 말로 가장 적절한 것은 ③ '그것들은 또한 우리가 그것을 어떻게 기억하는가에 영향을 준다'이다.

① 그것들은 또한 우리가 누구에게 얘기하는지 포함한다
② 그것들은 또한 다른 사람들의 행동을 설명한다
④ 그것들은 또한 다른 사람들이 믿는 것에 영향을 미친다
⑤ 그것들은 또한 우리의 사회적 관계를 변화시킨다

어휘

recall 상기하다, 기억하다 exaggeration 과장 experiment 실험 audience 청중 affect 영향을 주다 participant 참가자 afterward 그 후 stranger 낯선 사람 behavior 행동 negatively 부정적으로

09 ②

(지문해석)

이상적인 휴가는 모든 시간을 해변에 누워서 보내거나 숲속에서 쉬면서 보내는 것을 포함한다고 생각할 수 있다. 그러나 여행하면서 뭔가 좋은 일을 하는 것은 어떨까? 자원봉사 휴가를 가면 그렇게 할 수 있다. (B) 자원봉사 휴가는 또한, 일하는 휴가라고 불리는데, 여행하면서 지역 공동체에서 자원봉사 할 기회를 제공한다. 어디서나 서로 다른 종류의 자원봉사에 대한 수요가 있다. (A) 예를 들어, 교육 제도가 취약한 나라에서 여러분은 지역 아이들을 가르치는 데 시간을 보낼 수 있다. 여러분이 동물 애호가라면, 여러분은 바다거북들의 서식지를 보호하는 자원봉사 활동과 고래를 관람하는 여행을 결합할 수 있다. (C) 위에 언급된 것들을 포함하여 자원봉사 휴가에 대해 더 알아보려면, 여러분의 거주 지역 근처 자선 단체들과 연락할 수 있다. 또한 자원봉사 휴가를 구성하는 것을 전문으로 하는 기구들이 있다.

(구문해설)

refer to A as B: A를 B로 말하다

12행 A volunteer vacation, / [also **referred** to as a working vacation], / gives you the opportunity to do volunteer work / in a local community / [**while** traveling].

S / 과거분사구 / to부정사 형용사적 용법 / <시간>의 부사절 「주어+동사」 생략됨

자원봉사 휴가는 / 또한, 일하는 휴가라고 불리는데 / 자원봉사 할 기회를 제공한다 / 지역 공동체에서 / 여행하면서

to부정사 부사적 용법(목적) / 전치사 about의 목적어(동명사구)

17행 To learn more / about [**taking** a volunteer vacation], / including the ones / (which were) [**mentioned** above], / you can contact nearby charities / in your area.

과거분사구

더 알아보려면 / 자원봉사 휴가에 대해 / 것들을 포함하여 / 위에서 언급된 / 근처 자선 단체들과 연락할 수 있다 / 여러분의 거주 지역에서

(문제해설)

새로운 형태의 휴가로 자원봉사 휴가를 제안하는 주어진 글에 이어, 자원봉사 휴가는 여행하면서 봉사할 기회를 제공한다는 내용의 (B)가 나오고, 그다음에 자원봉사 휴가에 대한 구체적인 예를 제시하는 (A)가 이어진 후, 앞에서 언급된 자원봉사 휴가에 대해 더 알아볼 수 있는 방법들에 대한 (C)가 나오는 것이 자연스럽다.

(어휘)

involve 포함하다, 관련시키다 forest 숲 combine 합치다 habitat 서식지 be referred to as ~로 언급되다 local community 지역 공동체 nearby 근처의 charity 자선 단체 organization 기구, 조직 specialize in ~을 전문으로 하다

10 ③

(지문해석)

뉴욕 메트로폴리탄 미술관은 2017년 한 미술품 거래상으로부터 유물인 기원전 1세기 사제의 금도금한 관을 구매했다. 그러나 미술관은 그 소중한 유물을 유물이 나온 이집트에 반환한다고 선언했다. 이것은 그 관이 도난당한 것으로 밝혀졌기 때문이다. 유럽과 미국의 박물관들에는 과거에 유물이 발굴된 나라에서 불법적으로 취득된 유물들과 예술 작품들이 더 있다. 박물관들은 어디서 어떻게 각각의 유물을 취득하는지 대중에게 정보를 알려야 한다. 그들은 또한 도난당한 것으로 밝혀진 유물들을 유물이 출토된 원래 나라로 반환하는 과정을 도와야 한다. 만약 어떤 물품이 적절한 자료에 의해 입증이 안 된다면, 박물관들은 그 물품의 매수를 거절해야 한다. 만약 이러한 긍정적인 조치들이 취해진다면, 유물들은 원래 나라에 남아있게 될 가능성이 높다.

→ 유럽과 미국의 박물관들은 불법적으로 취득한 유물들을 유물이 출토된 모국으로 돌려보내야 하며, 의심스러운 출처의 유물들은 구입을 거절해야 한다.

(구문해설)

this is because+원인: 이것은 ~이기 때문이다

6행 This is / because **it** was discovered / [**that** the coffin was stolen].

가주어 / 진주어

이것은 / 밝혀졌기 때문이다 / 그 관이 도난당한 것으로

17행 [**If** these positive steps **are taken**], / artifacts **will be** more **likely to** remain / in their home countries.

<조건>의 부사절(미래 대신 현재시제를 사용) / be likely to: ~할 가능성이 있다

만약 이러한 긍정적인 조치들이 취해진다면 / 유물들은 남아있게 될 가능성이 높다 / 원래 나라에

(문제해설)

뉴욕 메트로폴리탄 미술관의 사례를 들며, 박물관들은 도난당한 유물들을 취득한 경우 원래 나라로 돌려줘야 하고, 적절한 자료로 출처가 증명되지 않은 유물들은 구입을 거절해야 한다는 내용이므로, 빈칸에 들어갈 말로는 ③ '불법적으로 - 의심스러운'이 가장 적절하다.

(어휘)

artifact 유물 coffin 관 priest 사제 release 공개하다, 풀어놓다 assist 돕다 turn out 밝혀지다 documentation 자료에 의한 입증

11 ④ **12** ②

(지문해석)

'슬리퍼 히트'는 처음 발표되었을 때는 흥행 성적이 저조하지만 계속 상영되면서 큰 인기를 끄는 영화이다. 영화들은 일반적으로 가장 많이 홍보되는 첫 주에 가장 큰 돈을 벌어들이기 때문에 이는 드문 일이다. (수익이) 저조한 첫 주말은 대개 업계 전문가들이 영화를 심하게 실패했음을 의미하는 '박스 오피스 폭탄(흥행 참패)'이라고 부르게 하기에 충분하다. 이는 영화가 실망스러운 첫 주말 이후 더 많은 수익을 내는 것이 아주 흔한(→ 흔치 않은) 일이기 때문이다. 하지만, 슬리퍼 히트는 이런 경향을 거스른다. 사실, 슬리퍼 히트는 너무나 의외여서 영화 스튜디오들은 대중들의 요구를 충족시키기 위해 상영되고 있는 영화관 수를 늘려야만 한다. 중립적이거나 부정적인 비평, 부실한 마케팅, 극심한 박스 오피스 경쟁을 포함하여 슬리퍼 히트가 천천히 시작하는 데 원인이 될 수 있는 몇 가지 시나리오가 있다. 이런 요인들은 어떤 영화가 실적을 못 내게 하는 반면에, 일반적으로 상황을 호전시키는 것은 입소문이다. 관객들이 가족, 친구, 동료들과 긍정적인 반응을 공유하면서, 영화 관객이 늘어나기 시작한다. 하지만, 속편, 슈퍼히어로 시리즈, 혹은 유명한 소설을 각색한 것과 같이 특정한 팬 기반으로 높은 기대를 받는 영화들은 슬리퍼 히트가 될 가능성이 낮은 후보들이다.

구문해설

1행 A "sleeper hit" is a movie / [that does poorly in the box office / {when it is first released} / but goes on to become a major hit].
주격 관계대명사절 / <시간>의 부사절(~할 때) / to부정사 부사적 용법(결과)
'슬리퍼 히트'는 영화이다 / 흥행 성적이 저조한 / 처음 발표되었을 때는 / 하지만 계속 상영되면서 큰 인기를 끌다

11행 In fact, / sleeper hits are **so** unexpected / **that** movie studios must increase the number of theaters / [they are being shown in] / to meet public demand.
so ~ that ...: 너무 ~해서 …하다 / (which) 목적격 관계대명사절 / to부정사 부사적 용법(목적)
사실상 / 슬리퍼 히트는 너무나 의외여서 / 영화 스튜디오들은 영화관 수를 늘려야만 한다 / 상영되고 있는 / 대중들의 요구를 충족시키기 위해

15행 There are a few scenarios / [**that** can contribute **to** a sleeper hit **starting** out slowly], / including neutral or negative critical reviews, poor marketing, and fierce box office competition.
주격 관계대명사절 / 의미상의 주어 / 전치사 to의 목적어(동명사)
몇 가지 시나리오가 있다 / 슬리퍼 히트가 천천히 시작하는 데 원인이 될 수 있는 / 중립적이거나 부정적인 비평, 부실한 마케팅, 극심한 박스 오피스 경쟁을 포함하여

18행 While these factors **cause** a movie **to underperform**, / [**what** typically turns things around] / is word of mouth.
접속사(반면에) / cause+목적어+목적격보어(to부정사): ~가 …하도록 야기하다 / S(관계대명사절) / turn ~ around: ~을 호전시키다 / V
이런 요인들은 어떤 영화가 실적을 못 내게 하는 반면에 / 일반적으로 상황을 호전시키는 것은 / 입소문이다

문제해설

11. 흥행에 대한 예상이 좋지 않아 개봉 초기에 저조한 흥행 실적을 기록하다가 입소문을 통해 인기를 더해가며 흥행에 성공하는 영화들인 sleeper hit에 관한 내용이므로, 제목으로는 ④ '흥행 예상을 넘어서는 영화들'이 적절하다.

① 영화의 성공을 예측하는 방법
② 흥행 전문가들이 자주 틀리는 이유
③ 크게 성공한 영화가 사실 돈을 잃을 수 있다
⑤ 영화를 홍보할 효과적인 마케팅 도구들

12. 개봉 첫 주 흥행 성적이 저조한 영화에 전문가들이 흥행 참패라는 명칭을 붙이는 이유는 그 영화가 첫 주 이후 더 많은 수익을 내는 것이 '일반적이지 않은' 상황이기 때문이라는 내용이 적절하므로 ②의 common을 uncommon으로 바꿔야 자연스럽다.

어휘

box office 흥행 성적; 매표소 release 발표하다 earn 벌다, 얻다 label ~을 …라고 부르다 profitable 이익이 되는 defy 거부하다, 반항하다 trend 경향 demand 요구, 수요 contribute to ~의 원인이 되다 neutral 중립의 negative 부정적인 fierce 극심한 competition 경쟁 underperform 실적을 못 내다 turn ~ around ~을 호전시키다 word of mouth 입소문, 구전 positive 긍정적인 feedback 반응, 피드백 anticipate 기대하다 sequel 속편 adaptation 각색 novel 소설 candidate 후보

2회 미니 모의고사

» pp. 144-149

01 ⑤ 02 ② 03 ③ 04 ⑤ 05 ⑤ 06 ⑤ 07 ② 08 ⑤ 09 ⑤ 10 ③ 11 ④ 12 ② 13 ③

01 ⑤

지문해석

Richard는 두꺼운 코트를 입었음에도 불구하고 피부에 차가운 아침 공기를 느끼며 텅 빈 거리를 따라 걸었다. 그의 8살 된 아들은 책가방을 가지고서 즐겁게 콧노래를 부르며 그의 옆에서 걸었다. Richard는 어깨 너머로 시선을 돌리다 그들 뒤에 있는 보도에 누군가가 있는 것을 알아차렸다. 그것은 얼굴을 가리려고 모자를 푹 눌러쓴 덩치 큰 남자였다. 그는 빠르게 걸어 더 가까이 다가왔다. Richard는 깊게 숨을 쉬고 침착함을 유지하려 애썼다. 그는 과거에 두세 번 위협당한 적이 있었다. 그 도시의 가장 부유한 상인들 중 한 사람으로서, 그와 그의 가족은 끊임없이 위험에 처했다. 그 남자가 그의 돈을 원한다면, 곤경을 피하기 위해 그에게 그냥 돈을 줄 것이라 Richard는 결심했다. 바로 그때 그 남자는 주머니에서 뭔가를 꺼내며, Richard와 그의 아들 앞에 멈춰 섰다.

구문해설

1행 Richard walked along the empty street, / [**feeling** the cold morning air on his skin] / despite his thick coat.
분사구문(동시동작) / ~에도 불구하고
Richard는 텅 빈 거리를 따라 걸었다 / 피부에 차가운 아침 공기를 느끼며 / 두꺼운 코트를 입었음에도 불구하고

6행 It was a large man / [**with** his hat **pulled** down] / to hide his face.
with+목적어+과거분사(~한 상태로) → 목적어와 분사가 수동 관계 / to부정사 부사적 용법(목적)
그것은 덩치 큰 남자였다 / 모자를 푹 눌러쓴 / 얼굴을 가리려고

12행 **If** the man **wanted** his money, / Richard decided, / he **would** simply **give** it to him / to avoid any trouble.
가정법 과거(If+주어+동사의 과거형, 주어+조동사의 과거형+동사원형)-현재 상황의 반대를 나타냄 / to부정사 부사적 용법(목적)
그 남자가 그의 돈을 원한다면 / Richard는 결심했다 / 그에게 그냥 돈을 줄 것이다 / 곤경을 피하기 위해

문제해설

텅 빈 거리를 어린 아들과 함께 걷고 있는데 얼굴을 가린 덩치 큰 남자가 빠르게 다가왔고, 부유한 상인이어서 과거에도 위협받았던 적이 있다고 했으며, 마지막 부분에는 남자가 앞을 막아서며 주머니에서 뭔가를 꺼내고 있는 상황이므로, 글의 분위기로는 ⑤ '위협적이고 급박한'이 가장 적절하다.

① 신나고 재미있는 ② 흥분되고 축제 분위기의
③ 우울하고 기이한 ④ 지루하고 단조로운

어휘

empty 텅 빈 thick 두꺼운 hum 콧노래를 부르다 spot 알아채다, 발견하다 sidewalk 보도 take a deep breath 심호흡하다 calm 침착한 threaten 위협하다 merchant 상인 constantly 끊임없이

02 ②

지문해석

사람들은 타협을 할 때, 종종 그들이 보고 싶은 것만 보는 선택을 한다. 그들은 자신들 앞의 모든 정보를 훑어보고 자신들이 이전에 가지고 있던 인식을 확인시켜주는 사실들을 골라낸다. 그들은 또한 자신들의 인식에 의문이 들게 하는 사실들은 무시하거나 오해하는 경향이 있다. 하지만 성공적으로 타협을 하는 사람은 상대의 눈을 통해 상황을 볼 수 있어야만 하기 때문에 이것은 문제가 될 수 있다. 이것이 당신이 그들의 관점에 동의해야 함을 의미하지는 않는다. 그들의 생각을 더 잘 이해하는 것은 상황의 장점들에 대한 당신의 생각을 수정하도록 이끌 수 있다. 그렇게 하는 데 대가가 따르는 것은 아니며, 당신의 입장을 약하게 하지도 않는다. 사실, 이는 갈등을 줄여주고, 양측 사이의 의견 차이들 중 일부를 없애 주기 때문에 종종 협상을 개선시켜 준다.

구문해설

1행 When people are negotiating, / they often choose to see / only [**what** they want to see].
(to부정사 명사적 용법(목적어); see의 목적어(관계대명사절))

사람들은 타협을 할 때 / 그들은 종종 보는 것을 선택한다 / 그들이 보고 싶은 것만

2행 They / look over all of the information / [in front of them] / and then pick out the facts / [**that** confirm their prior perceptions].
(전치사구; 주격 관계대명사절)

그들은 / 모든 정보를 훑어본다 / 자신들 앞에 있는 / 그런 다음 사실들을 골라낸다 / 자신들이 이전에 가지고 있던 인식을 확인시켜 주는

5행 They / also tend to disregard or misinterpret those / [**that** call their perceptions into question].
(앞 문장의 the facts를 가리킴; 주격 관계대명사절; call ~ into question: ~에 의문을 제기하다)

그들은 / 또한 사실들은 무시하거나 오해하는 경향이 있다 / 자신들의 인식에 의문이 들게 하는

14행 In fact, / it often improves the negotiations, / **as** it can **reduce** conflict / and **eliminate** some of the disagreements / [between the two sides].
(접속사(~ 때문에); can에 이어지며 and로 병렬 연결됨; 전치사구)

사실 / 그것은 종종 협상을 개선시켜 준다 / 갈등을 줄여주기 때문에 / 그리고 의견 차이들 중 일부를 없애 준다 / 양측 사이의

문제해설

상대방의 관점을 이해하는 것이 갈등을 줄여주고, 의견 차를 없애 주면서, 타협을 성공적으로 이끌 수 있다는 내용이므로, 글의 요지로 가장 적절한 것은 ②이다.

어휘

negotiate 타협하다 look over 훑어보다 confirm 확인하다 perception 인식 disregard 무시하다 misinterpret 잘못 해석하다 revise 수정하다 merit 장점 cost 대가; 희생 weaken 약화시키다 position 입장, 견해 reduce 줄이다 conflict 갈등 eliminate 제거하다 disagreement 의견 차이

03 ③

지문해석

가장 인기 있는 커피 종인 아라비카를 포함하여 대략 60%의 야생 커피 종이 가까운 미래에 멸종할 수도 있다. 대부분의 야생 커피나무들은 아프리카 정글에서 발견되는데, 그곳에서 커피나무들은 서식지 파괴, 기후 변화, 해충과 질병의 위협에 직면해 있다. 게다가, 기후 변화는 많은 현존하는 종류의 재배되는 커피의 생육에도 위협을 가하고 있다. 예를 들어, 에티오피아에서는 아라비카 커피가 자라는 땅의 양이 2080년이면 85%까지 축소될 것으로 예상되며, 이번 세기 말까지 에티오피아 커피 생산에 사용되는 땅의 60%까지 경작지로 적절하지 않게 될 수 있다. 만약 야생 커피 종이 사라지면, 커피 산업은 미래에 새로운 종류의 커피를 개발하는 것이 어려워질 것이다. 새로운 변종들을 만들어내는 것이 커피 산업의 지속 가능성에 필수적인데, 이러한 새로운 종류는 질병과 불리한 기후조건들에 대해 좀 더 내성이 있을 수 있기 때문이다.

구문해설

3행 Most wild coffee plants / are found / in the jungles of Africa, / [**where** they face threats / from habitat loss, climate change, pests and diseases].
(선행사; 계속적 용법의 관계부사절)

대부분의 야생 커피나무들은 / 발견된다 / 아프리카 정글에서 / 그곳에서 그것들은 위협에 직면해 있다 / 서식지 파괴, 기후 변화, 해충과 질병으로부터

8행 In Ethiopia, for example, / [the amount of land {**where** Arabica coffee grows}] / is expected to be reduced by up to 85% / by 2080, / and [up to 60% of the land {(which is) **used** for Ethiopia's coffee production}] / could become unsuitable / by the end of the century.
(S1; 관계부사절; V1; S2; 과거분사구; V2)

예를 들어, 에티오피아에서는 / 아라비카 커피가 재배되는 땅의 양이 / 85%까지 축소될 것으로 예상된다 / 2080년까지 / 그리고 에티오피아 커피 생산에 사용되는 땅의 60%까지 / (경작지로) 적절하지 않게 될 수 있다 / 이번 세기 말까지

13행 [**If** wild coffee species **are** wiped out], / **it** will be difficult / for the coffee industry / [**to develop** new types of coffee / in the future].
(<조건>의 부사절(미래 대신 현재시제를 사용); 가주어; to부정사의 의미상 주어; 진주어)

만약 야생 커피 종이 사라지면 / 어려워질 것이다 / 커피 산업은 / 새로운 종류의 커피를 개발하는 것이 / 미래에

문제해설

야생 커피 종이 서식지 파괴, 기후 변화, 해충 등으로부터의 다양한 위협으

로 멸종 위기에 처해 있으며, 이러한 야생 커피 종의 멸종이 커피 산업에도 위기를 가져 올 수 있다는 내용이므로, 제목으로는 ③ '커피 산업을 위협하는 멸종 위기에 처한 야생 커피 종'이 가장 적절하다.
① 커피는 어디서 인간에 의해 처음 재배되었는가?
② 커피 산업 내부의 위기를 관리하는 방법
④ 아라비카와 다른 커피의 몇 가지 차이점들
⑤ 커피 산업은 어떻게 환경을 보호하고 있는가?

어휘

approximately 대략, 대개 go extinct 멸종하다 habitat 서식지 pest 해충 cultivated 개발된, 개량된 unsuitable 적절하지 않은 wipe out 쓸어버리다 come up with 생산하다, 생각해내다 varieties 변종 vital 필수적인 sustainability 지속 가능성 resistant 저항하는, 내성이 있는 adverse 불리한

04 ⑤

지문해석

어떤 프로젝트가 실패할 때, 누군가는 '제도판으로 되돌아갑시다.'라고 말할 것이다. 하지만, 이는 실제로 창의적 과정이 작동하는 방식이 아니다. 예를 들어, 1903년에 라이트 형제가 최초로 성공한 비행기를 발명했던 것으로 여겨진다. 하지만, 그들 이전에 Otto Lilienthal, Samuel Langley, 그리고 Octave Chanute를 포함하여, 몇몇 사람들이 항공에 중요한 진보를 이루었다. 지혜롭게도 라이트 형제는 그들의 연구에 면밀한 관심을 기울였고, 그로부터 배웠다. 그들이 마침내 세계 최초의 비행기를 만들어냈을 때, 그것은 그들 이전 사람들의 노력을 바탕에 두고 만들어진 것이었다. 대부분의 혁신적 창조물들은 오래된 생각과 새로운 생각의 조합에 기초하기 때문에, 이는 꽤나 흔한 상황이다. 무엇이 유지되어야 하고 무엇이 개선되어야 하는지를 알기 위해서는 과거의 실패한 과정을 면밀히 조사하는 것이 중요하다.

구문해설

3행 The Wright brothers, / for example, / are considered / **to have invented** the first successful flying machine / in 1903.
완료부정사(are considered보다 앞선 과거를 나타냄)

라이트 형제는 / 예를 들어 / 여겨진다 / 최초로 성공한 비행기를 발명했던 것으로 / 1903년에

12행 This is a quite common situation, / **as** most innovative creations are based on / a combination of old ideas and new ones.
<이유>의 접속사(~ 때문에) / be based on: ~에 기초하다 / = ideas

이것은 꽤나 흔한 상황이다 / 대부분의 혁신적 창조물들은 기초하기 때문에 / 오래된 생각과 새로운 생각의 조합에

15행 **It**'s important / [**to scrutinize** the failed process of the past / in order to figure out / {(**what** should be kept) / and (**what** needs to be improved)}].
가주어 / 진주어(to부정사구) / to부정사 부사적 용법(목적) / figure out의 목적어1 (명사절1) / figure out의 목적어2 (명사절2)

중요하다 / 과거의 실패한 과정을 면밀히 조사하는 것이 / 알기 위해서는 / 무엇이 유지되어야 하는지 / 그리고 무엇이 개선되어야 하는지를

문제해설

라이트 형제를 예를 들어, 그들의 성공이 그들 이전에 비행기를 만들려 시도하고, 실패했던 사람들로부터 배운 것에서 비롯되었다고 주장하는 글이다. 곧, 성공이 과거의 유산 없이 그냥 만들어진 것이 아니라는 내용이다. 이런 부분을 간과한 사람이 하는 말이 밑줄 친 부분이다. 따라서 밑줄 친 부분이 의미하는 바로는 ⑤ '처음부터 다시 시작하다'가 가장 적절하다.
① 프로젝트가 실패한 이유를 적다
② 시각적 도구를 사용해 프로젝트를 분석하다
③ 다른 이들의 실패를 조사하고 이로부터 배우다
④ 똑같은 생각을 다시 시도해서 생길 수 있는 결과를 논의하다

어휘

drawing board 제도판 creative 창의적인 process 과정 work 작동하다, 잘 돌아가다; 연구 in reality 실제로 advance 진보 aviation 항공, 비행 pay attention to ~에 주목하다 build on ~을 기반으로 하다 innovative 혁신적인 combination 조합 scrutinize 면밀히 조사하다 figure out 이해하다 improve 개선하다

05 ⑤

지문해석

George Westinghouse는 1846년 뉴욕에서 태어났다. 그의 아버지는 기계 공장 소유주였으며, 젊은 시절 Westinghouse는 기계와 사업에 재능을 보였다. 1867년에 그는 철도 안전에 혁명을 가져온 철도 브레이크 시스템을 발명했다. Westinghouse 시스템이 널리 받아들여진 후, 그는 관심을 전기 분야로 돌렸다. Thomas Edison을 비롯한 많은 사람들의 반대에도 불구하고, Westinghouse는 장거리로 전기를 전달하기 위한 교류 시스템을 도입했다. 1886년, 그는 새로운 회사 Westinghouse Electric Company를 설립했고, 이 회사는 변압기, 터빈 발전기, 그리고 다른 종류의 전기 장비뿐만 아니라 최초의 대형 교류 발전기를 생산하기 시작했다. 또한, 400개가 넘는 발명품들에 대한 특허를 획득했고, 발전소 건설을 비롯해, 초기 전기 사업들에 대한 일을 했다. Westinghouse는 1907년 금융 공황으로 물러날 때까지 미국 산업의 개척자이자 선도자였다. 그는 1914년에 67세의 나이로 뉴욕에서 사망했다.

구문해설

8행 Despite the opposition of many people, / including Thomas Edison, / Westinghouse introduced an alternating current (AC) system / for [**transmitting** electricity long distances].
전치사(= in spite of) / 전치사(~을 포함하여) / 전치사 for의 목적어(동명사구)

많은 사람들의 반대에도 불구하고 / Thomas Edison을 포함해 / Westinghouse는 교류 시스템을 도입했다 / 장거리로 전기를 전달하기 위한

11행 In 1886, / he established a new company, the Westinghouse Electric Company, / [**which** began producing the first large alternator, / as well as transformers, turbine generators, and other types of electrical equipment].

선행사 / 동격 / 계속적 용법의 주격 관계대명사절(= and it) / began의 목적어(동명사) / B as well as A: A뿐만 아니라 B도

1886년 / 그는 새로운 회사, Westinghouse Electric Company를 설립했다 / 그리고 이 회사는 최초의 대형 교류 발전기를 생산하기 시작했다 / 변압기, 터빈 발전기, 그리고 다른 종류의 전기 장비뿐만 아니라

16행 It also obtained patents / [for more than 400 inventions] / and worked on early power projects, / including the construction of power stations.

= The Westinghouse Electric Company / S / V1 / 전치사구 / V2 / ~을 포함하여

또한, 그것은 특허를 획득했다 / 400개가 넘는 발명품들에 대한 / 그리고 초기 전기 사업들에 대한 일을 했다 / 발전소 건설을 포함해

문제해설

회사에서 사임한 해는 1907년이고, 사망한 해는 1914년이므로 ⑤는 글의 내용과 일치하지 않는다.

어휘

machine shop 기계 공장 talent 재능 machinery 기계 revolutionize 대변혁을 일으키다 attention 관심 field 분야 opposition 반대 alternating current 교류 transmit 전송하다, 보내다 establish 설립하다 alternator 교류 발전기 transformer 변압기 turbine generator 터빈 발전기 obtain 획득하다 patent 특허 project 사업 construction 건설 power station 발전소 pioneer 개척자 step down 사임하다 banking panic 금융 공황

06 ⑤

지문해석

고대 그리스에서는 여자들이 권력이 있는 지위를 가질 수 있는 기회가 거의 없었다. 그래서 델파이 아폴로 신전의 여사제 역할이 두드러지는 것이다. 그녀는 영향력을 지닌 종교 조직에서 중요한 부분을 차지했는데, 그녀의 일에는 종종 권력자들에게 달갑지 않은 진실을 말하는 것이 포함되어 있었다. 예를 들어, 한번은 스파르타 출신의 한 남자가 세상에서 가장 지혜로운 사람으로 확인받고 싶은 마음에 신전을 방문했다. 하지만 여사제는 그에게 다른 누군가가 더 지혜롭다고 말했다. 다른 상황에서였다면, 고대 그리스의 권력자들은 여성이 하는 이런 류의 직설적인 이야기를 받아들이지 않았다. 하지만, 그리스인들은 아폴로 신 자신이 그의 우월하고 신성한 지식을 여사제를 통해 전달한다고 믿어서, 그녀는 보통의 인간의 찬사(→ 비판) 위에 있는 것으로 여겨졌다.

구문해설

7행 For example, / a man [from Sparta] once visited the temple / [**hoping** to be confirmed / as the world's wisest man].

S / V / 분사구문(부대상황) / to부정사 수동태 / 전치사(~로)

예를 들어 / 한번은 스파르타 출신의 한 남자가 신전을 방문했다 / 확인받기를 바라면서 / 세상에서 가장 지혜로운 사람으로

10행 In other situations, / powerful men in ancient Greece / **would not have accepted** this kind of straight talk from a woman.

가정법 과거완료의 조건절 역할을 하는 전치사구(= If they had been in other situations) / 가정법 과거완료의 주절(조동사의 과거형 + have p.p.)

다른 상황에서였다면 / 고대 그리스의 권력자들은 / 여성이 하는 이런 류의 직설적인 이야기를 받아들이지 않았다

13행 However, / the Greeks believed / [**that** the god Apollo himself conveyed his superior divine knowledge / through the priestess], / so she **was considered** / **to be** above the criticism of normal humans.

believed의 목적어(명사절) / 재귀대명사(강조 용법) / be considered to-v: ~인 것으로 여겨지다

하지만 / 그리스인들은 믿었다 / 아폴로 신 자신이 그의 우월하고 신성한 지식을 전달한다고 / 여사제를 통해 / 그래서 그녀는 여겨졌다 / 보통의 인간의 비판 위에 있는 것으로

문제해설

아폴로 신이 여사제를 통해 신성한 지식을 전달한다고 그리스인들은 믿었다고 했으므로, 여사제는 보통의 인간들이 비판하지 못하는 존재라는 내용이 적절하므로, ⑤의 praise는 criticism으로 바꿔야 자연스럽다.

어휘

ancient 고대의 opportunity 기회 position 지위 priestess 여사제 temple 신전, 사원 stand out 두드러지다 involve 포함하다 unwelcome 달갑지 않은 confirm 확인하다 else (그 밖의) 다른 straight 직설적인 convey 전달하다 superior 우월한 divine 신성한

07 ②

지문해석

Greg Maddux는 텍사스의, San Angelo에서 1966년 태어났다. 그는 라스베이거스에서 고등학교를 졸업했지만, 어린 시절의 일부를 스페인 마드리드에서 보냈는데, 그곳에서 그의 아버지, Dave Maddux는 공군 기지에 주둔했었다. Dave는 Greg과 그의 형 Mike에게 야구의 기본기를 가르쳐 주었다. 그의 두 아들 모두 1986년에 메이저리그 경력을 시작했다. Greg은 1992년부터 1995년까지 4년 연속 Cy Young 상을 수상했고 17개 시즌 내내 최소 15승을 거두어, 이러한 기록을 세운 단 두 명의 선수 중 한 사람이 되었다. 그는 또한 18개의 최다 골드글러브를 수상한 기록을 가지고 있다. 1990년대는 그의 경력에서 전성기였으며 그 10년 동안 다른 어떤 메이저리그 투수보다 더 많은 경기를 이겼다. 그는 355승 227패의 생애 기록을 가지고 2008 시즌 후 은퇴했다.

구문해설

2행 [**Although** he graduated from a high school in Las Vegas], / he spent part of his childhood in Madrid, Spain, / [**where** his father, Dave Maddux, was stationed at an Air Force base].

(<양보>의 부사절 / 계속적 용법의 관계부사절(= and there) / 선행사 / 동격)

그는 라스베이거스에서 고등학교를 졸업했지만 / 어린 시절의 일부를 스페인 마드리드에서 보냈는데 / 그곳에서 그의 아버지, Dave Maddux는 공군 기지에 주둔했었다

8행 Greg won the Cy Young Award / for four consecutive years (1992-1995) / and won at least 15 games in 17 straight seasons, / **making** him one of only two players / **to do** so].

(최소한 / 분사구문(앞 내용 부연 설명) / won the Cy Young Award ~ in 17 straight seasons / to부정사 형용사적 용법)

Greg은 Cy Young 상을 수상했다 / 1992년부터 1995년까지 4년 연속으로 / 17개 시즌 내내 최소 15승을 거두었다 / 그를 단 두 명의 선수 중 한 명으로 만들었다 / 그렇게 한

12행 The 1990s were the peak of his career, / and he won **more** games during that decade / **than any other** MLB pitcher.

(more ~ than any other+단수명사: 다른 어떤 …보다 더 ~한)

1990년대는 그의 경력에서 전성기였다 / 그리고 그는 그 10년 동안 더 많은 경기를 이겼다 / 다른 어떤 메이저리그 투수보다

문제해설

②는 Greg의 아버지, Dave를 가리키며 나머지는 Greg를 가리킨다.

어휘

station 주둔시키다 air force 공군 fundamental 기본, 근본 career 경력 consecutive 연속적인 straight 연속된, 끊임없는 record 기록 peak 절정, 최고점 decade 10년 retire 은퇴하다

08 ⑤

지문해석

특정 상황에서 긴장하는 것은 자연스러운 일이다. 긴장은 대개 잘하기 위해 스스로에게 주는 압박에 의해 유발되며, 어느 정도의 긴장은 실제로 일을 더 잘하는 데 도움이 된다. 불행히도, 우리는 때때로 모든 것이 꼭 완벽하도록 하는 것에 지나칠 정도로 걱정을 해서 뜻하지 않게 스스로를 해친다. 긴장은 우리가 보통 기계적으로 다루는 작은 세부사항들, 특히 우리가 늘 하는 일에 관해서 너무 많은 관심을 쏟기 시작하도록 만든다. 이런 류의 과도하게 강한 관심은 일에 지장을 줄 수 있다. 이는 아무 문제 없이 당신이 매일 하는 어떤 일, 마치 계단을 걸어 올라가는 일과 마찬가지이다. 하지만, 당신이 어떻게 무릎을 적절히 굽힐지에 집중하거나 어디에 발을 놓을지를 걱정하기 시작하면, 당신은 넘어져 쓰러질 가능성이 아주 높다.

구문해설

5행 Unfortunately, / we sometimes worry **so** much / about [**making** sure {**that** everything is perfect}] / **that** we accidentally undermine ourselves.

(so ~ that ...: 너무 ~해서 …하다 / 전치사 about의 목적어(동명사구) / making sure의 목적어(명사절))

불행히도 / 우리는 때때로 지나칠 정도로 걱정을 해서 / 모든 것이 꼭 완벽하도록 하는 것에 / 뜻하지 않게 스스로를 해친다

7행 Our nervousness drives us to start / [**paying** too much attention to little details] / [**that** we normally handle automatically], / especially when it comes to things / [**that** we do all the time].

(drive+목적어+to-v: ~가 …하도록 만들다[몰아가다] / start의 목적어(동명사구) / 목적격 관계대명사절 / ~에 관해서라면 / 목적격 관계대명사절)

긴장은 우리가 시작하도록 만든다 / 작은 세부사항들에 너무 많은 관심을 쏟기 / 보통 우리가 기계적으로 다루는 / 특히 일들에 관해서 / 우리가 늘 하는

14행 But if you start / [**focusing** on {how to bend your knees properly}] / or [**worrying** about {where you put your feet}], / there's a very good chance / [**that** you'll stumble and fall].

(start의 목적어1(동명사구) / start의 목적어2(동명사구) / V / S / 동격)

하지만 당신이 시작하면 / 어떻게 무릎을 적절히 굽힐지에 집중하거나 / 혹은 어디에 발을 놓을지를 걱정하는 것을 / 가능성이 아주 높다 / 당신이 넘어져 쓰러질

문제해설

과도한 긴장이 우리가 하는 일에 해를 끼칠 수 있다는 내용이므로, 문장의 빈칸에 들어갈 말로 가장 적절한 것은 ⑤ '뜻하지 않게 스스로를 해친다'이다.

① 목표에 도달하려는 우리의 욕망이 희미해지기 시작한다
② 다른 사람들이 우리에게 과도한 기대를 갖는다
③ 우리가 무의식적으로 작은 일들을 놓친다
④ 우리가 우리 주변 사람들의 영향을 무시한다

어휘

nervous 긴장한 pressure 압박 perform (일을) 수행하다 drive 할 수 없이 ~하게 하다 pay attention to ~에 주목하다 detail 세부사항 when it comes to ~에 관해서라면 overly 과도하게 intense 강한 disrupt 지장을 주다, 방해하다 bend 굽히다 chance 가능성 stumble 넘어지다 fade 희미해지다 excessive 과도한 expectation 기대 miss out on ~을 놓치다 accidentally 뜻하지 않게, 우연히 undermine 서서히 해치다

09 ⑤

지문해석

'deus ex machina'라는 용어는 소설이나 드라마에서 어떤 예상치 못했던 등장인물이 도착하거나 뭔가 극히 가능성이 적은 일이 일어나서 해결되지 않는 어려움에 대해 부자연스러운 해결책을 주는 상황을 가리킨다. 예를 들어 주인공들이 위험한 상황에 갇힐 수도 있지만, 갑자기 누군가가 불쑥 나타나 그들을 구출한다. 그 용어는 말 그대로는 라틴어로 '기계 장치에서

내려온 신'을 의미한다. 이 경우에 '기계'는 연극이 끝날 즈음 일을 바로 잡게 되는 신들을 연기하는 배우들을 무대 위로 내리기 위해 쓰였던 기중기를 가리킨다. 'Deus ex machina'는 오늘날 영화, 소설, 단편 소설에서 여전히 흔한 이야기의 장치이다. 하지만, 이는 종종 구조가 좋지 못한 이야기의 조짐으로 여겨진다. 작가가 논리적인 상황을 이용하는 대신, 믿을 수 없는 어떤 것에 의존하는 것은 이야기의 내재된 부족함을 두드러지게 한다.

구문해설

1행 The term *deus ex machina* refers to / a situation in fiction or drama / [**where** an unexpected character arrives / or something extremely unlikely occurs / and provides a contrived solution to an insolvable difficulty].

refer to: ~을 나타내다 / 선행사 / 관계부사절(선행사 a situation 수식) / 「-thing+형용사」 구문

*deus ex machina*라는 용어는 가리킨다 / 소설이나 드라마에서의 상황을 / 어떤 예상치 못했던 등장인물이 도착하거나 / 뭔가 극히 가능성이 적은 일이 일어나서 / 해결되지 않는 어려움에 대해 부자연스러운 해결책을 준다

9행 "Machine," in this case, refers to the cranes / [**used** to lower actors {**playing** gods} / onto the stage], / [**where** they would set things right / at the end of the play].

be used to-v: ~하기 위해서 사용되다 / 과거분사구 / 현재분사구 / 선행사 / 관계부사절

이 경우에 '기계'는 기중기를 가리킨다 / 신들을 연기하는 배우들을 내리기 위해 쓰였던 / 무대 위로 / 일을 바로 잡는 / 연극이 끝날 즈음

문제해설

deus ex machina가 오늘날까지도 쓰이고 있는 일반적인 이야기의 장치이지만, 구조가 좋지 못한 이야기의 조짐으로 여겨진다는 내용이 앞에 있으므로, 빈칸에 들어갈 말로 가장 적절한 것은 ⑤ '내재된 부족함을 두드러지게 한다'이다.

① 중요한 역할을 정의한다
② 주된 극적인 사건을 만든다
③ 능력을 극대화한다
④ 필요한 개입을 나타낸다

어휘

fiction 소설, 허구 character 등장인물 contrived 부자연스러운, 꾸며낸 insolvable 해결되지 않는 from nowhere 갑자기, 불쑥 literally 말 그대로, 문자 그대로 crane 기중기 play 연기하다; 연극 plot 줄거리, 이야기 device 장치, 기구 ill-structured 구조가 좋지 않은 logical 논리적인 capacity 능력 intervention 중재, 개입 inherent 내재된, 본연의 deficiency 결핍, 부족

10 ③

지문해석

시험을 잘 볼 때, 당신은 당신이 공부를 열심히 했기 때문이라고 믿을지 모른다. 하지만, 당신이 시험을 망쳤을 때는 교실이 너무 더웠다든가 선생님이 주제를 정확히 설명해주지 않았다고 이야기하며, 외부의 힘을 탓할지 모른다. 이는 자기 위주 편향의 좋은 예다. 이것은 일반적으로 서양 국가들에서 더 흔한데, 그곳에서는 개인의 성취가 더 중요하기 때문이다. 그 결과, 사람들은 개인적으로 실패했다는 느낌으로부터 스스로를 보호할 필요를 느낀다. 반면에, 집산주의자 문화에서는, 개인의 성공은 행운으로 여겨지고, 실패는 재능의 부족으로 여겨지기에 자기 위주 편향이 일어날 가능성이 더 적다. 또한, 연애하는 사이든, 친구 사이든 가까운 관계에 있는 사람들에게서도 일어날 가능성이 더 적다. 다시 말해, 이는 나쁜 상황에 대해 책임을 받아들이는 것에 관해서라면, 당신이 좋아하고 믿는 사람을 주변에 두는 것이 당신을 더 정직하게 만들어 줄 수 있다.

구문해설

8행 It is generally more common in Western countries, / [**where** individual achievement is of greater importance].

선행사 / 계속적 용법의 관계부사절(= and there) / of importance = important

이것은 일반적으로 서양 국가들에서 더 흔한데 / 그곳에서는 개인의 성취가 더 중요하다

11행 On the other hand, / in collectivist cultures, / [**where** personal success is viewed as luck and / failures as lack of talent], / self-serving bias is likely to occur less commonly.

계속적 용법의 관계부사절 / 선행사 / be viewed as: ~으로 여겨지다 / (are viewed) / be likely to: ~할 가능성이 있다

반면에 / 집산주의자 문화에서는 / 개인의 성공은 행운으로 여겨지고 / 실패는 재능의 부족으로 여겨지기에 / 자기 위주 편향이 일어날 가능성이 더 적다

16행 [Having someone around / {**who** you like and trust}], / in other words, / can make you more honest / when it comes to [**accepting** responsibility / for a bad situation].

S(동명사구) / 목적격 관계대명사절 / V / ~에 관해서라면 / 전치사 to의 목적어(동명사구)

사람을 주변에 두는 것이 / 당신이 좋아하고 믿는 / 다시 말해 / 당신을 더 정직하게 만들어 줄 수 있다 / 책임을 받아들이는 것에 관해서라면 / 나쁜 상황에 대해

문제해설

주어진 문장은 앞의 내용의 결과로 사람들이 개인의 실패에 대한 감정으로부터 스스로를 지킬 필요를 느낀다는 내용이므로, 개인의 성취가 더 중요한 서양 국가에서 자기 위주 편향이 더 흔하다는 부분의 뒤인 ③에 들어가는 것이 가장 적절하다.

어휘

fail 낙제하다 blame 비난하다 subject 주제, 과목 self-serving 자기 위주의 bias 편향, 편견 individual 개인의, 개별의 achievement 성취 on the other hand 반면에 collectivist 집산주의자 lack 부족 talent 재능 trust 신뢰하다 in other words 다시 말해서 when it comes to ~에 관해서라면 accept 받아들이다

11 ④ 12 ② 13 ③

지문해석

(A) 한 어린 소년이 집 근처 차도에서 농구를 하는데 공이 길로 굴러갔다. 공을 쫓아가다가, 소년은 지나가는 차에 치였고, 심각한 뇌 손상을 입었다. 그는 근처 병원으로 급히 실려갔고, 그곳에서 수술을 받은 후, 그는 혼수상태로 누워있었다. 그를 방문하러 온 친구들과 가족들뿐만 아니라 의사들의 노력에도 불구하고, 그는 회복할 기미를 보이지 않았다.

(D) 이러한 상태는 그의 부모가 그의 애완견 Cody에 대해 이야기를 하기 시작할 때까지 계속되었다. 놀랍게도, 소년은 한쪽 팔과 한쪽 다리를 움직이며 개의 이름에 반응하는 것 같았다. 흥분하여, 그의 부모들은 담당 의사들에게 개를 병원으로 데려올 수 있도록 허락해 달라고 요청했다. 많은 토론 끝에 의사들은 다음 면회 시간 동안 소년의 병실로 개를 데려오는 것에 동의했다.

(B) 개가 소년의 침대에 놓이자마자, 소년은 반응하기 시작했다. 얼마 지나지 않아, 아이는 손을 뻗어 그를 만지고 있었다. 마침내, 강아지가 자신의 얼굴을 핥아주자, 소년은 몇 주 만에 처음으로 천천히 눈을 떴다. 그는 몇 차례나 개의 이름을 말하기까지 했다. 비록 의사들이 그가 완전히 회복할 것인지 여전히 확신하지 못하지만, 그는 그날 이후 엄청난 경과를 보이고 있다.

(C) 어떤 사람들은 일어난 일이 놀랍다고 생각할 것이다. 그러나, 의사들은 그의 친구들이나 가족들이 할 수 없었던 일을 소년의 강아지가 한 것에 놀라지 않았다. "아이들과 애완동물들은 종종 아주 특별한 관계를 가집니다," 의사들 중 하나가 말했다. "이 경우, 환자는 명백히 자신의 개를 사랑하고, 개는 그를 사랑해 줍니다. 우리는 분명히 그들이 정기적으로 함께 시간을 계속 보내도록 할 것입니다."

구문해설

3행 [**Chasing** after it], / he was struck / by a passing automobile / and suffered serious head injuries.
분사구문 (= While he chased after it) / he: S / was struck: V1 / suffered: V2

공을 쫓아가다가 / 소년은 치였고 / 지나가는 차에 / 심각한 뇌 손상을 입었다

7행 Despite the efforts of his doctors, / **as well as** those of the friends and family members / [**who** came to visit him], / he showed no signs of recovery.
Despite: 전치사(~에도 불구하고) / B as well as A: A뿐만 아니라 B도 / those = the efforts / who: 주격 관계대명사절

의사들의 노력에도 불구하고 / 친구들과 가족들뿐만 아니라 / 그를 방문하러 온 / 그는 회복할 기미를 보이지 않았다

17행 Although the doctors are still not sure / [**if** he **will** ever **recover** completely], / he has been making great progress / since that day.
명사절(~인지 아닌지) / has been making: 현재완료 진행형(계속을 강조함) / since: ~ 이후로

비록 의사들이 여전히 확신하지 못하지만 / 그가 완전히 회복할 것인지 / 그는 엄청난 경과를 보이고 있다 / 그날 이후

문제해설

11. 한 소년이 교통사고로 혼수상태로 누워있었다는 주어진 글에 이어, 애완견의 이름을 듣자 반응을 보이는 것 같아 아이의 병실로 개를 데려올 수 있도록 허락받았다는 내용의 (D)가 나오고, 개를 데려오자 아이가 실제로 반응을 보여 눈을 떴다는 (B)가 이어진 후, 이 현상을 의학적으로 분석한 의사의 견해가 나오는 (C)로 이어져야 자연스럽다.

12. (b)는 소년의 애완견 Cody를 가리키며, 나머지는 소년을 가리킨다.

13. 애완견 Cody의 활약으로 소년은 많이 회복되었지만, 예전처럼 회복될지에 대해 의사들은 아직 확신하지 못한다고 했으므로, ③이 글의 내용과 일치하지 않는다.

어휘

driveway 차도 roll into ~로 굴러가다 chase 쫓아가다 be rushed to the hospital 병원으로 급히 실려가다 coma 혼수상태 undergo 겪다, 경험하다 surgery 수술 lick 핥다 manage to-v 간신히 ~하다 progress 발전, 경과 relationship 관계 definitely 분명히 on a regular basis 정기적으로 respond 반응하다 request 요구하다 permission 허락 visiting hours 면회 시간

3회 미니 모의고사

» pp. 150-155

01 ② **02** ① **03** ④ **04** ③ **05** ③ **06** ⑤ **07** ③ **08** ④ **09** ④ **10** ② **11** ① **12** ④

01 ②

지문해석

지난 몇 주간 저희 지역이 겪고 있는 극심한 겨울 날씨로 인해, Oakville 시는 지금 얼어붙은 도로를 처리하기 위해 사용되는 암염과 관련된 공급 문제로 고심하고 있습니다. 저희의 공급량이 위험할 정도로 낮기 때문에, 저희는 새로 선적 물량을 받을 때까지 평상시보다 더 적게 도로에 암염을 사용할 것입니다. 그러므로, 주민들께서는 시내에서 주행할 때 각별히 주의하시기 바랍니다. 저희는 도로에서 눈을 계속해서 치울 것이며, 암염을 언덕과 곡선길, 교차로에 계속 뿌리겠지만, 다른 길들은 빙판들이 생길 수 있습니다. 우리는 이 어려운 시기에 도로를 가능한 한 안전하게 유지하려는 노력에 대해 시 직원들께 감사드리고 싶으며, 그리고 우리는 모든 주민들께도 인내와 협조, 이해에 대해 감사드리고 싶습니다.

구문해설

1행 Due to the severe winter conditions / [(which) our region has been experiencing / over the past few weeks], / the town of Oakville / is now struggling with supply issues / [**related to** the rock salt / {(which is) **used to treat** our icy roads}].
Due to: ~ 때문에 / (which): 목적격 관계대명사절 / related to: 과거분사구 / used to treat: 과거분사구 / be used to-v: ~하기 위해서 사용되다

극심한 겨울 날씨로 인해 / 저희 지역이 겪고 있는 / 지난 몇 주간 / Oakville 시내는 / 지금 공급 문제로 고심하고 있습니다 / 암염과 관련된 / 얼어붙은 도로를 처리하기 위해 사용되는

7행 Therefore, / residents are cautioned to be extra careful / [**when driving** around town].
분사구문(= when they(residents) drive)
그러므로 / 주민들께서는 각별히 주의하시기 바랍니다 / 시내에서 주행할 때

12행 We would like to **thank** / the town's employees / **for** all of their efforts / [to keep the roads **as safe as possible** / during this difficult time], / and we would also like to **thank** / all of our residents / **for** their patience, cooperation and understanding.
thank A for B: A에게 B에 대해 감사하다
to부정사 형용사적 용법
as+형용사 원급+as possible: 가능한 한 ~한
우리는 감사드리고 싶습니다 / 시 직원들께 / 그들의 모든 노력에 대해 / 도로를 가능한 한 안전하게 유지하려는 / 이 어려운 시기에 / 그리고 우리는 또한 감사드리고 싶습니다 / 모든 주민들께 / 그들의 인내와 협조, 이해에 대해

(문제해설)
몇 주간의 극심한 추위로 얼어붙은 도로에 뿌릴 암염의 공급량이 부족해서 새로운 선적 물량이 들어올 때까지 도로에 암염을 평소보다 적게 사용할 수밖에 없다고 말하고 주민들에게 도로 주행 시 주의를 기울일 것을 당부하고 있으므로, 글의 목적으로 적절한 것은 ②이다.

(어휘)
due to ~ 때문에 conditions 환경, 날씨 region 지역 struggle with ~와 싸우다, ~로 고심하다 rock salt 암염 shipment 선적 resident 주민 intersection 교차로 patch 부분 patience 인내심 cooperation 협조

02 ①

(지문해석)
Robert는 간호사가 병실로 들어왔을 때 올려다보았다. 그녀는 그에게 따스한 미소를 지었지만, 그녀의 얼굴은 고단하고 지쳐 보였다. 늦은 시간이었고, 그녀는 아마도 하루 종일 일을 했을 것이다. 침대에서 고통스럽게 앉은 자세로 몸을 일으켜 세우고, 그는 그녀가 내민 작은 컵 안에 든 약들을 받았다. 그가 약을 모두 삼켰을 때는, 그녀는 그를 다시 혼자 남겨둔 채로 가버린 후였다. 그의 수술은 아침에 있었고, 아직 아무도 그를 만나러 오지 않았다. 내일 무슨 일이든 일어날 수 있다. 수술은 대성공일 수도, 아니면 실패일 수도 있다. 그는 죽을 수도 있다. 그는 친구들과 가족과 함께 있어야 했지만, 그 대신에 간호사가 다시 올 것인지 기다리면서 그는 내내 홀로 있었다. 그는 과거의 더 행복했던 시간을 떠올리려 했지만, 어떤 것도 생각나지 않았다.

(구문해설)
4행 [Painfully **pulling** himself up / into a sitting position / in the bed], / he accepted / the small cup of pills / [(that/which) she offered him].
재귀대명사: 생략된 주어(he)와 일치
분사구문(동시동작)
목적격 관계대명사절
고통스럽게 몸을 일으켜 세우고 / 앉은 자세로 / 침대에서 / 그는 받았다 / 약이 든 작은 컵을 / 그녀가 내민

12행 He should have been / with his friends and family, / but instead / he was all by himself, / [**waiting** to see / {**if** the nurse would return}].
should have+p.p.: ~했어야 했다
분사구문(동시동작)
see의 목적어(명사절)
그는 있어야 했다 / 그의 친구들과 가족과 함께 / 하지만 그 대신에 / 그는 내내 홀로 있었다 / 기다리면서 / 간호사가 다시 올 것인지

(문제해설)
수술을 마치고 약을 복용한 후 내일 죽을지도 모르는 상황에서 계속 혼자 있으며, 자신이 어땠는지 떠올려봤지만 기억이 나지 않는 상황이므로, Robert의 심경으로는 ① '외롭고 괴로운'이 가장 적절하다.
② 화가 나고 초조한
③ 안심이 되고 고마운
④ 충격을 받고 부끄러운
⑤ 호기심이 나고 희망적인

(어휘)
worn out 고단한 pill 약 swallow 삼키다 operation 수술 all by oneself 혼자서 distressed 괴로운, 고민하는 upset 속상한

03 ④

(지문해석)
당신이 뭔가를 기억하는 데 어려움을 겪고 있다면, 기억력을 향상시키기 위해 활용할 수 있는 몇 가지 방법이 있다. 첫 번째는 정보를 그룹으로 정리하는 것이다. 그것이 조직되는 방식은 중요하지 않다. 단어의 첫 글자, 단어의 길이, 당신이 선택하는 무엇이든 될 수 있다. 일단 정보가 그룹으로 정리되면, 이를 기억하는 것이 훨씬 더 쉽다는 것을 알게 될 것이다. 예를 들면, 35마리의 동물 목록을 기억하기 위해서, 그 동물들을 포유류, 파충류, 조류, 어류, 곤충류의 5개의 그룹으로 정리할 수 있다. 그러면 그 정보를 기억하기 더 쉬워질 것이다. 두 번째 방법은 연상을 이용하는 것이다. 당신이 새로운 정보를 배울 때마다 이를 당신이 이미 알고 있는 것과 연관시키려 노력을 하라. 그래서, 당신이 역사적 사건이 일어난 해를 기억하길 원한다면, 그 해에 일어났던 다른 일을 생각해 보라. 이것이 당신의 장기 기억 속에 이미 저장되어 있는 것에 새로운 정보를 더해줄 것이다.

(구문해설)
1행 If you have trouble / remembering things, / there are a couple of methods / [(that) you can use / to improve your memory].
목적격 관계대명사절
to부정사 부사적 용법(목적)
당신이 어려움을 겪고 있다면 / 뭔가를 기억하는 데 / 몇 가지 방법이 있다 / 활용할 수 있는 / 기억력을 향상시키기 위해

6행 **Once** the information / has been arranged into groups, / you'll find / [**that** memorizing it is much easier].
접속사(일단 ~하면)
현재완료 수동태
find의 목적어(명사절)
비교급 강조
일단 정보가 / 그룹으로 정리되고 나서는 / 알게 될 것이다 / 이를 기억하는 것이 훨씬 더 쉽다는 것을

13행 **Whenever** you learn / a new piece of information, / try to associate it / with something / [(that) you already know].

복합 관계대명사(~할 때마다) / try to-v: ~하려고 노력하다 / 목적격 관계대명사절

당신이 배울 때마다 / 새로운 정보를 / 그것을 연관시키려 노력을 하라 / 어떤 것과 / 당신이 이미 알고 있는

문제해설

더 효율적으로 기억하기 위한 방법으로 정보를 그룹으로 정리하는 것과 이미 알고 있는 것과의 연관성을 활용하는 방법을 제시하고 있으므로, ④ '어떻게 하면 더 효율적으로 기억할 수 있는가'가 주제로 가장 적절하다.

① 어떤 종류의 정보가 가장 가치 있는가
② 암기하기 위해 순서대로 배열하는 방법
③ 암기가 디지털 시대에 중요한가
⑤ 정보에서 중요한 패턴을 찾는 방법

어휘

have trouble v-ing ~하는 데 어려움을 겪다 method 방법 improve 향상시키다 organize 정리하다 letter 글자 length 길이 arrange 정리하다, 배열하다 mammal 포유류 reptile 파충류 recall 기억하다 association 연상; 연관성, 관련성 associate A with B A와 B를 연관[관련]시키다 attach A to B A를 B에 붙이다[첨가하다] store 저장하다

04 ③

지문해석

몸에 좋은 음식으로 아침 식사를 한 학생들은 교실에서 더 잘한다. 집중력은 더 예리해지고, 건강과 태도, 그리고 전반적인 행복에도 도움이 된다. 불행히도 매일 적절한 아침을 먹지 못하고 학교에 오는 학생들이 수백만 명에 이른다. 학교가 이런 배고파하는 학생들에게 아침 식사를 제공하면 성적과 출석률이 향상되는 큰 효과를 볼 수 있다. 매일 수업이 시작되기 전에 함께 식사를 하는 학생들 사이에 사회적 유대감도 더 강해진다. 자신들의 문제를 직면하고 있을지도 모를 부모들에게도 도움이 된다. 아이들이 (학교에 가면) 행복해하고 잘 먹는다는 것을 알고 매일 아침 학교로 보낼 수 있기 때문이다. 어른이자 교육자로서 우리는 학생들이 잠재력을 최대한 발휘하는 데 필요한 유리한 환경을 만들어 줄 책임이 있다. 그들이 매일 아침 좋은 아침 식사를 하도록 만들 시간이다.

구문해설

11행 Their parents, / [**who** may be facing problems of their own], also benefit / — they can send their children off to school every morning / **knowing** [(that) they will be happy and well fed].

S(선행사) / 주격 관계사명사절 / V / = their parents / = their children / 분사구문(부대상황) / knowing의 목적어(명사절)

그들의 부모들은 / 자기 자신들의 문제를 직면하고 있을지도 모를 / 역시 도움을 받는다 / 즉, 그들은 그들의 아이들을 매일 아침 학교로 보낼 수 있다 / 그들이 행복해하고 잘 먹는다는 것을 알고 있으면서

15행 As adults and educators, / **it** is our responsibility / **to create** an environment / [**in which** students have all the advantages / {(that) they need} / to meet their full potential].

전치사(~로서) / 가주어 / 진주어(to부정사구) / 목적격 관계대명사절(전치사+관계대명사) / 목적격 관계대명사절 / to부정사 부사적 용법(목적)

어른이자 교육자로서 / 우리의 책임이다 / 환경을 만들어 주는 것은 / 그 안에서 학생들은 모든 유리한 점을 가진다 / 그들이 필요한 / 잠재력을 최대한 발휘하는 데

문제해설

아침 식사는 학생들의 건강뿐만 아니라 집중력과 성적 향상에도 도움이 되며, 아침을 거른 학생들에게 학교에서 식사를 제공하면 학생들 간의 사회적 유대감이 강화되고 아침을 챙기지 못한 부모들에게도 도움이 된다는 내용을 통해 학교에서 학생들에게 아침 식사를 제공해야 한다고 주장하고 있으므로, 글의 요지로 가장 적절한 것은 ③이다.

어휘

perform 수행하다 concentration 집중력 attitude 태도 well-being 행복, 복지 benefit 혜택을 받다 unfortunately 불행히도 head 향하다 proper 적절한 impact 효과 cause 야기하다 grade 성적 attendance 출석 improve 향상시키다 bond 유대감 feed 먹이다 advantage 유리함, 장점 potential 잠재력

05 ③

지문해석

한국 콘텐츠 산업 상위 7개 부문의 수출

위의 표는 2013년부터 2017년까지 한국 콘텐츠 산업의 상위 7개 부문의 수출 수익을 보여준다. 출판 산업을 제외한 모든 부문은 2013년 수치와 비교했을 때 2017년에는 전체 수익 증가를 경험했다. 게임 산업은 매년 가장 높은 수출 수익을 차지했고, 2017년 수익은 차상위 분야인 캐릭터 산업의 수익보다 5배 이상 높았다. 2015년 방송 산업 수출 수익은 다소 떨어졌지만 이후 급격히 증가해 표에 나타난 최근 2년 사이 캐릭터 산업의 이익을 넘어섰다. 음반 산업의 수출 이익은 5년 내내 꾸준히 증가해 2013년에서 2017년까지 1억 7,500만 달러 이상 증가했다. 콘텐츠 솔루션 산업은 출판 산업이 불과 1억 8,700만 달러를 벌어들였던 2016년을 제외하고 매년 가장 낮은 수익을 차지했다.

구문해설

6행 The gaming industry / accounted for the highest export earnings each year, / with its 2017 earnings / more than five times higher / than those of the next-highest sector, the character industry.

account for: (비율을) 차지하다 / ~이상의 / = export earnings / 동격

게임 산업은 / 매년 가장 높은 수출 수익을 차지했고 / 2017년 수익은 / 5배 이상 높았다 / 차상위 분야인 캐릭터 산업의 수익보다

18행 The content solution industry accounted for the lowest earnings each year / except 2016, / [**when** the publishing industry earned only $187 million].
account for: (비율을) 차지하다
선행사
계속적 용법의 관계부사절
콘텐츠 솔루션 산업은 매년 가장 낮은 수익을 차지했다 / 2016년을 제외하고 / 출판 산업이 불과 1억 8,700만 달러를 벌어들였던

(문제해설)
방송 산업 수출 수익이 2015년에 하락했다가 이후 급격히 상승한 것은 맞지만, 캐릭터 산업의 수출 수익을 넘어선 적은 없으므로, ③은 표의 내용과 일치하지 않는다.

(어휘)
sector 분야, 부문 industry 산업 table 표 earnings 이익, 수익 overall 전체적으로 exception 예외 account for (비율을) 차지하다 surpass 넘어서다, 능가하다 last 최근의 steadily 꾸준하게 span 기간

06 ⑤

(지문해석)
당신이 새로운 가방을 찾아 온라인에서 쇼핑하고 있다고 상상해 보라. 몇 개의 사이트들을 둘러본 후, 뉴스 사이트에 있는 기사를 검색한다. 거기에서, 바로 그 기사 옆에서 몇 분 전에 감탄했던 정확히 그 가방의 광고를 본다. 당신은 "놀라운 우연의 일치군!"이라고 생각하고 비가 올지 알아보러 날씨 사이트로 전환한다. 그때 다시금 똑같은 가방 광고를 또 하나 본다! 이건 마술이 아니며, 우연의 일치가 아니다. 이것은 표적 광고라 불리는 것이며, 1990년대 후반 이후 인터넷에 존재해 왔다. 표적 광고 이전에는 회사들이 텔레비전을 보는 소비자들에게 다가가는 것과 똑같은 방식으로 온라인 소비자들에게 다가가려 노력했다. 그들이 스포츠 장비를 광고하고 있다면, 스포츠 프로그램은 그들의 광고를 등장시키고, 스포츠 웹 사이트 또한 그들의 광고를 등장시킬 것이다. 나중에, 이 회사들은 인터넷 이용자들의 검색 기록에서 수집된 데이터를 이용하기 시작했다. 이 데이터는 이제 그들이 인터넷 전반에서 사람들을 쫓아다니는 개인화된 광고와 홍보물을 만들 수 있게 해 준다.

(구문해설)
3행 There, / right next to the article, / you see an ad for the exact bag / [(which/that) you were admiring minutes earlier].
목적격 관계대명사절
거기에서 / 바로 그 기사 옆에서 / 당신은 정확히 그 가방의 광고를 본다 / 당신이 몇 분 전에 감탄했던

11행 Before targeted advertising, / companies tried to reach online consumers / the same way [(that) they reached those {**watching** TV}].
전치사(~ 전에)
관계부사절
= consumers
현재분사구
표적 광고 이전에는 / 회사들이 온라인 소비자들에게 다가가려 노력했다 / 텔레비전을 보는 소비자들에게 다가가는 것과 똑같은 방식으로

13행 **If** they **were advertising** sports equipment, / sports shows **would feature** their ads, / and **so would sports websites**.
가정법 과거
= sports websites would feature their ads, too
그들이 스포츠 장비를 광고하고 있다면 / 스포츠 프로그램은 그들의 광고를 등장시킬 것이다 / 그리고 스포츠 웹 사이트 또한 그럴 것이다(= 그들의 광고를 등장시킬 것이다)

18행 This data now **allows** them / **to create** personalized ads and promotions / [**that** follow people across the Internet].
allow+목적어+목적격보어(to부정사): ~가 …하게 하다
주격 관계대명사절
이 데이터는 이제 그들이 ~할 수 있게 해 준다 / 개인화된 광고와 홍보물을 만들도록 / 인터넷 전반에서 사람들을 쫓아다니는

(문제해설)
⑤ 앞의 명사 data를 수식하는 분사로 data는 '수집되는' 것이므로 수동의 의미를 나타내는 과거분사 collected로 고쳐야 한다.

(오답노트)
① 전치사 after 뒤에는 동명사를 써야 한다.
② 주어가 you이므로 be동사는 were를 쓰는 것이 적절하며, you were admiring은 앞에 which[that]가 생략된 목적격 관계대명사절이다.
③ try 뒤에 목적어로 to부정사를 쓸 때는 '~하려고 노력하다'의 의미이고, 동명사를 쓸 때는 '시험 삼아 ~해 보다'의 의미인데, 여기서는 문맥상 '노력하다, 애쓰다'의 의미가 적절하다.
④ 가정법 과거 구문이므로 과거형 조동사 would가 쓰이고, 「so+조동사+주어」는 앞의 문장을 받아 '~도 또한 …하다'의 의미이다.

(어휘)
browse 둘러보다, 훑어보다 surf (인터넷을) 서핑하다, 검색하다 article 기사 admire 감탄하다, 존경하다 coincidence 우연의 일치 targeted 표적의 advertising 광고 reach 다가가다, 연락하다 consumer 소비자 equipment 장비 feature ~을 특색으로 하다, 등장시키다 collect 수집하다 personalized 개인화된 promotion 홍보물

07 ③

(지문해석)
어떤 박테리아는 바위, 하수, 핵 폐기물을 포함한 기괴한 것들을 먹는다. 심지어 해저에 살며 메탄을 먹는 해양 박테리아 종도 있다. 메탄은 석유, 가스, 석탄이 탈 때 공기 중으로 방출되는 온실가스이다. 지구 대기 속의 온실가스의 과잉은 지구 온난화를 가속시켜 왔다. 또한 천연 가스와 소의 배설물로 만든 비료와 같은 천연 메탄의 발생원도 있다. 천연 메탄 중 일부는 해저에서부터 새어 나온다. 만약 이런 박테리아들이 이것을 먹지 않는다면, 훨씬 더 많은 메탄이 대기로 빠져나갈 것이다. 대신, 많은 양의 메탄은 바다에 갇힌다. 이런 미생물들이 해양의 메탄이 심각한 기후 변화 문제의 원인이 되는 것을 막아주며, 절대적으로 필요한 문지기로서의 역할을 한다.

구문해설

2행 There is even a species of marine bacteria / [that live on the sea floor / and **eat** methane].
주격 관계대명사절
병렬 연결–선행사(bacteria)에 수 일치
심지어 해양 박테리아 종도 있다 / 해저에 살며 / 메탄을 먹는

14행 These microorganisms act as vital gatekeepers, / **preventing** ocean methane / **from contributing** to the serious problem of climate change.
~로서의 역할을 하다
prevent+목적어+from v-ing: ~가 …하는 것을 막다
이런 미생물들이 절대적으로 필요한 문지기로서의 역할을 한다 / 해양의 메탄이 ~하는 것을 막아주며 / 심각한 기후 변화 문제의 원인이 되는 것을

문제해설

(A) 메탄이 '방출된다'는 내용이므로 released가 적절하다.
(B) 이런 가스가 많아질 때, 즉, '과잉'일 때를 의미하므로 excess가 적절하다.
(C) 해양의 메탄이 문제의 원인이 되는 것을 '막아준다'는 내용이므로 preventing이 적절하다.

어휘

bacteria 박테리아, 세균 bizarre 기괴한 sewage 하수, 오수 nuclear 핵의 species 종 marine 해양의 excess 과잉 atmosphere 대기 accelerate 가속시키다 manure 거름, 천연 비료 seep 새어 나오다 consume 먹다, 소비하다 microorganism 미생물 vital 절대적으로 필요한 gatekeeper 문지기

08 ④

지문해석

남극 대륙은 주로 혹독하고 달갑지 않은 환경 때문에 인간 활동의 피해를 입지 않은 지구의 마지막 장소 중 하나이다. 그 결과, 그곳에서 생태계는 크게 번성하고 있다. 하지만 이 생태계는 1990년대 이후로 예상치 못한 원인, 즉 모험을 찾아 그 지역을 찾는 방문객들로부터 위협을 받고 있다. 이런 방문객들은 환경을 보호하려고 노력할 때조차 그 지역 토종 새들에게 유해한 세균을 남기고 있다. 그 지역 조류 24개 종의 배설물 포본을 분석한 결과 인간에게 식중독을 야기하는 한 종류를 포함한 몇 종류의 인간 세균의 존재가 드러났다. 이러한 세균은 인간이 만든 몇 종류의 가장 흔한 항생제에도 견딜 수 있었는데, 이는 철새들이 아니라 방문객들이 이 세균들을 남극 대륙으로 가지고 왔다는 것을 암시한다.

구문해설

5행 This ecosystem, **however**, / has been under threat / since the 1990s / from an unexpected source — / [tourists who visit the region seeking adventure].
접속부사
an unexpected source의 부연 설명
하지만 이 생태계는 / 위협을 받아왔다 / 1990년대 이후로 / 예기치 못한 원인으로 / 즉 모험을 찾아 그 지역을 찾는 방문객들

14행 These bacteria were able to resist / some of the most common human antibiotics, / [**which** indicates / they were brought to Antarctica by tourists / **rather than** by migrating birds].
be able to: ~할 수 있다
계속적 용법의 주격 관계대명사절 (선행사: 앞 절 전체)
= these bacteria
수동태
A rather than B: B라기보다는 A(A와 B 병렬 구조)
이러한 세균은 견딜 수 있었다 / 인간이 만든 가장 흔한 항생제 중 일부에 / 이는 암시한다 / 그것들은 관광객에 의해 남극 대륙으로 가지고 왔다는 것을 / 철새들이 아니라

문제해설

남극 대륙에 서식하는 조류의 배설물을 조사한 결과 인간의 세균이 검출되었고, 심지어 인간이 만든 항생제에 적응하여 약이 듣지 않는 세균이 있었다는 것에서 인간의 잦은 출입이 남극 대륙 생태계에 위협 요소가 되었다는 것을 알 수 있다. 따라서 빈칸에 들어갈 말로 가장 적절한 것은 ④ '인간 활동'이다.
① 원주민 ② 기후 변화 ③ 치명적인 바이러스 ⑤ 이동하는 새(철새)

어휘

Antarctica 남극 대륙 damage 피해를 입히다 harsh 가혹한, 혹독한 unwelcoming 환영하지 않는 thriving 번성하는 ecosystem 생태계 threat 위협 region 지역 seek 찾다, 구하다 make efforts 노력하다 leave behind 두고 가다 native 토종의 analysis 분석 local 지역의 species 종 reveal 드러내다 presence 존재 cause 야기하다 food poisoning 식중독 resist 저항하다, 견디다 common 흔한 antibiotics 항생제, 항생 물질 indicate 암시하다 migrating bird 철새

09 ④

지문해석

두 개의 봉투가 있고 하나를 가질 수 있다고 상상해 보라. 하나는 10달러가 들어 있고, 나머지 하나는 비어 있다. 어떤 봉투에 돈이 들어 있는지 알아보기 위해 당신은 얼마를 지불하겠는가? 당신은 분명히, 10달러를 지불하려 들진 않을 것이다. 하지만 9달러 정도는 기꺼이 지불하려고 할 수도 있다. 이는 추가 돈을 버는 데 당신이 얼마나 많은 가치를 두는가의 문제이다. 기업들은 이런 류의 결정을 매일 내려야만 한다. 그들은 새로운 제품이 성공할 가능성이 얼마나 되는지를 알아보기 위해 시장 조사 팀에 많은 돈을 지불한다. 제품 개발은 수백만 달러가 들 수 있으므로, 기업들은 이런 팀들에게 기꺼이 수십만 달러를 지불한다. 봉투와 관련된 상황처럼, 목표는 불확실성을 줄여 줄 정보를 얻는 것이다. 기업들은 경쟁력 있는 정보를 얻거나, 컨설턴트, 연구원을 고용할 때마다 정보에 가치를 둔다. 그들은 일반적으로 정보의 가치 측면에서 이야기하는 것이 아니라, 이것이 기본적으로 그들이 내리고 있는 가치 판단이다.

구문해설

2행 **One** contains $10, / and **the other** is empty.
one, the other ...: 하나는 ~이고, 나머지 하나는 …이다
하나는 10달러가 들어 있고 / 나머지 하나는 비어 있다

8행 They pay market research teams lots of money / to find out / [how likely it is {that a new product will be successful}].

find out의 목적어(명사절) / to부정사 부사적 용법(목적) / 가주어 / 진주어(that절)

그들은 시장 조사 팀에 많은 돈을 지불한다 / 알아보기 위해 / 새로운 제품이 성공할 가능성이 얼마나 되는지를

13행 Just like in the situation with the envelope, / the goal / is to gain information / [that will reduce uncertainty].

~처럼, ~와 마찬가지로 / to부정사 명사적 용법(주격보어) / 주격 관계대명사절

봉투와 관련된 상황처럼 / 목표는 / 정보를 얻는 것이다 / 불확실성을 줄여 줄

15행 Businesses **place** a value **on** information / **every time** they buy competitive intelligence, hire consultants or researchers.

place A on B: A를 B에 두다 / ~할 때마다(= whenever)

기업들은 정보에 가치를 둔다 / 경쟁력 있는 정보를 얻거나 컨설턴트, 연구원을 고용할 때마다

문제해설

시장에서의 성공 가능성에 대한 정보를 얻기 위해 기업들은 기꺼이 시장 조사에 많은 돈을 쓴다고 하였는데 그렇게 하는 이유는 불확실성을 줄이기 위함이므로 문장의 빈칸에 들어갈 말로 가장 적절한 것은 ④ '목표는 불확실성을 줄여 줄 정보를 얻는 것이다'이다.

① 돈을 너무 많이 쓰는 것은 흔한 실수이다

② 모든 정보는 대중들에게 공개되어야 한다

③ 대부분의 상품은 어떠한 시장 조사도 없이 성공한다

⑤ 믿을 만한 정보를 비밀로 유지하는 것이 중요하다

어휘

envelope 봉투 empty 비어 있는 obviously 분명히 extra 추가의, 여분의 cost 비용이 들다 competitive 경쟁력 있는 intelligence 정보 hire 고용하다 consultant 컨설턴트, 상담가 in terms of ~의 면에서

10 ②

지문해석

많은 사무실에 직원들이 매주 금요일에 더 편안한 옷들을 입도록 허락하는 정책이 있다. 이러한 정책은 회사들에 전혀 비용이 들지 않고, 직원들의 태도를 향상시켜서, 최근에 점점 더 인기가 많아지고 있다. 이러한 발상은 사실 1960년대 하와이로 거슬러 올라간다. 하와이 패션조합의 회장은 다채로운 무늬와 디자인을 가진 소매가 짧고, 단추를 채우게 되어 있는 하와이안 셔츠의 인기를 퍼뜨리려고 하고 있었다. 하와이의 노동자들은 그곳의 더운 날씨 때문에 이러한 셔츠들을 선호했다. 그는 정치가들에게 하와이안 셔츠를 보냈고 노동자들이 그 셔츠들을 매주 금요일에 입을 수 있도록 해 달라고 로비를 했다. (관광은 하와이섬들에서 20만 명 이상을 고용하는 가장 큰 산업이다.) 이 아이디어는 알로하 금요일로 알려지게 되었다. 나중에 실리콘 밸리의 전문 기술직 노동자들이 이 아이디어에 이끌렸다. 결국, 알로하 금요일은 평상복을 입는 금요일이 되었고, 그 발상은 전 세계로 퍼졌다.

구문해설

2행 This policy / [**costs** companies nothing] / and [**improves** the attitude of workers], / so it has been growing more and more popular / in recent years.

S / V1 / and로 병렬 연결 / V2 / 현재완료 진행형

이러한 정책은 / 회사들에 전혀 비용이 들지 않고 / 직원들의 태도를 향상시켜서 / 점점 더 인기가 많아지고 있다 / 최근에

13행 Tourism / is the biggest industry / in the Hawaiian islands, / [**employing** more than 200,000 people].

the+최상급: 가장 ~하는 / 분사구문(동시동작)

관광은 / 가장 큰 산업이다 / 하와이섬들에서 / 20만 명 이상을 고용하는

문제해설

금요일에 편안한 옷을 입는 요즘 추세가 다채로운 무늬의 하와이안 셔츠를 입는 알로하 금요일에서 비롯됐다는 내용의 글이므로, 관광이 하와이의 주된 산업이라는 ②는 글의 흐름과 관계가 없다.

어휘

policy 정책 casual 편안한, 평상복의 concept 발상, 개념 date back to ~까지 거슬러 올라가다 spread 퍼뜨리다 short-sleeved 소매가 짧은 button-down 단추를 채우게 되어 있는 print 무늬 politician 정치가 tech worker 전문 기술직 노동자 eventually 결국

11 ① 12 ④

지문해석

자연재해로 수백 명의 사람들이 목숨을 잃었다는 얘기를 들었을 때, 우리는 당연히 화산이나 지진, 또는 홍수와 같은 잘 알려진 위험 요소들과 관련된 것으로 생각할 것이다. 아름다운 호수가 그렇게 많은 죽음의 원인일 것이라고 예상하는 사람은 거의 없을 것이다. 그러나 그것이 서아프리카 카메룬에 위치한 화산 호수, Nyos호에서 일어난 일이다. 1986년 호숫가에 살고 있는 주민들은 이상한 우르릉거리는 소리를 들었다. 무슨 일이 일어났는지 확인하려고 밖으로 뛰어나와서 그들은 큰 분수처럼 뿜어져 나오는 물과 함께 호수 표면에서 흰색 가스 구름이 솟아오르는 것을 보고 충격을 받았다. 그 가스는 마을들을 휩쓸고 흘러갔고, 사람들과 가축들이 바닥에 쓰러지면서 의식을 잃기 시작했다. 불행하게도, 이 가스는 이산화탄소였다. 몇 분 만에 공기 중의 이산화탄소 농도는 15%를 넘어섰다. 이산화탄소 농도가 15% 이상인 공기를 들이마시는 모든 생물체는 즉시 사망할 것이다. 농도가 15% 이하라면, 그것들은 기절하지만, 얼마 후에는 의식을 잃는다(→ 회복한다). 거의 1천 7백 명의 사람들과 3천 마리의 가축들이 그날 죽었다. 과학자들은 이산화탄소가 수년간 호수로 녹아들어 왔다고 믿는다. 그러나 물이 순환하지 않는 호수 바닥에 있었기 때문에 아무런 문제도 일으키지 않았다. 하지만 수중 화산이 폭발했을 때, 대량의 이산화탄소가 공기 중으로 방출되어 끔찍한 재앙을 불러일으켰다.

구문해설

10행 [**Running** outside / to see {what had happened}], / they were shocked / to see a tall fountain of water and a cloud of white gas / [**rising** up from the surface of the lake].

see의 목적어(의문사절) / 부사구문(동시동작) / to부정사 부사적 용법(목적) / to부정사 부사적 용법(감정의 원인) / 현재분사구

밖으로 뛰어 나와서 / 무슨 일이 일어났는지 확인하려고 / 그들은 충격을 받았다 / 큰 분수처럼 뿜어져 나오는 물과 흰색 가스 구름을 보고 / 호수 표면에서 솟아오르는

18행 Any living thing / [**that** inhales air / {**that** has a carbon-dioxide concentration of greater than 15%}] / will die instantly.

주격 관계대명사절 / S / V

모든 생물체는 / 공기를 들이마시는 / 이산화탄소 농도가 15% 이상인 / 즉시 사망할 것이다

문제해설

11. 화산 호수의 갑작스런 이산화탄소 분출로 조용하지만 치명적으로 많은 생명을 앗아간 Nyos호의 이야기이므로, 제목으로는 ① '호수에 숨어 있는 침묵의 살인자'가 적절하다.

② 호숫가에 사는 것: 안전한가?
③ 아프리카의 이산화탄소 부족
④ 이산화탄소가 그렇게 치명적인 이유
⑤ 자연재해에서 살아남는 방법

12. 15% 이상의 이산화탄소 농도에서 호흡을 하면 모든 생물체가 즉사하지만, 15% 이하의 농도에서는 기절했다가 의식을 회복한다는 내용이 적절하므로, ④의 lose(잃는다)는 regain(회복한다)으로 바꿔야 자연스럽다.

어휘

disaster 재난 assume 추정하다 involve 관련시키다, 포함하다 hazard 위험, 위험요소 rumbling 우르릉[웅웅]거리는 livestock 가축 consciousness 의식 concentration 농도 inhale 흡입하다 instantly 즉각, 즉시 pass out 기절하다 dissolve 녹다, 용해하다 circulate 순환하다 erupt 분출하다